JN215471

the four

GAFA

ガーファ

スコット・ギャロウェイ Scott Galloway
渡会圭子〔訳〕

四騎士が創り変えた世界

東洋経済新報社

the four

GAFA

ガーファ

スコット・ギャロウェイ Scott Galloway
渡会圭子［訳］

四騎士が創り変えた世界

東洋経済新報社

GAFA

四騎士

ヨハネの黙示録の四騎士。
地上の4分の1を支配し、
剣、飢饉、悪疫、獣によって
「地上の人間を殺す権威」を与えられている。

『黙示録の四騎士』
(Four Horsemen of Apocalypse, *by Viktor Vasnetsov*. Painted in 1887.)

ノランとアレクに

私は視線を上げ、星を見て、疑問を持つ。
私は視線を下げ、息子たちを見て、答えを知る。

目次

第3章 アップル——ジョブズという教祖を崇める宗教

第10章 GAFA「以後」の世界で生きるための武器 ……… 359

第1章 GAFA——世界を創り変えた四騎士

テクノロジー業界の四強と言えば、誰もがグーグル、アップル、フェイスブック、アマゾンを思い浮かべるだろう。これらの巨大企業は過去20年間、歴史上かつてないほどの喜びや人間同士のつながり、あるいは経済的な繁栄や発明を私たちにもたらしてきた。

その過程では何万という高給な仕事も生み出している。これら四強企業の製品やサービスは互いに関わり合いながら、何十億もの人々の日常生活を支えている。

ポケットサイズのスーパーコンピュータをつくったのも、発展途上国にインターネット網を持ち込んだのも、地球の大陸と海の詳細な地図をつくっているのも、これらの企業だ。これら四強企業が生み出した空前の額の富（2兆3000億ドル）は、株式を保有している世界中の何百万という家計を潤している。これらの企業は、世界をより豊かな場所にしているのだ。

これは事実に反することではないし、あらゆるメディア、そしてあらゆる場で語られてきた。しかしこれら四強には、まったく別の顔もある。

ディスラプションの四騎士

たとえば次のような顔である。

売上税を払うのを拒否し、従業員の待遇が悪く、何万という仕事を消滅させながら、事業革新の神と崇（あが）められている小売業者。

国内のテロリズムについての情報を連邦政府の捜査にも提供せず、その思想に共鳴する宗教じみた熱狂的ファンに支えられるコンピュータ企業。

あなたの子どもたちの何千枚もの写真を分析し、携帯電話を盗聴器として活用し、その情報をフォーチュン500企業に売りつけるソーシャル・メディア企業。

メディアで最も実入りのいい検索分野で90パーセントのシェアを占めながら、せっせと訴訟とロビー活動に励んで、独占禁止法の適用を逃れている広告配信プラットフォーム。

こうしたマイナスの評価は世界中から聞こえてくるが、その声のトーンは抑えられている。

私たちはこれらの企業が決して善良ではないと知りつつ、最もプライベートな領域への侵入を無防備に許している。営利目的で使用されることを知りながら、自らの最新の個人情報を漏らしているのだ。

いまの時代のメディアは、こうした企業の重役たちをヒーローの座へと祭り上げている。信頼に値し、手本とするべき天才たちだとして。

アメリカ政府はこれらの企業に対して反トラスト法、税金、労働法の適用上の特例を認めている。これらの企業の株価はつり上げられ、無限に近い資金ととびぬけて優秀な人材が世界中から集まる。その結果、四強はあらゆる敵を粉砕できる力を手に入れた。

これらの企業は人類を幸せに導く聖なる四騎士なのか？　それともヨハネの黙示録の四騎士（本書1ページ参照）なのだろうか？　どちらの問いに対する答えもイエスだ。ここではただ、四騎士と呼ぶことにする。

これらの企業はどうやってこれほどの力を手に入れたのだろう。感情を持たない営利企業がなぜ人間心理の奥深くにまで食い込めたのだろうか。一企業でありながら企業の存在と能力の限界を押し広げるまでに至ったのはなぜだろうか。その未曾有のスケールと影響力は、将来のビジネスとグローバル経済にどのような意味を持つことになるのだろうか。四騎士もまた、かつての巨大企業と同じように、より若く魅力的なライバルたちの前に光を失っていく運命なのだろうか。それともすでに、誰も——個人、企業、政府でさえ——太刀打ちできないほど強固な存在になっているのだろうか。

四騎士のいま

この本を書いている時点での四騎士の状況は以下のとおりである。

アマゾン

ポルシェのスポーツカーや、ルブタンの高さ10センチのピンヒールを買うのは心躍る体験だ。しかし、おむつや歯磨き粉を買いに行くのはそれほど楽しくない。

アマゾンはほとんどのアメリカ人から選ばれ、しだいに世界中の人から選ばれるようになりつつあるネットショッピング企業だ。アマゾンの強みは、生きるための必需品を手に入れるという退屈な作業のつらさを軽減していることにある。[1][2] 苦労する必要はない。狩りはしなくてい

小売企業の時価総額（2017年7月25日現在）

Yahoo! Finance. https://finance.yahoo.com/

い。採集する必要もほとんどない。1回クリックするだけでいい。

同社の手法は、消費者の自宅に商品を届ける、いわゆるラスト・ワンマイルのインフラへ、かつてないほどの巨額の資金を注入することだった。それを可能にするのが、驚くほど気前のいい個人投資家である。彼らが夢見ているのは、ビジネス界でこれまで語られた中で最も魅力的で、ごくシンプルなストーリーだ。それが「地球上最大の店舗」である。

このストーリーには、ノルマンディー上陸作戦顔負けの大胆な戦略がある（世界を救うための兵士たちの勇気と犠牲はないが）。その結果、大手小売のウォルマート、ターゲット、クローガー、ティファニー、コーチ、GAP、メイシーズ、ノードストロームを合わせた以上の価値を持つ小売企業が生まれたのだ[3]。

この本を書いている時点で、アマゾンの創業者ジェフ・ベゾスの資産は世界第3位である。いずれ第1位になるだろう。現在の第1位と第2位はビル・ゲイツとウォーレン・バフェット（業種はソフトウェアと投資）だ。しかし彼らが率いている会社は毎年20パーセントずつ成長しているわけでもなく、既存市場に襲いかかって食い散らかしているわけでもない。[4][5]

アップル

ラップトップやモバイル機器を美しく飾る、誰もがうらやむアップルのロゴ。それは世界に通用する富や教育、西洋的な価値観の象徴である。アップルは2つの本能的欲求を満たしてくれる。神に近く感じられることと、異性の目に魅力的に映ることだ。

アップルはまるで宗教のようだ。信念体系を持ち、崇拝の対象となっている。熱狂的なファンがいて、キリスト的な人物もいる。その信者たちは世界で最も重要な人間とみなされる。そう、イノベーティブな人々だ。

アップルはビジネス界ではとうてい無理と思われてきた目標、すなわち低コストの製品をプレミアム価格で売ることに成功した。そしてアップルは歴史上最も利益の大きな企業となった。[6]

2016年第4四半期、アップルは創業時からの総計で、アマゾンの2倍の営業利益をあげた。[7][8][9]アップルの手元資金はデンマークのGDPとほぼ同じである。[10][11]

フェイスブック

普及率と使用率を基準にすれば、フェイスブックは人類史上、最も成功している企業と言える。現在の世界の人口は75億人。そのうち12億人が毎日フェイスブックとの関わりを持っている[12]。[13]

フェイスブック、フェイスブック・メッセンジャー、インスタグラムは、スマホアプリとしてアメリカでも人気の上位を占める（それぞれ第1位、第2位、第8位[14]）。ユーザーは一般的に1日50分を、このソーシャル・ネットワークに費やしている[15]。ネット接続している6分に1分、そしてモバイル機器を使用している5分に1分はフェイスブックを見ているのだ[16]。

グーグル

グーグルは現代人にとっての神であり、我々の知識の源でもある。常に身近に存在し、我々の奥深い秘密を知る。それをもとに、我々がどこにいてどこへ向かう必要があるのかを確信を持って教えてくれる。ささいなことから重大な問題まで何にでも答えてくれる。

グーグルほど全知全能の神として信用されている機関はほかにない。検索エンジンに入力される質問の6つに1つは、それまで誰も問いかけることがなかったものだ[17]。そうした問いかけを一身に受けるほどの権威を持つ司祭、ラビ、学者、コーチなどいるだろうか。世界中の人々からこれほど多くの質問をされる存在が他にあるだろうか。

アルファベット社の子会社であるグーグルは、2016年に200億ドルの利益をあげた。売上げは23パーセントアップ。それでいて広告料は11パーセント値下げした——これは競争相手に大きな打撃を与えた。

グーグルは大半の商品とは逆で、使うほど価値が上がる。[18] 20億人の人が毎日、自らの意思（自分がしたいこと）と選択（自分がすること）を入力している。グーグルはそのパワーを活用し、それぞれの部分を足した以上のものを全体として生み出しているのだ。[19]

グーグルは毎日35億の質問からデータをこつこつと集め、消費者行動を分析している。これによってグーグルは従来のブランドとメディアの死刑執行人となった。あなたの新しい贔屓（ひいき）のブランドは、グーグルが0・00000005秒で答えてくれるものだ。

1兆ドルを達成するのはどの企業なのか

何十億人もがこれらの企業の製品とサービスを便利に使っている。しかし経済的利益を得ている人は腹が立つほど少ない。

ゼネラル・モーターズ（GM）の1人当たり時価総額（時価総額／全従業員数）はおよそ23万1000ドル。[20] 大したものだと感じるかもしれないが、フェイスブックは1人当たり2050万ドルだ。前世紀のアイコン的企業であったGMの約100倍である。[21][22] 同社の従業員

1人当たり時価総額の比較（2016年）

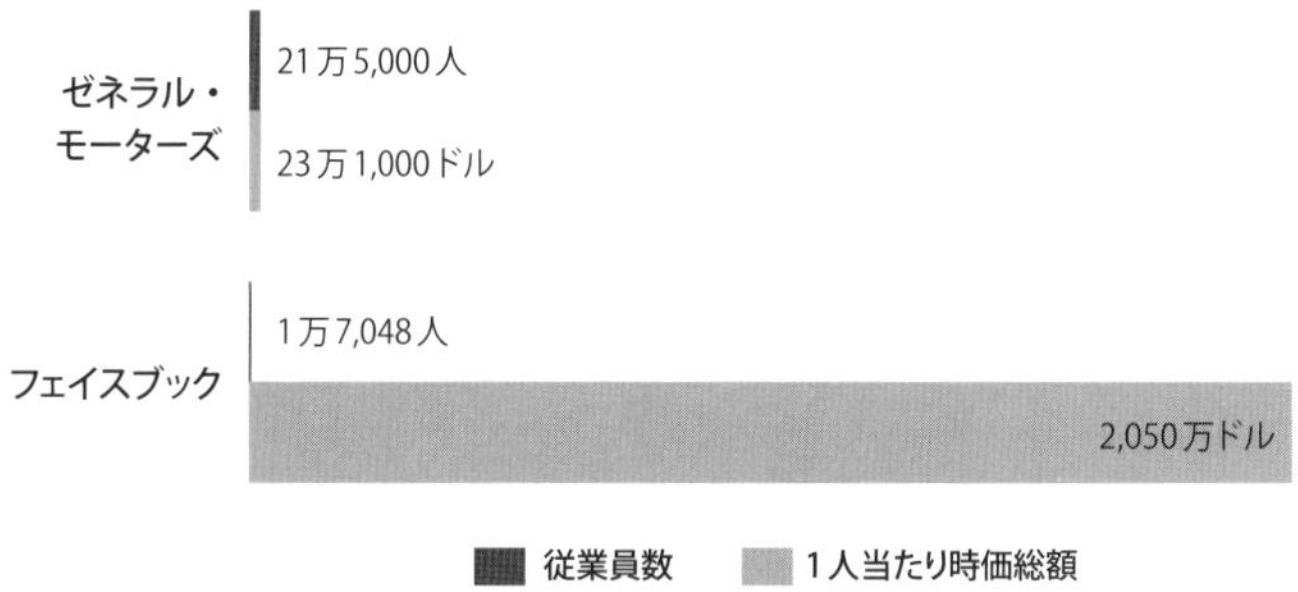

Forbes, May, 2016. https://www.forbes.com/companies/general-motors/
Facebook, Inc. https://newsroom.fb.com/company-info/
Yahoo! Finance. https://finance.yahoo.com/

数は2万人に満たない。それで先進国1国規模の経済価値を生み出していると考えてみてほしい。

こうした経済価値の増大はどんな経済原則でも説明できないように思える。2013年4月から2017年4月までの4年間で、四騎士の時価総額はおよそ1兆3000億ドル増加した。これはロシアのGDP総額と同じだ。[23][24]

新旧を問わず、そして大企業であれ巨大企業であれ、他のテック企業は存在感を失いつつある。ヒューレット・パッカード（HP）やIBMを含め、老いていく巨人は四騎士の目の端にも入っていない。ハエのように飛び回っている何千もの新興企業は、はたき落とす価値もない。四騎士にとって目障りな存在になりそうな企業は買収される——下々の会社には想像もできない額で（フェイスブックは創設5年目で従業員数約50人だったインスタント・メッセージ会社ワッツアップに200億ドル近くを

時価総額ランキング（1～5位）

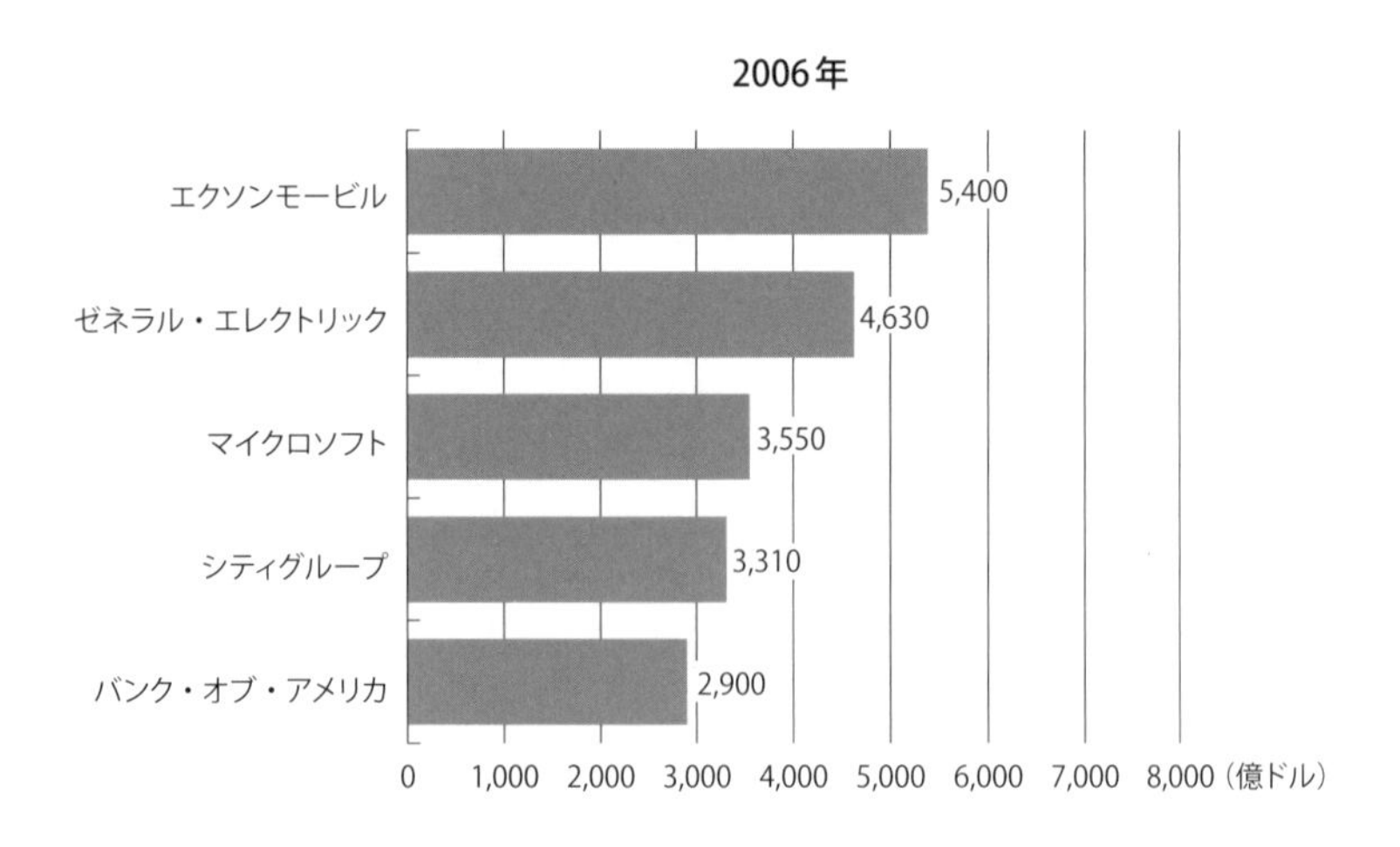

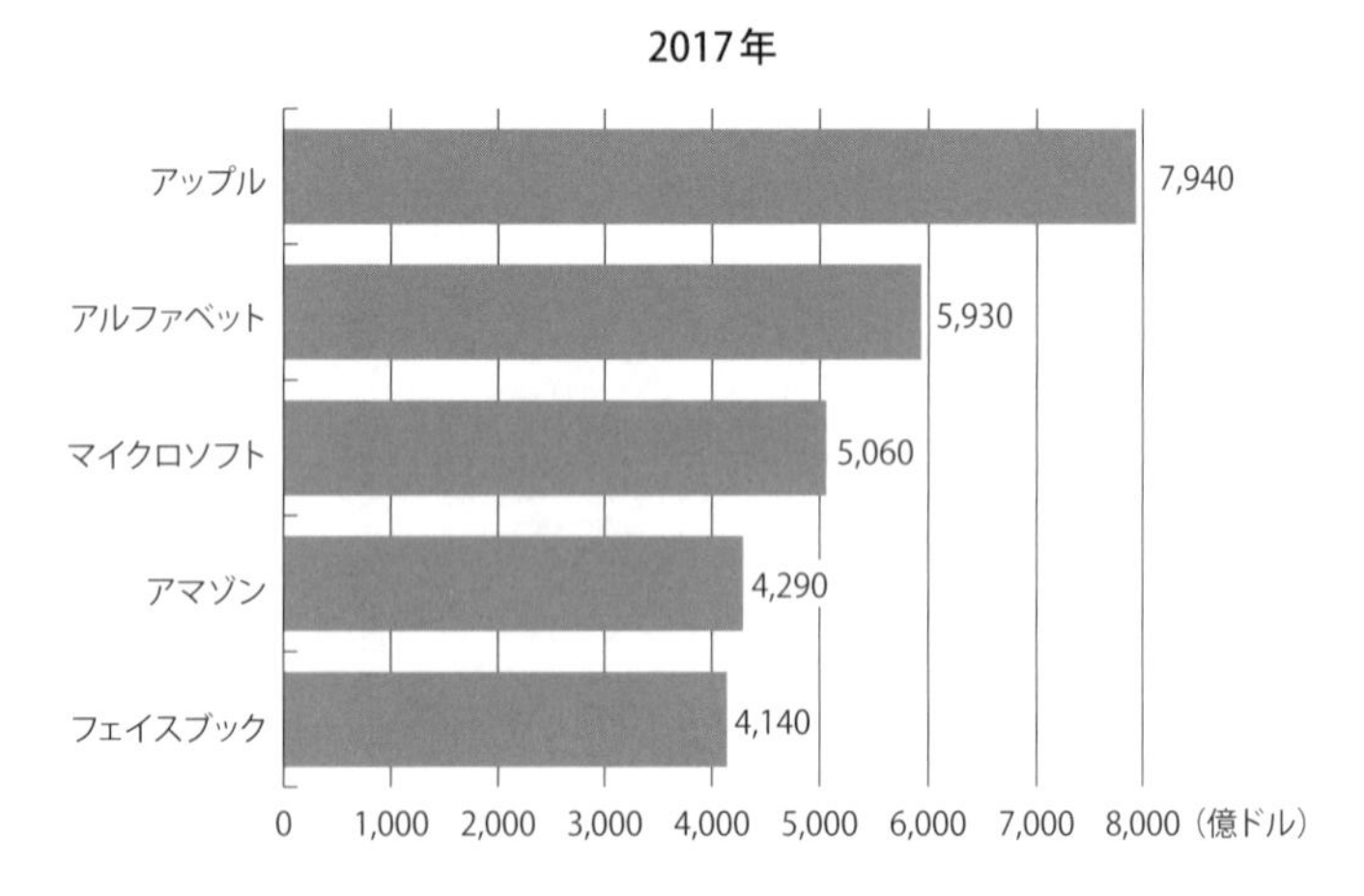

Taplin, Jonathan. "Is It Time to Break Up Google?" *The New York Times.*

払った)。

そしていまや四騎士に対抗できるのは……四騎士だけなのである。

対立がもたらすバランス

四騎士はビジネスや社会、地球にきわめて大きな影響を与えている。もはや政府や法律でさえ、これら四騎士の快進撃を止めるには無力なように見える。しかし四騎士自身の対抗心の中にこそ、安全装置が組み込まれているようだ。四騎士が互いを憎んでいるのは明らかだ。いまや彼らはそれぞれの分野では敵なしの状態になり、四騎士同士が直接ぶつかり合っている。

グーグルはブランド時代の終焉を示唆し、検索を武器に、もうブランドにこだわる必要はないとばかりにアップルを攻撃している。そのアップルも、音楽と映画でアマゾンに対抗している。

アマゾンはグーグルにとって最大の顧客だが、検索についてはグーグルにとっての脅威でもある。何かの商品をさがしている人の55パーセントが、まずアマゾンで調べているのだ(グーグルを使う人は28パーセント[25])。

アップルとアマゾンは私たちの目の前のテレビ画面やスマホ画面で正面からぶつかり合って

商品について最初に調べるのは？（2016年）

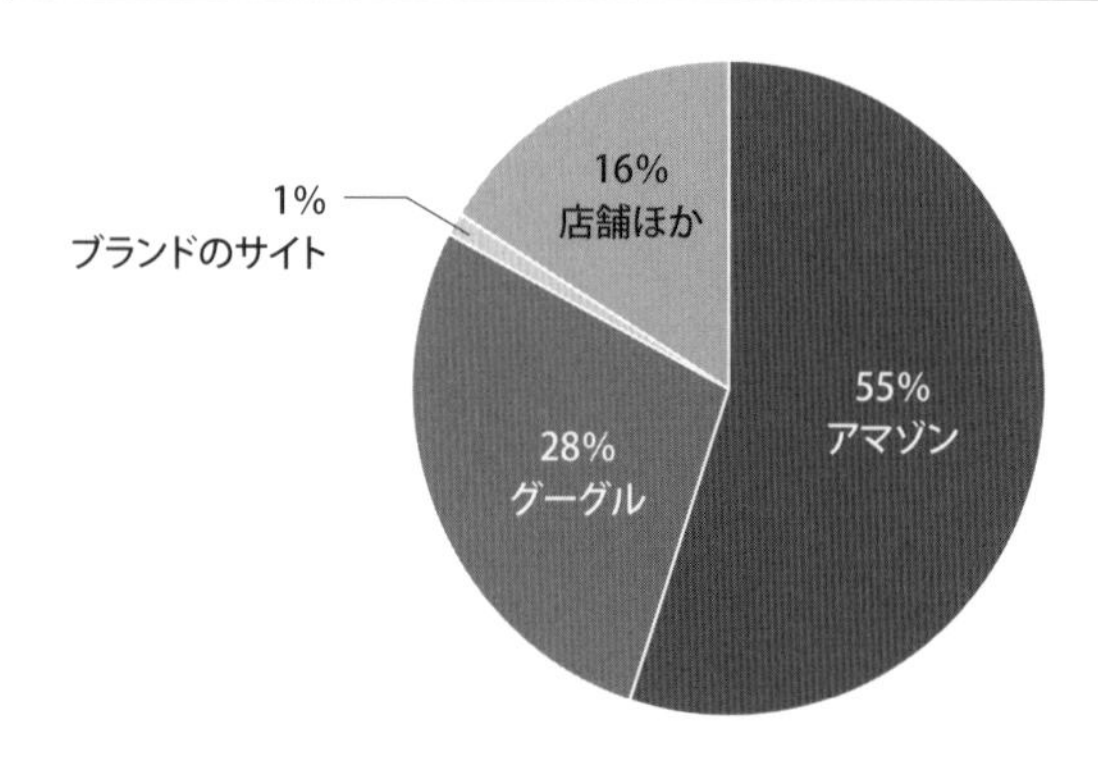

Soper, Spencer. "More Than 50% of Shoppers Turn First to Amazon in Product Search." *Bloomberg.*

いる。グーグルとアップルは私たちの時代の象徴とも言えるスマホのオペレーティング・システムをめぐって戦っている。

さらに、Ｓｉｒｉ（アップル）とアレクサ（アマゾン）が音声認識の闘技場に入場した。２つの「声」のいずれかが、敗北して闘技場を去ることになる。

ネット広告の領域では、フェイスブックがデスクトップからモバイルに完全にシフトして、グーグルからシェアを奪っている。

そしてこれからの10年でより多くの富を生み出しそうなテクノロジーであるクラウドでは、アマゾンとグーグルが接戦を繰り広げている。世界ヘビー級タイトルマッチの伝説の一戦、モハメド・アリ対ジョー・フレージャーを見ているようだ。

四騎士は私たちの生活のオペレーティング・システムになるべく壮絶な戦いを展開している。その勝者が得るものは何か？　それは1兆ドルを超える時価総額、そして歴史上かつてないほど大きな権力と影響力だ。

本書の構成

これら4つの巨大企業は、どのように生まれたのか。それを知ることが、デジタル時代のビジネスと価値の創造を理解するカギとなる。本書の前半では、四騎士をそれぞれ調べ上げ、その戦略を分析し、参考にするべき教訓を引き出す。

後半ではその強みのもとを中心につくりあげられた「神話」を指摘する。そしてこれらの企業が成長と利益のために、人間の最も基本的な本能をどのように利用しているのかを説明する。そこでは、彼らがライバルに攻め込まれないようデジタルの高い壁を築くだけでなく、アナログの深い堀——敵の攻撃力を弱めるための現実のインフラ——をめぐらしていることを明らかにする。そうすることで、彼らは自分たちの市場を守っているのだ。

これらの騎士の罪とは何か。どうやって政府やライバルを欺いて知的財産を盗んでいるのか。それらは第8章で詳述している。

いつか第五の騎士が現れるのか。第9章では中国の小売りの雄アリババやテスラ、ウーバーなど、その候補となりそうな企業を評価する。アリババは多くの尺度で、アマゾンをはるかに上回っている。ほかにより強力な基盤を築く潜在力を持つ企業があるだろうか。

第10章では、四騎士時代に個人が成功するために必要な特性に目を向ける。そして第11章では四騎士が築く世界はどのようなところかについて説明する。

私と四騎士の関係

あるとき私は、自分の名前をスマートスピーカーのアレクサに尋ねた。「アレクサ、スコット・ギャロウェイって誰?」

アレクサによると「スコット・ギャロウェイはオーストラリア人のプロ・フットボール選手。Aリーグのセントラル・コースト・マリナーズのフルバックです」。そういう名前の選手もいるが……。

私はプロ・フットボールチームのフルバックではない。しかし私もフットボール並みの激しい競争をくぐり抜けてきた。

生まれたのは中流の下の上といった世帯。秘書として働くシングルマザーという名のスーパーヒーローに育てられた。大学卒業後、成功して女性にモテたいという不純な目的のために、モルガン・スタンレーで2年間働いた。投資銀行業務は最低の仕事だ。加えて私は大企業（あるいは他人の下）で働くスキルに欠けている。それはたとえば成熟、自制心、謙遜、組織を尊重するといった性質だ。だから私は自分の会社をつくることにした。

ビジネススクールを出たあと、私はプロフェットというブランド戦略企業を創設した。従業員は400人に達し、消費材を取り扱う企業がアップルをまねる手助けをしていた。1997年にはレッドエンベロープというオンライン通販会社を始め、2002年に株式公開した。しかしこれは、アマゾンによってじわじわと息の根を止められた。

2010年にはL2を創設。世界最大級の消費者ブランドや小売ブランドの、社会的評価、検索、モバイル、サイトの実績などを評価していた。そのデータは、ナイキ、シャネル、ロレアル、P&Gをはじめ、世界の大手100社が自社と四騎士を比較するのに使われた。2017年3月、L2はガートナー（訳注：リサーチ会社）に買収された。

それと同時に、私はいくつかのメディア企業（ニューヨーク・タイムズ社、デックス・メディア、アドヴァンスターー）の役員会にも名を連ねていた。これらはすべて、グーグルとフェイスブックに撃破された。

私はゲートウェイ・コンピュータの役員でもあった。同社はアップルの3倍ものコンピュータを販売しながら、利益は5分の1しかなかった。さらに衣服や雑貨を扱うアーバン・アウトフィッターズ、ファッションブランドのエディー・バウアーでも役員をしている。どちらもアマゾンという小売業の怪物から、自分たちの縄張りを守ろうとしている。

GAFA以後の世界は現代の必修科目だ

しかし私の名刺（自分では持っていないが）の肩書は、〝マーケティング教授〟である。2002年に私はニューヨーク大学（NYU）スターン経営大学院の教員となった。以来、6000人を超える学生にブランド戦略とデジタル・マーケティングを教えてきた。これは私にとって特別な仕事だ。なぜなら父方、母方のいずれにおいても、一家で高校を卒業したのすら私が初めてだったからだ。

私がいまの地位にいられるのは大きな政府、そして具体的にはカリフォルニア大学のおかげだ。カリフォルニア大学はこの上なく平凡な私に、世界でも一流の教育を授けて出世できる道筋を開いてくれた。

学生の平均給与をたった22カ月で7万ドル（出願者）から11万ドル（卒業生）へと引き上げるビジネススクール。その教育の柱は、金融、マーケティング、経営、マネジメントである。最初の1年はこのカリキュラムにかかりきりになるが、そこで学んだスキルは仕事をしている限りずっと役に立つ。2年目の課程はほとんどが無駄である。正規雇用の教員たちの講義ノルマを満たすための（的外れな）選択コースだ。ここで学生たちはビールを飲むことを覚え、「チリでビジネスを展開する」という魅力的だが価値のないアイデアを思いつく。NYUスターンでは本当に、こうした課程で卒業単位を与えているのだ。

ビジネススクールの2年目というのは、学費が5万ドルですむところを11万ドルにするためのものだ。これによって、テニュア（終身在職権）を持つ過剰な教育を受けた教員たちのための福祉プログラムを支えている。大学がインフレよりも速いスピードで学費を上げ続けるつもりなら、2年目のカリキュラムをもっと充実させる必要がある。

私は学生たちに、1年目に学ぶビジネスの基礎に加え、それらのスキルを現代の経済にどう適用するかを教えるべきだと思っている。だから私は2年目の柱として、四騎士と、四騎士の事業（検索、ソーシャル・ネットワーク、ブランド、小売り）について教えている。学生はこれらの企業が利用している人間の本能、テクノロジー間の交わり、利害関係者にとっての価値を理解する必要がある。これはすなわち、現代のビジネス、この世界、そして私たち自身についてて知るということなのだ。

私は講座の最初と最後に必ず、学生たちにこのコースの目的を説明する。目的は学生たちに武器を与え、自分と家族の経済的安定を手に入れられるようにすることだ。

私がこの本を書いたのも同じ理由からだ。いまは億万長者（ビリオネア）になるのはかつてないほど容易だが、百万長者（ミリオネア）になるのはかつてないほど難しい時代だ。そのような経済状況の中で読者のみなさんが、競争で優位に立つための強みと見識を身につけることを願っている。

第2章 アマゾン——1兆ドルに最も近い巨人

全米の世帯の44パーセントに銃があり、52パーセントにアマゾン・プライムがある。[1] 富裕層では固定電話よりアマゾン・プライムと契約する世帯のほうが多いと言われている。[2] アメリカのネット業界における2016年の成長の半分、そして小売業の成長の21パーセントはアマゾンによるものだった。[3][4][5] 実際の店舗で買い物するときも、消費者の4人に1人が購入前にアマゾンのカスタマー・レビューをチェックしている。[6]

妻とともにニューヨークからシアトルへ向かう車の中で、ジェフ・ベゾスというヘッジファンドのアナリストがどのようにアマゾンのビジネスプランを考え出したのか。それを詳しく

アメリカの世帯で占める割合（2016年）

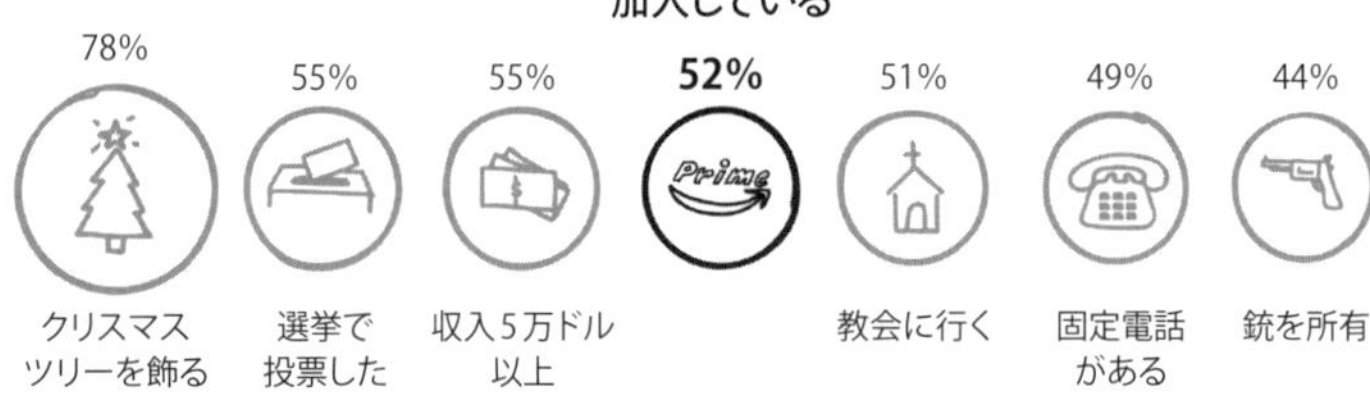

"Sizeable Gender Differences in Support of Bans on Assault Weapons, Large Clips." Pew Research Center.
ACTA, "The Vote Is In—78 Percent of U.S. Households Will Display Christmas Trees This Season: No Recount Necessary Says American Christmas Tree Association." ACTA.
"2016 November General Election Turnout Rates." United States Elections Project.
Stoffel, Brian. "The Average American Household's Income: Where Do You Stand?" *The Motley Fool.*
Green, Emma. "It's Hard to Go to Church." *The Atlantic.*
"Twenty Percent of U.S. Households View Landline Telephones as an Important Communication Choice." The Rand Corporation.
Tuttle, Brad. "Amazon Has Upper-Income Americans Wrapped Around Its Finger." *Time.*

語っている本は、ブラッド・ストーンの著書『ジェフ・ベゾス 果てなき野望』（2014年）をはじめとして何冊か出ている。アマゾンについて書く人の多くが、同社の大きな財産はその操業能力、エンジニア、あるいはブランド力だと言う。

しかし私は、アマゾンがやがて1兆ドルを達成しそうなほど総資産を増やし続けているのには別の理由があると考えている[7]。

四騎士のほかの3社と同じように、アマゾンの隆盛の要因は、私たちの本能に訴える力にある。もう1つの追い風はシンプルで明確なストーリーである。それによって同社は巨額の資本を集めて使うことが可能になった。

狩猟と採集

狩猟と採集は、人類史上、最初にして最大の成功を収めた適応能力である。人類は歴史の90パーセント以上の期間、他の動物を狩り、植物をせっせと集めていたのだ。(8) それに比べると、文明が発達したのはごく最近のことだ。とはいえ、狩猟採集生活はいま想像するほど悲惨ではなかった。

旧石器時代と新石器時代の人類が狩猟や採集に費やしていた時間は、週にたった10時間から20時間。その時間と収穫量の80〜90パーセントを占めていたのは採集であり、ほとんど女性の仕事だった。(9) 狩猟者は主に、必要不可欠ではないタンパク質を供給していた。

男が得意とするのは、離れたところにいる獲物を見つけ、どうやって捕まえるか考えることだ。女はどちらかと言えば、自分たちのすぐそばにあるものを品定めする。

採集者は細かいところまで観察しなければならない。果実は逃げる心配がない。しかし熟し加減や色、形などのわずかな違いから、それが食べられるものなのか、病気はないかといった判断を下すスキルが必要だ。一方、狩猟者は獲物を捕まえるチャンスが訪れたらすぐに行動する必要がある。逡巡(しゅんじゅん)している時間はない。スピードと力がすべてだ。獲物が死んだらさっさと家に持ち帰らなくてはいけない。でなければ今度は自分たちが、おいしそうな獲物として狙われる立場になるかもしれないのだから[10]。

女性と男性の買い物の仕方を見ていると、人間はそのころからあまり変わっていないことに気づくだろう。女性は生地を触って確認し、着ている服に合わせて靴を試し履きし、気に入らなければ別の色はないか尋ねる。男性は食欲を満たしてくれそうなものに目を留めると、殺して（買って）、できるだけ早く洞穴に戻る[11]。

我々の遠い祖先にとって、獲物が無事に洞穴に届いても、その量は決して十分とは感じられなかった。干ばつ、吹雪、疫病が起これば飢えてしまう。そのため余分に貯蔵しておくのが賢明な戦略だった。ものが多すぎて困っても努力が無駄になったというだけですむが、ものが少なすぎれば飢えて死んでしまう。

ものを集めたがるのは人間だけではない。動物の多くの種において、収集はセックスに直結している。たとえばユーラシア大陸とアフリカ大陸の乾燥した岩の多い地域に住む鳥、クロサバクヒタキ。この鳥の雄は石を集めてため込んでおく。このコレクションが多いほど、より多くのメスが交尾に応じる可能性が高くなる[12]。マンハッタンに所有しているマンションの価格が高いほど女性にモテるのと同じだ。

ものを集めるという人間の本能は、ときどき度を越してしまうことがある。毎年、自宅で積み上げられていたものが崩れて埋もれ、その下から助け出される人のニュースがいくつも報じられる。45年間ため続けた新聞の下から消防士に掘り出された男は頭がおかしいわけではない。彼はダーウィン流の適応を、道行く人々に見せつけていただけだ。

消費は本能だ

本能は頼りがいのある介添え人のようなものだ。常に私たちを監視し、生き残るためにしなくてはならないことを耳元でささやいてくれる。しかしこの介添え人の頭はきわめて固い。環境変化に適応するまで何千年とは言わないまでも、何百年もかかる。

人間がしょっぱいもの、甘いもの、油っぽいものを好む性質を例にとってみよう。大昔はそれらの材料がとても手に入りにくかったので、それらを欲するのは合理的な戦略だった。いまはもうそうではない。そのような食品が大量に生産されるようになった。ファストフード店でハンバーガーやシェイクを注文すれば、お手頃な値段で欲求を満たすことができる。

ただ、私たちの本能はそうした現実に適応できていない。糖分の過剰摂取によって、2050年にはアメリカ人の3人に1人が糖尿病になると予測されている。[13]

より多くのものを欲しがる私たちの本能は、狭いクローゼットや少ない貯金といった物理的、金銭的な制約を簡単にはねつけてしまう。テーブルに食事を並べるのにも苦労している人がいる一方で、コレステロール低下剤を使ったり、利子の高いクレジットカードのお世話になったりする人が何百万人もいる。ものを集めるという強力な本能は、それほど抑えるのが難しいのだ。

その本能が、利益を得ようとする動機と組み合わさると行きすぎが起こる。そして（他の制度よりはましだという点を除けば）最悪の経済システムである資本主義は、その行きすぎに歯止めをかけることができない。我々の経済と繁栄は、他者の消費の上に成り立っているのである。

資本主義社会では消費者が王様であり、消費が何よりも高貴な行為である。そう認識することこそ、ビジネスの土台だ。したがって世界における国同士の立場は、消費者需要と生産のレベルで比較される。

9・11（アメリカ同時多発テロ）のあと、ジョージ・W・ブッシュが悲嘆にくれる国民に言ったことは「フロリダのディズニーランドに家族と行って、我々が楽しみたいと思う生活を楽しんできてほしい[14]」だった。戦争中や経済が不調の時期は、消費が分かち合うべき痛みに代わるものになる。国にとっては、国民がもっともっと多くのものを買い続けることが必要なのだ。

小売業の歴史

小売業は、我々の消費本能を利用して富を築いた最大の業界である。世界の長者番付上位400人のうち、いちばん多いのはIT長者ではなく小売業界の人間だ（遺産相続や金融業者は除く）。ザラの創業者であるアマンシオ・オルテガはヨーロッパで最も富裕な人物だ。[15] 第3位のLVMHのベルナール・アルノーは現代のぜいたくの父とも言える。彼は3300あまりの店舗を所有、経営している。それはホームデポ（建築資材を扱う小売りチェーン）よりも多いのだ。[16][17]

小売業界は店舗数が過剰で、常に流行り廃りの波にさらされている。それは小売業の世界にサクセスストーリーがたくさんあること、参入が容易なこと、自分自身の〝店〟を開くという夢が結びついたことが要因だ。アメリカにおける小売業の環境の〝動態〟変化は次のようになる。

・1982年の優良株はクライスラー、フェイズ・ドラッグ、コレコ、ウィネベーゴ、テレックス、マウンテン・メディカル、パルトホームズ、ホームデポ、CACI、デジタルスイッチだった。[18] これらのうち、いまもいくつかの会社は残っている。

・１９８０年代、最も株価が上がったのは、サーキットシティ（８２５０パーセント上昇）である。[19] 覚えていない人々のために言っておくと、サーキットシティはテレビをはじめとする家電量販店で「サービスは最先端である」を旨としていたが倒産した。どうか安らかに眠りたまえ。

・１９９０年代の小売業ベスト10のうち、２０１６年のリストに残っているのはたった2社である。[20][21] １９６２年創業のウォルマートの売上げは、35年後の１９９７年に１１２０億ドルに達した。１９９４年に生まれたアマゾンの売上げは、22年後の２０１６年に１２００億ドルに達している。[22][23]

２０１６年の小売業界はアマゾンの独り勝ちで、他社にとっては大惨事とまとめられる（もちろん例外はある）。ｅコマースの会社は爆発するのではなくひっそりと消滅する。実際の店舗では顔が見えるが、ｅコマースの場合は顔が見えないので、そこまで印象が残らない。ある日、しょっちゅう訪れていたウェブサイトがなくなっている――そのとき消費者は他のサイトに行くまでだ。

小売店の死への道のりは利益率の低下――小売業のコレステロール――から始まり、果てのない販促策とセールに終わる。セールで多少の時間は稼げるが、起死回生を果たすことはほとんどない。2016年12月のホリデーシーズンの在庫は前年に比べて平均12パーセント増加。割引クーポンやまとめ買い割引といった特売による販売は、2015年には全体の34パーセントだったのが、2016年には54パーセントを占めた。[24]

なぜこのようなことになったのか。ここで簡単に小売業の歴史を振り返ってみよう。アメリカとヨーロッパにおいては、小売業の進化には6つの大きな段階があった。[25]

町角の店舗

20世紀前半の小売店といえば、町角の店舗が一般的だった。家の近所にあることがすべてだった。店まで歩いて行き、持って帰れるものを持って帰る。毎日のように行く場合もあった。店はだいたい家族経営で、コミュニティの中で社交場としての役割を担い、ラジオやテレビが現れる以前、地元のニュースが集まる場所であることも多かった。

こうした店の強みは、当時まだこんな言葉は生まれていなかったが、カスタマー・リレーションシップ・マネジメント（CRM）だった。店のオーナーは常連客をよく知っていて、その人の信用によって支払いを猶予したりした。

地域住民と小売店との愛にあふれる関係や、伝説的な店が破産申し立てをしたときに感じる感傷は、小売店に対する昔ながらの愛着のなせるわざだ。それは私たちの文化に埋め込まれていた（老舗の石油掘削機械リース会社の倒産はニュースにならない）。

デパート

老舗デパートのハロッズやベインブリッジ（訳注：現在はジョン・ルイス）は、新しいタイプの消費者のニーズを満たしてきた。それは新たに出現した、監視から解放された裕福な女性たちだ。

この時代の象徴である高級百貨店セルフリッジズでは、100の売場、レストラン、屋上庭園、読書・執筆ルーム、外国人訪問者のための受付、救急看護室、そして博識な販売員を配置していた。販売員は専門のトレーニングを受け、新しい形態の報酬をもらっていた。それが販売手数料だ。

サービスを通じた差別化という概念、そして限られた時間とはいえ、顧客の友人や買物ガイドになるというアイデアが新たな境地を開いた。大規模な小売店に下町的な人間関係を持ち込むため、店舗レベルでも人材に投資するようになったのだ。セルフリッジズの出現以降、こうした建築、照明、ファッション、消費者中心主義、コミュニティを重視する考えが、ヨーロッパとアメリカ中に広がった。

デパートはビジネスと消費者との関係も変えた。消費者向けビジネスは伝統的に父親的役割を担い、何がいちばんいいかを教えてきた。教会や銀行と同じように、小売店もまた指導者だった。人々はこれらの存在から知恵を授けられることを幸運だと感じていた。

そのような時代に、セルフリッジズの創業者ハリー・セルフリッジは「お客様は常に正しい」という言葉を編み出した。当時としては弱腰で卑屈に感じられたかもしれない。しかし実はとても奥が深く、とても大きな影響を及ぼした。長く生き残っている小売店5つのうち4つがデパート——ブルーミングデールズ、メイシーズ、ロード&テイラー、ブルックス・ブラザーズ——である。[26]

ショッピングモール

20世紀半ば、アメリカで車と冷蔵庫が普及した。そのため遠くの小売店まで車で出かけて多くのものを買い、食物を長く安全に保存できるようになった。流通の発達によって買い物の回数は減って、店は大型化し、品ぞろえが増え、価格は下がった。デパートはショッピングモールへと進化したのだ。

自動車のおかげで郊外の住宅地が発展した。不動産業者は、いくつかの種類の小売店を1カ所に集め、その間にフードコートや映画館を配置して消費者に提供した。ショッピングモールは郊外のメインストリートとなった（ショートヒルズやニュージャージー出身の人たちは、こちらが辟易するほど大げさに地元のショッピングモールを自慢する）。1987年には全米の小売りの売上げのうち、半分をショッピングモールが生み出していた。[27]

しかし2016年には、メディアはショッピングモールの終焉を嘆くようになった。

アメリカのショッピングモールの総価値の44パーセントはたった100カ所（全体の約10パーセント）のモールで生み出されていた。1平方フィート当たりの売上げは10年で24パーセントも減少した。[28] ショッピングモールの繁閑は、経営の良否よりも、地元の経済状況を反映することが多い。郊外の弱体化でショッピングモールの多くが消滅した。

とはいえ、まだ栄えているところも多い。特に魅力ある商品やサービス、多彩な店舗、駐車場を提供し、高収入の家庭が多い地域に近いといった条件がうまくそろっているところは、繁盛が続いている。

大規模小売店

1962年はアメリカ人が初めて地球周回軌道を飛び、キューバ危機が起こった年である。そしてウォルマート、ターゲット、Kマートなどの大規模小売店が出現した年でもある。

大規模小売店は社会的規範を大きく変え、小売りの形を変革した。

安く大量に仕入れた分を消費者に還元するという考え方自体は、特に画期的というわけではなかった。それより重要なのは、消費者をあらゆる意味で優先する方向に舵を切ったことだった。ホームデポでは自分で材木を選ぶことができた。世界最大の家電量販店ベスト・バイでは、あらゆる種類のテレビの中から気に入ったものを選んで買い、車で家に持ち帰ることができた。

できる限り安い価格でものを買うことが、特定の企業、分野、コミュニティの健全さよりも重要なことになった。見えざる手がアメリカとヨーロッパ全土で、小規模で非効率な小売店に情け容赦のない仕打ちをし始めたようだった。以前はコミュニティの生活で大きな役割を果たしていた小さな店が、激しい競争に直面した。

この時代には新世代のテクノロジーも現れた。たとえば1967年、スーパーマーケットチェーンのクローガーに初めてバーコードスキャナが設置された。[29]

1960年代以前は、大量購入による値引きを禁じる法律があった。それが地元の何千という小さな商店をつぶす恐れがあると、議員たちが正しく認識していたのだ。それに加えて、小売店での価格はたいてい製造会社が設定していた。そのため値引きには限度があり、それほど強い武器にはならなかった。

利益率の低下や競争の激化など、さまざまな理由から、1960年代には大規模な〝値引き競争〟が始まった。現在、hm.com（H＆M）のホームページでは、長袖のリブモックセーターが9ドル99セントで買える。男性用のファインニットセーターも同じ値段だ。これはかなり安い値段設定だ。1962年でも安いと思えただろう。激烈な値引き競争があることを示す証拠である。

足かせがなくなったことで、大規模小売店という怪物は「より多く、より安く」を武器に何十億ドルという富を生み出した。その後の30年の間に、この形態の中から、最も時価総額の高い企業と世界一の大富豪サム・ウォルトン（ウォルマートの創業者）が現れる。

そして消費者が王様であるという国民の認識が定着したことについては言うまでもない。いま人々はアマゾンが多くの人の仕事を破壊していると嘆いている。しかし、その元祖はウォルマートなのだ。その価値提案は明確で魅力的だった。ウォルマートでの買い物は社会的地位の向上を意味した。生活水準が上がり、ビールはアメリカ製のバドワイザーではなくオランダのプレミアムビールのハイネケン、洗剤は大容量でお得なサンではなく、世界的有名ブランドのタイドを選べるのだ。

専門店

ウォルマートは偉大なる平等主義の店だ。しかし消費者の大半は平等であることを望まない。自分が特別であることを望むのだ。そして消費者のかなりの割合が、特別になるためなら余分な金額を払う。そのような層は、可処分所得が最も多い層でもある。

〝より多く、より安く〟への行進によって、洗練された高級品や人がうらやむような生活を求める消費者は行き場を失った。そこで登場したのが専門店だ。そこでは裕福な消費者が、価格は気にせず高級なブランドや商品を買うことができた。インテリア雑貨のポッタリー・バーン、食料品チェーンのホールフーズ・マーケット、高級インテリアショップのレストレーション・ハードウェアなどがその例だ。

1980年代の好景気も追い風になった。専門職に就く都市部の高収入の若者たちは、こうした高級専門店をもう1つの家のように感じた。自分たちがいかにクールで教養があるかを示すものが買える、快楽の殿堂だ。

はちみつ漬けのハムしか売らない特別な店からしかるべき豚肉を買ったり、イルミネーション専門店で文句のつけようのない商品を手に入れたり、美しいリネンをさがしたりできる。こうした専門店の多くは、ダイレクトメールによるカタログ販売やデータの扱い、注文から入金までの手続きに精通していた。そのため、ほぼそのままeコマースの時代に移行している。

専門的な小売業の時代を、誰もが納得できる形で体現していたのがGAPである。広告に金をかけるのではなく、店舗での顧客体験に投資することで、GAPは初のライフスタイル・ブランドとなった。GAPで買い物をするとかっこいいと感じ、自分たちがしかるべき高みに〝到達した〟という感覚を持つことができた。

専門店は、たとえ買い物袋ひとつでも顧客の自己表現に役立つことを知っていた。高級キッチン用品店ウィリアムズ・ソノマの袋を提げていれば、その人はクールで、上質な趣味を持ち、料理に熱心な人と見なされる。

eコマースのチャンス

ジェフ・ベゾスと小売業との関係は、小売業が彼に影響を与えたというよりも、彼が小売業に影響を与えたというべきだろう。

彼以前のどの時代にも、人口動態や好みの変化を察知して何十億ドルもの価値を生み出した偉人たちがいた。しかしベゾスはテクノロジーの変化を目の当たりにして、それを活かして小売業全体を根本からつくり直したのだ。ベゾスがいなければ、eコマース自体は日陰の存在のままだっただろう。

1990年代、eコマースはほぼすべての一般企業にとって、粗悪で実入りのない事業だった(いまでもそうだ)。eコマースでの成功のカギは販売をすることではなく、企業の力を大げさに宣伝し、砂上の楼閣が崩れ始める前にどこかのカモに売りつけてしまうことだった。最近の例としては、時間を限定して大幅値引き販売を行うフラッシュセールのサイトがある。お買い得なのは間違いないが、いつ行われるか決まっているわけではない。一時期は大いに注目され、人気を集めた。これがeコマースの1つのパターンである。盛り上がったからといって、それが直接、売上げにつながるわけではない。

リスクを考えれば、小売業はどんな時代にも楽な事業ではなかったかもしれない。しかしアマゾンというシアトルの怪物が現れてすべてを食い尽くす以前は、そこまでひどい状況ではなかった。

フラッシュセール・サイト業界の収益増加率

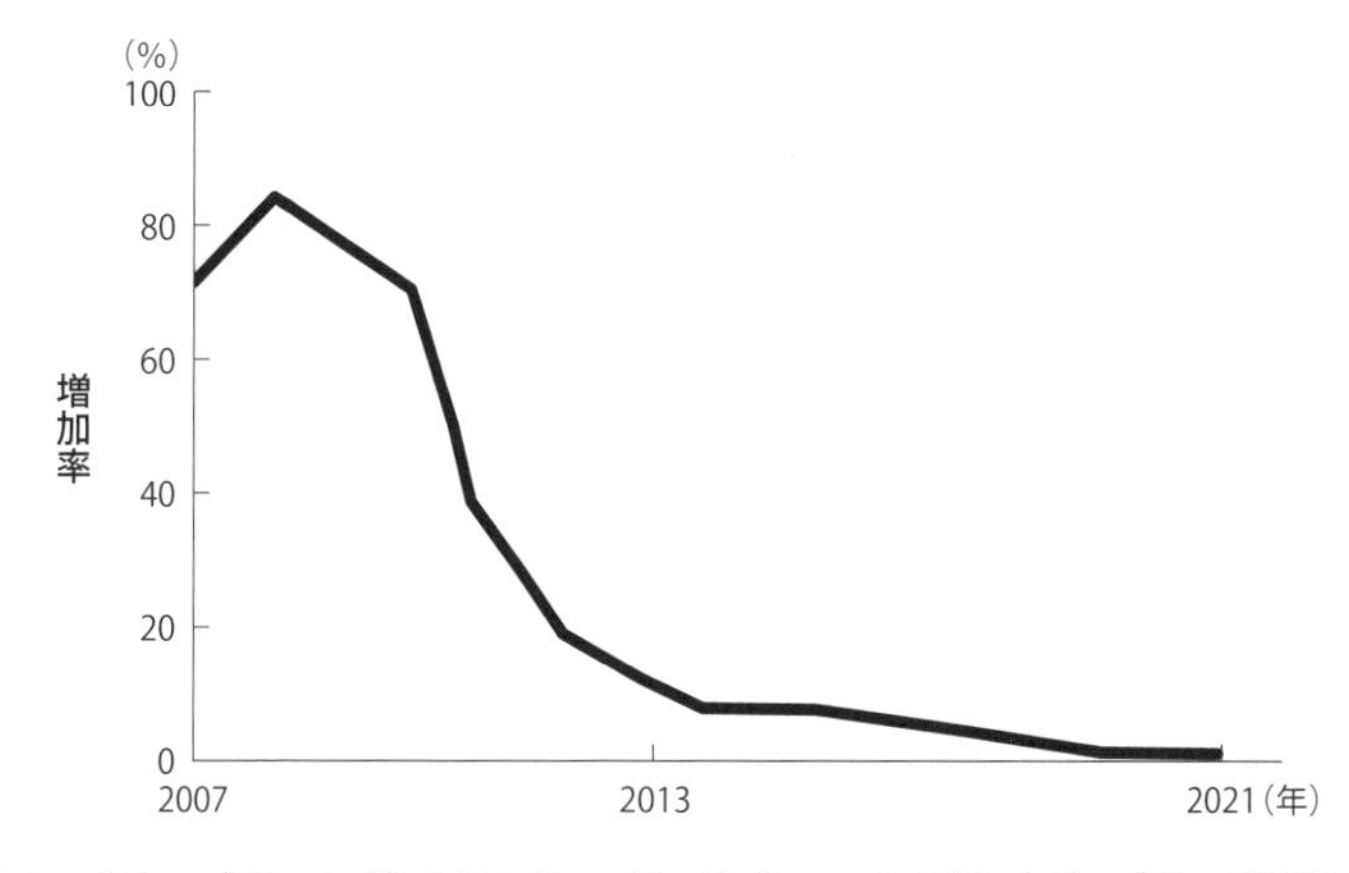

Lindsey, Kelsey. "Why the Flash Sale Boom May Be Over—And What's Next." RetailDIVE.

ここ10年の間、20世紀のアイコンであった会社の時価総額は、残念というレベルにとどまらず、大惨事というレベルにまで落ち込んでいる。それぞれのセクターに投資される資本は限られている。アマゾンのビジョンが実現したことで、投資の大部分が吸い上げられた。１つの大企業のせいで、かつてはおびただしい数の企業が競い合っていた分野が荒廃し、ライバルも減ってしまった。

私たちの社会は消費社会なので、自然の摂理に従えば小売業は成長するようにできている。たとえば何かのきっかけで新しい考え方が広まったとき、一気に企業規模が大きくなり、消費者と株主に巨大な価値がもたらされることがある。実際、ウォルマートは人々によりよい生活、あるいは少なくともより物質的に豊かな生活をする機会を与えた。そしてザラのシルバースニーカーを履き、ウィリアムズ・ソノマで買った高級ジューサーで搾ったジュースを飲むと、自分がいい生活をしているように感じる。

今回は何が違うかと言えば、ただ1つの企業により、未曾有のスピードでこの価値が築き上げられたという点だ。アマゾンはバーチャル店舗だからこそ、何千万、何億もの顧客を抱え、ほぼどんな業界にも拡張することができる。従来のように実際の店舗を持ったり何千人もの従業員を雇う必要はない。アマゾンではサイトのどのページも店舗になり、顧客が売り手にもなれるということを、ベゾスは知っていた。そしてあまりのスピードで成長したため、他の企業がニッチを掘り起こす余地はどこにもなくなってしまった。

まもなく世界一裕福になる男

最初のドット・コム・ブームのとき、ジェフ・ベゾスはコンピュータ・サイエンスの学位を持ち、eコマースの未来を夢見るウォール・ストリート脱走者の1人にすぎなかった。しかし彼は、そのビジョンと常軌を逸した集中力で他の人より一歩抜きんでた。

1994年にシアトルで開業した自らのネットショップに、彼は〝アマゾン〟と名づけた。大規模な商品の流れをイメージしたものだ。しかし彼はもう1つ別の名前も考えていて、いまとなっては、そちらのほうが実体を表しているかもしれない。それはrelentless.com[30]（訳注：情け容赦のない、という意味）というのだ（彼はまだこのURLを所有している）。

ベゾスがアマゾンを始めたときまだ限られていたウェブのテクノロジーは、ロシアの自動車「ラーダ」のように、見栄えも悪ければパワーも不足していた。そのため、細かく観察してよいものを見極めようとする腕のいい採集者にとって魅力ある場所ではなかった。ブランドに重要なものは2つある。将来性と実績だ。1990年代の〝インターネット〟というブランドには、将来性しか備わっていなかった。

1995年のeコマースに必要だった獲物は、見つけやすく、すぐ捕まえられて、洞穴に持ち帰っても価値が下がらず、またうっかり毒を群れに持ち込むリスクのないものだった。ベゾスはその獲物を「本」に定めた。

見つけやすく、捕まえやすく、消化しやすい。本は倉庫に積み上げられ、〝なか見！検索〟で試し読みできる。獲物はすでに殺されていて、目の前に並んでいる。

どの本が食べる（読む）価値があるかを認定するブックレビューという仕組みが生まれ、店がせっせと情報を整理したり発信したりする必要がなくなった。ベゾスは、宣伝はそうしたレビューに任せられると気づいた。アマゾンはインターネットが比較的得意としていること、つまり仕分けと流通に専念できる。明るい店内、ドアチャイム、気さくな店員といった細かな気配りはいらない。彼はシアトル空港近くに倉庫を借りて、荷物をロボットで仕分けできるようにした。
開業からしばらく、アマゾンは本と狩猟者——特定の製品を必死にさがしている人々——に狙いを絞っていた。何年かたってブロードバンド通信が発達すると、細かな違いが生まれて、採集者が特定の目的は持たず店内を回り、時間をかけて選択肢を検討するようになった。

ベゾスはそれまで人々がネットでは買わなかったもの、たとえばCDやDVDも扱えるようになると知っていた。イギリスのオーディション番組で一夜にしてスターとなったスーザン・ボイルのCD『夢やぶれて』は、このプラットフォームでの最高の売上げを記録した。これは、アマゾンが私たちの社会のよいものすべてに触手を伸ばす前兆のように思えた。

ライバルを出し抜き、多様な選択肢という本質的価値を強化するため、アマゾンはアマゾン・マーケットプレイスを導入した。第三者を参入させることで、販売機会の少ない多彩なものを扱えるようになった。売り手は世界最大のeコマースのプラットフォームと顧客ベースにアクセスできる。一方、アマゾンは余分な在庫費用なしに商品を大幅に増やすことができる。

アマゾン・マーケットプレイスの売上げはいまや400億ドルに達した。これはアマゾン全体の売上げの40パーセントを占める。[31] 売り手は膨大な顧客の流れに満足し、自らの販路に投資しなければならないという意識から解放される。その一方で、アマゾンはデータを手に入れ、あるカテゴリーが有望と思えばすぐに、どんな事業にも参入(自ら製品を売り始める)できる。アマゾンは誰が買うのか想像もできなかったものを直接売るようになっている。「アジア人のおじさんがプリントされた壁用シール」であろうが「大物俳優ニコラス・ケイジ柄の枕カバー」であろうが「潤滑油55ガロン缶」であろうが、アマゾンに行けば買える。

アマゾンの本質

アマゾンが訴えかけるのは、より多くのものをできるだけ楽に集めようとする我々の狩猟採集本能だ。

我々はものに強く惹かれる性質を持っている。洞穴に住んでいた大昔から、いちばん多く枝を集め、実を割るのに具合のよい石を持ち、「いつ穀物を植えるか、どのような動物が危険か」を子孫に伝えるため壁に絵を描けるきれいな色の泥を持っている者が、生き残る可能性が高かったからだ。

ものはどうしても必要だ。暖かくして安全を守ってくれるもの。食料を貯蔵したり加工したりするためのもの。異性を惹きつけたり、子どもを世話したりするのに役立つもの。そしていちばんいいのは仕事を楽にしてくれるものだ。エネルギー消費を減らし、節約した時間でもっと重要なことができる。

資本を食う店舗を持たなかったため、ベゾスは倉庫の自動化に投資することができた。規模は力であり、アマゾンは実際の小売店にはできない低価格を提示することができた。また常連客、作者、配送業者、ウェブサイトに広告を出すことに同意する再販業者などを相手に、取引を持ちかけることができた。

ベゾスはアマゾンのパートナーをどんどん増やしていった。彼は本とＤＶＤの狭い世界から……あらゆるものの世界へと出て行った。このような攻め方は、軍隊用語で「見る（Observe)、わかる（Orient)、決める（Decide)、動く（Act)」の頭文字を取ってＯＯＤＡループと呼ばれる。すばやく決断し行動することにより、敵（この場合は他の小売業者）が自分たちの最新の作戦に対応している間に、こちらは次の作戦に移ることができる。アマゾンの場合、これは徹底して消費者を相手に行われた。

またアマゾン開業から15年間、古い小売業者のＣＥＯたちが「ｅコマースが小売業の売上げに占める割合は、たった１（2、3、4、5、6……）パーセントである」という主張に固執し続けていたことも、アマゾンには有利に働いた。彼らがアマゾンの脅威に団結して対処しようとしたころには、アマゾンは巨大な牙と無限の資本を手に入れていた。すでに遅すぎたのだ。

話は２０１６年に飛ぶ。全米の小売業の成長率は４パーセントだが、アマゾン・プライムは40パーセント強の成長だった。[32][33] インターネットは世界最大のアメリカ経済の中で最も成長が速

2006年から2016年の株価上昇率

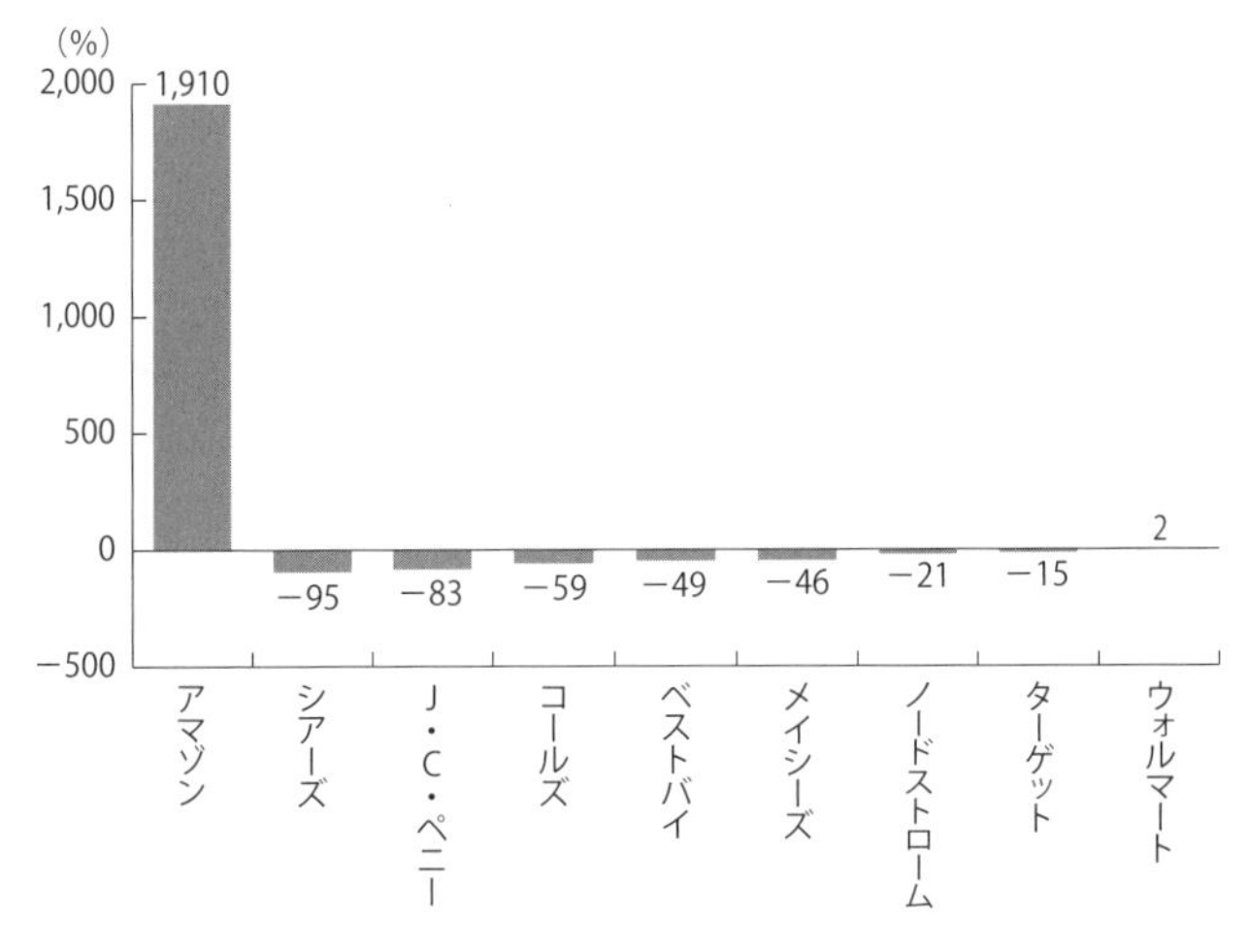

Choudhury, Mawdud. "Brick & Mortar U.S. Retailer Market Value―2006 Vs Present Day." ExecTech.

い分野で、その成長の大部分をアマゾンが占めていた[34]。何より重要なホリデーシーズン（２０１６年11月、12月）のネット販売の38パーセントはアマゾンによるものだった。次に続く9社すべてを合計しても、20パーセントを占めるくらいだ[35]。２０１６年、アマゾンはアメリカで最も信頼のおける会社とみなされるようになった[36]。

ゼロサム・ゲーム

小売業はアメリカ経済全体としては成長していない。ということは、アマゾンが成長している分、どこかほかのところが衰退しているはずだ。

敗者が誰なのかと言えば、アマゾン以

2017年1月5日の株価の変動

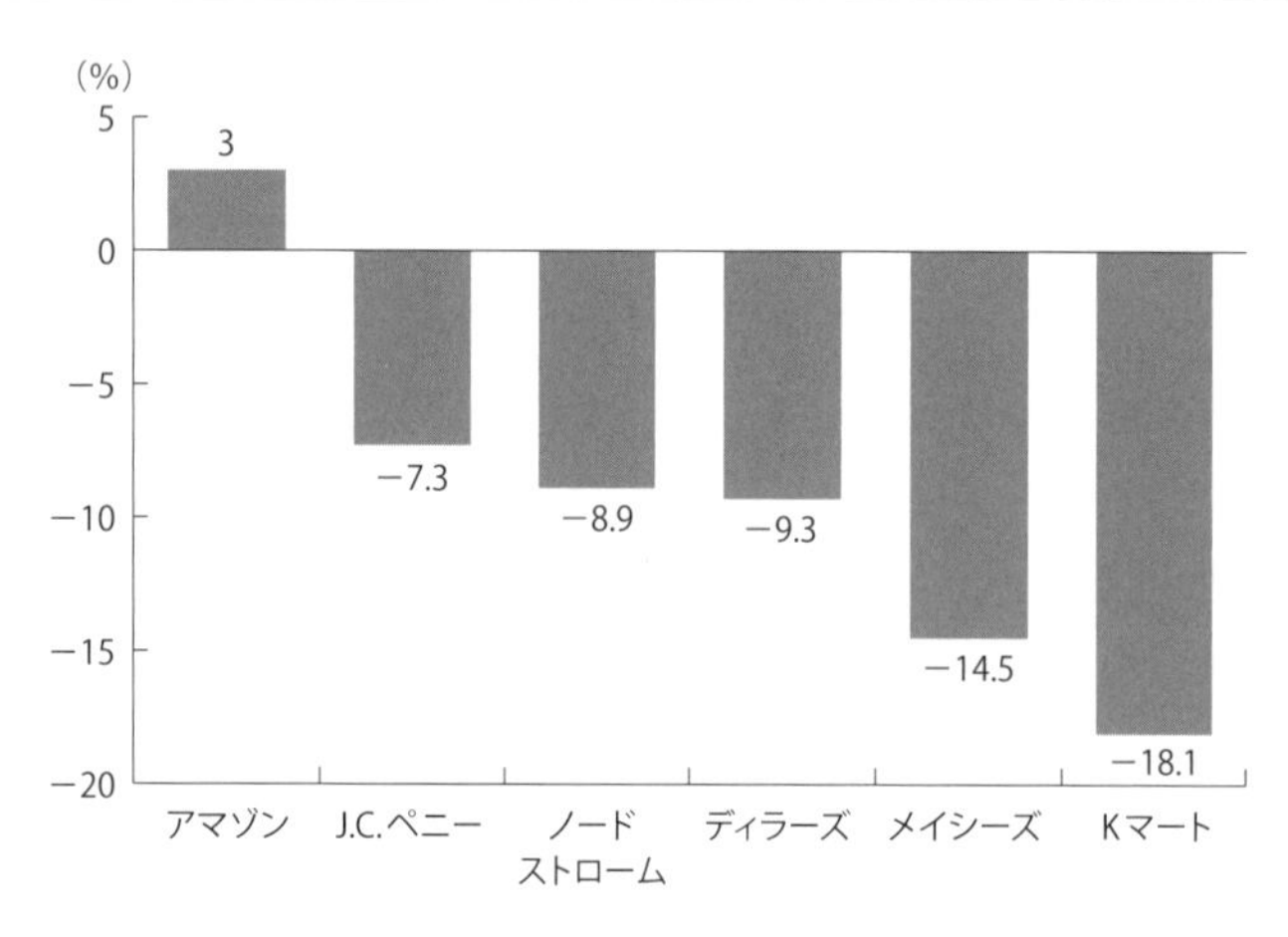

Yahoo! Finance. https://finance.yahoo.com/

外のすべてである。前ページのグラフはアメリカの主な小売企業の10年間（２００６年から２０１６年）の株式評価だが、これがすべてを物語っている。

過剰な店舗数、一律の賃金、好みの変化、そしてアマゾンが小売業に最悪な事態をもたらした。いまやほとんどの小売企業がめちゃめちゃな状態だ。ただし「ほとんど」であり、「すべて」ではない。

アマゾンは小売りのサタンとなり、同じセクターの別の企業と業績が反比例するという、他に類を見ない立場にある。一般的に、同じセクターの企業の株式は同じ方向へと変化する。互いに同調するのだ。

しかし、それが変わってしまった。いま株式市場はこう見ている。アマゾンにとってよ

アパレル&アクセサリーの売上シェア

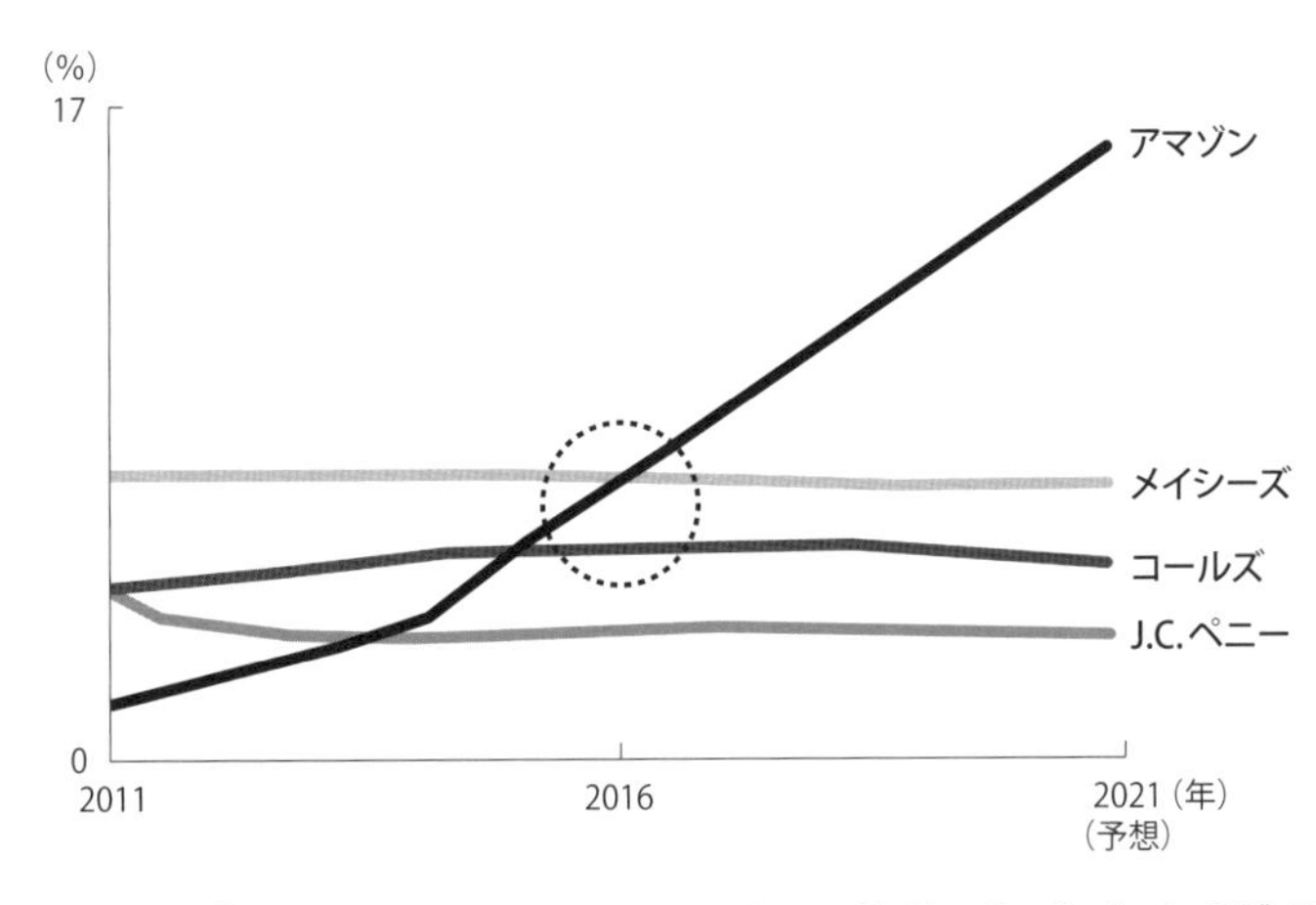

Peterson, Hayley. "Amazon Is About to Become the Biggest Clothing Retailer in the US." *Business Insider.*

いことは小売業にとって悪いことであり、逆もまた真であると。ビジネス史上このようなことはかつてなかった。

そしてそれは自己実現的な予言となり、アマゾンの資本コストは、ほかが増加している中で減少している。現実がどうあれ、10倍の掛け金でポーカーをしているアマゾンが勝者となるだろう。アマゾンは他のすべての企業を、ゲームの土俵からひきずり下ろすことができる。

アマゾンにとっていいことが社会にとって悪いことなのかと人々が問い始めたとき、本当の苦しみが始まるだろう。AIの危険性について公言したり(スティーヴン・ホーキング博士やテスラの共同設立者でCEOのイーロン・マスクのように)、その分野の研究に資金提供したりする科学者やテクノロジー界の大物（イーベイの創業者ピエール・オミダイアやリンクトインの創業者レイド・ホフマン）がいる一方で、アマゾンではいち早くロボットを導入しているのは興味深いことだ。同社は2016年に倉庫のロボットの数を50パーセント増やした。[37]

レジのないコンビニエンス・ストア、アマゾン・ゴーの発表で、アマゾンは実店舗を持つビジネスに参入した。しかしそこにはひねりがある。アマゾン・ゴーの客は商品を手に取ってそのまま店を出ることができる。センサーとアプリがあなたが手に取った物を自動的に記録していくので、レジを通る必要がないのだ。

他の小売企業はまた不意を突かれ、大慌てで自分たちの精算プロセスを減らそうとしている。このアマゾンの最新の作戦でリスクを被るのは誰か。レジ係として雇われている340万人（全米の労働者の2・6パーセント）のアメリカ人だ。[38] これはアメリカの小学校と中学校の教師の数とほぼ同じである。[39]

ゼロ・クリック・オーダーへの野心

小売企業がアマゾン・ゴーに苦しめられる。同様にコンピュータ・メーカー、そしてまもなくあらゆるブランドが、アマゾン・エコーによって苦しめられることになるだろう。

エコーは円柱形のスピーカーのようなもので、アレクサは人工知能。アレクサンドリア図書館が、その名の由来である。[40] ユーザーがアレクサに話しかけると、その命令に従って音楽をかけたりウェブ検索をしてくれる。それだけでなく、質問にも答えてくれる。

アレクサの強力な音声認識機能を通じて商品を注文できるようになると、採集が次の段階へと推し進められる。「アレクサ、カートに歯磨き粉を入れて」と言うか、（ひと手間かけて）ダッシュ・ボタンを押せば、[41] 1時間以内に発送される。そしてアレクサは使えば使うほど賢くなる。

顧客が得られるものは大きい。そしてアマゾンが得るものはもっと大きい。消費者からの絶大な信頼をもとに、アマゾンは彼らの会話を聞き、消費者データを集めることができる。それによってアマゾンは他の企業よりも、顧客の私生活や消費者の願望のさらに奥深くを知ることができる。

ゴーやエコーにより、アマゾンが全面的にクリックなしの注文へと向かっていることがはっきりした。アマゾンはまもなく消費者の意思決定や注文という作業なしに、物質的な欲求を自動的にすくい上げ、満たしてくれるようになるだろう。ビッグデータと消費者の購買パターンについての知識をさらに深めれば、それが可能になるのだ。

私はこの概念を「プライム・スクエアド（プライム2乗）」と呼んでいる。顧客が休暇で旅行に行くときは注文を減らし、来客の予定があるときは増やし、リンツ・チョコレートへの熱が冷めたようなら注文を取り消すなど、多少の調整は必要になるかもしれない。しかしほぼすべてが自動化される。

注文品が届けられるとき、返品用の空箱もついてくるようになるかもしれない。不要なものはそこに入れて送り返すと、アマゾンはそれを記録して、あなたの好みをさらによく知るようになる。次の注文のときは返品用の箱が前より小さくなるだろう。

アマゾンがゼロ・クリック・オーダーへと踏み出したのは、2017年6月にプライム・ワードローブサービスを開始したときだ。これは顧客が服やアクセサリーを自宅で試着して、欲しいものだけ手元に置き、他は返品できるというサービスだ。顧客はどれをキープするか7日間のうちに決めればよい。支払いも買う物がすべて決まってから発生する。[42]

さて、これを従来のショッピング体験と比べてみよう。仕事帰りにショッピングセンターに寄る。駐車スペースをさがす。列に並んでまで待ったのに、さがしている電球がなかったことがわかる。さらにほかのものを買うためレジに並ぶ。混雑に耐えながら運転して家まで帰る。そんな疲れる経験はもう必要なくなる。こうなるとショッピングモールやディスカウントストア、いわんや近所の小さな商店では、とても太刀打ちできない。

我々は小売業の大きな転換点を目の当たりにしている。農業従事者の割合が100年で50パーセントから4パーセントに低下したのと同じ現象が、これからの30年の間に小売業で起こ

るだろう。(43)

何も触れずに買い物ができるという方向へのアマゾンの徹底した取り組み、投資家向け広報活動のうまさ、B2B（法人向けのプラットフォーム・サービス）への投資の決定などにより、アマゾンは1兆ドル企業へのレースでスタート地点の最前列を確保した。

小売業におけるアマゾンの支配を確実なものにするのは、あらゆる手段を使って世界中すべての消費者の山ほどのデータを集めようとする努力である。アマゾンはすでに私やあなたについてとてもよく知っている。それほど時間がたたないうちに、買い物の好みについて自分が知っている以上のことをアマゾンが知るようになる。

そして私たちもそれを悪いとは感じない。自ら進んで情報すべてをアマゾンに明け渡すようになるだろう。

ストーリーテリングで安い資本を得る

アマゾンは現代のどの企業よりも、安い資本を長期間にわたって手に入れている。

90年代にベンチャーキャピタルの支援を受けて成功したテック企業が投資家への利益が出る以前に集めた額は、5000万ドル未満がほとんどだった。それに比べてアマゾンは、収支が

(なんとか)合う以前に21億ドルを集めている。[44] アマゾンはあるとき、開発とマーケティングに何千万、何億ドルもかけて携帯電話事業に参入した。このときは開始30日で失敗だったことが明らかになった。しかしアマゾンは、その災難をちょっとしたブレーキ程度の扱いで流すことができる。

資金を出すほうも鷹揚である。もし他のフォーチュン500企業――ヒューレット・パッカード、ユニリーバ、マイクロソフト――が携帯電話事業に手を出して即死したら、株価はおそらく20パーセント以上は下落するだろう(2014年のアマゾンの株価のように[45])。そうなったらCEOは株主たちの悲鳴に狼狽し、全面撤退を命じるはずだ。しかしアマゾンではそうはならない。それはなぜか。元手が潤沢にあり夜明けまでゲームを続けられるなら、いずれ大当たりが出るからだ。

アマゾンが安い資本を長期間にわたって手に入れられる理由は、ストーリーテリングの巧さにある。

ストーリーテリングにより壮大なビジョンを描くことで、アマゾンは会社と株主の関係をつくり直している。ストーリーは特にビジネスとITを扱うメディアを通して語られる。その多くはテック企業のCEOたちを新たなセレブとして持ち上げ、特にアマゾンはステージの中央でスポットライトを当てる。そうしてどんなときでも大きく扱う。

これまで企業と株主との間の暗黙の了解は「我々に数年間と数千万ドルを与えてください……そうすればいずれ利益という形で資金を返せるようになります」ということだった。アマゾンはこの慣習を打ち壊して、ビジョンと成長を利益の代わりに提供している。そのストーリーはシンプルで魅力的だ。

ストーリー：世界最大の店

戦　略：低コスト、より多くの選択肢、より迅速な配送。こうした消費者利益への巨額投資

このビジョンへ着々と向かっているおかげで、市場はアマゾンの株により高値をつけ、きわめて安い資本を提供している。大半の小売企業の企業価値は利益の8倍程度のところ、[46]アマゾンは40倍である。[47]

アマゾンがウォール・ストリートの「常識」を変えた

アマゾンのおかげで、ウォール・ストリートはそれまでとは違う基準を受け入れることになった。「利益は小さく、成長は大きく」である。それが実現できれば企業は毎年の粗利益を

増やして、事業に再投資できる。さらに税金の節約もできる。その資金を使って周囲の堀をどんどん深くして、守りを固めることができる。

投資家にとっての利益とは、依存症の人間にとってのヘロインだ。投資家は利益が大好きだ。心の底から大好きだ。そう、投資も成長もイノベーションもけっこう。しかしヘロイン（利益）でハイになる楽しみを奪わないでくれ。

アマゾンの革新的な資本配分は、実は何世代にもわたってビジネススクールで教えられてきたことだ。長期的な目標を見据えて、短期的な投資家のニーズは完全に無視する。これができる企業は、プロム（卒業ダンスパーティー）に出ないで勉強する若者と同じくらい数が少ない。

・通常のビジネスの考え方

歴史的な低金利で資金を借りられたら、株を買い戻して価値を上昇させる。リスクが高いのに、成長とそれにともなう作業になぜ投資する必要があるか？

・アマゾンの考え方

歴史的な低金利で資金を借りられたら、並はずれて高額な配送コントロール・システムに投資するべきだ。それで我々は小売業界で鉄壁の地位を築き、競争相手の息の根を止めることができる。そうすれば我々はあっというまに大きくなれる。

ウォルマートは株主を喜ばせようと、せっせと長期的な投資をしている。しかし市場はウォルマートのそのようなふるまいを評価しない。ウォルマートの2016年第1四半期の収支報告会で、経営陣はウォール・ストリートに向かって「小売業の将来を勝ち取るため」、テクノロジーへの支出を大幅に増やすと宣言した。[48]

これはウォルマートが取りうる唯一の正しい選択だった。しかしそれは予測される利益を減らすということでもあった。ヘロインの使用を止めれば禁断症状が起きる。翌日の取引開始から20分で、ウォルマートの時価総額は200億ドル（メイシーズの価値の約2・5倍）も下落した。[49]

アマゾンに投資するということは、とても裕福なエリート家庭で育つということだ。ヘロイン（利益）を手に入れやすくなるというだけではない。アマゾンの収支報告にはいつも、成長というビジョンを強化し、利益を軽視する旨が記載されている。配当金は絶対に支払わないということを、株主たちに念押しする。殺し文句は世界制覇だ。それらはクールな新しいテクノロジー（ドローン）、コンテンツ（映画）、そしてアマゾン・エコーで完成する。これがストーリーテリングだ。『ハリー・ポッター』と同じで、いま読んでいる話よりも、次の話のほうが常におもしろい。

安い資本で小さく始めまくる

ベゾスはアマゾンがリスクを承知で行う意思決定を2つのタイプに分けている。

①取り返しがつかないもの（「これが会社の将来だ」）
②引き返すことができるもの（「これはうまくいっていないから、やめよう」[50]）

ベゾスの見解によると、アマゾンの投資戦略のカギは、②のタイプの思い切った冒険を数多く行うということだ。そこには空飛ぶ倉庫やドローンを弓矢の攻撃から守るシステムなども含まれる。どちらも特許を申請している。

また②のタイプへの投資は安い。無駄な資金を使いすぎる前に頓挫する可能性が高い。その一方では、最先端の企業というイメージを築くという意味で大きな利益を生む。株主はそのようなストーリーが大好きだ。自分たちもすばらしい冒険隊の一員だと感じることができる。まれにではあっても大成功することもある。そうなればアマゾンは火に油（資本）を注いで炎を煽り、周囲を焼き尽くす。

えげつないほどの資本を持つこと以外に、ここで見過ごされがちな教訓がある。ある構想や

空飛ぶ倉庫

製品がうまくいかないとわかったときはすっぱり打ち切って、資本（アマゾンの場合は人材）を自由にすることだ。そして新しい奇想天外な構想を練り始める。

私の経験からすると、旧態依然とした企業は新しいことなら何でも革新的とみなす。社員たちはそれにのめりこみ、子どもを育てる親のように夢中になる。そのかわいいプロジェクトがばかげていてうまくいかないことが明らかになっても、それを認めようとしない。結局、そのような企業には資金が集まらない。打席に立つ回数も減ってしまう。

アマゾンはうまくいく目処が立つまでは、投資額を増やさないという自制的なやり方をつらぬいている。アマゾンが実際の小売店舗に参入することについて、3年以上前から大騒ぎが続いているが、いまのところその数は24店前後だ。彼らはまだ規模を拡大できると思えるフォーマットを見つけていない。

偉大なリーダーに共通することだが、ベゾスは奇想天外なアイデアでも、もしかしたらできるかもしれないと感じさせる力を持っている。待てよ、たしかにそうだ——なぜそれを思いつかなかったのだろう、と。本当に奇想天外なことは、ばかげているのではなく、〝大胆〟なのだ。

たしかに空飛ぶ倉庫について初めて聞いたとき、誰もがあまりにも突飛すぎると感じるだろう。しかし従来の地上の倉庫を借りて運営するためのコストを考えてみてほしい。何にいちばん金がかかっているだろうか。1つは便利な場所にあること、もう1つが使用料だ。それを前提に、もう一度、空飛ぶ倉庫について考えてみると、それほど奇想天外には感じないのではないか。

ベゾスが常に発しているメッセージは、定期的にホームランを狙うのがアマゾンの本質であるということだ。

しかしこの比喩は間違っている。野球では満塁ホームランでも一度に4点しか入らない。それに比べてアマゾン・プライムとウェブサービス（AWS）というホームランは数千点をあげた。ベゾスは1997年、株主への年次書簡第1号に次のように書いた。「100倍の資金を回収できる可能性が10パーセントあるなら、絶対にその賭けをするべきなのです」[51]。

言うまでもないことだが、たいていのCEOはそのようには考えない。成功の可能性が50パーセント以下だと――たとえ見返りがどれほど大きくても――リスクを負おうとしないことがほとんどだ。

おとなしさには代償がともなう

旧経済の企業の価値が新経済の企業に流れている理由の1つもここにある。いま成功している企業の強みは資産、キャッシュフロー、ブランド価値などかもしれない。しかし破綻した多くのテック企業との大きな違いは、リスクへのアプローチである。成功している企業はその日を生き、存亡に関わりかねない大きなリスクを引き受けない限り大成功は望めないことを知っている。

旧経済のCEOや株主たちは、生存者バイアスにとらわれている。私が思う悪夢の仕事とは「失敗して初めてその存在が知られる」仕事だ。このような仕事はそこらじゅうにある。

IT、企業の財務、会計監査、航空管制官、原子力発電所運営、エレベーター検査官、運輸保安局職員。有名になることはないが、不名誉な事態に名が取りざたされる可能性がわずかながらある。旧経済の成功した企業のCEOたちは、これと似たような恐怖を抱えている。「失敗さえしなければ金持ちでいられる」と。CEOの報酬はばかばかしいほど高くなっている。リスクを考えれば、余計なことはせずに6年なり8年なりの任期を務めて、高額な退職金をもらったほうがいい。

しかしグーグルで「ビジネス史上最大の過ち」を検索してみると、リスクを負わなかった企業が大半を占める。たとえばグーグルやネットフリックスの買収を見送ったエキサイトやブロックバスターの話だ。

歴史的には大胆さが報われている。おとなしいことには代償がともなう。

フォーチュン500企業のCEOとしては、多くの人が通る道をたどり、最後まで続けるのが得策である。大企業はイノベーションのための資金を持っているかもしれない。しかしいま行っている事業を縮小してまで、新しい事業を始めるリスクを負うことは少ない。業者や投資家からそっぽを向かれる恐れのあることはしない。彼らは負けない勝負をして株主に褒められるが、やがて株主は離れていき、アマゾンの株を買うようになる。

「安い資本」という武器

たいていの取締役会は経営陣にこう問いかける。「どうしたら最小の資本(投資)で最大の儲けを得られるだろうか？」」。

一方、アマゾンはこの逆を行く。「莫大な資金がかかるために他社にはできないことで、我々が他社を出し抜けることは何だろうか」。

なぜそれが可能かといえば、アマゾンは他社に比べリターンへの期待が低い資本を集める力を持っているからだ。配送時間を2日から1日に短縮する？ それには何十億ドルもかかる。アマゾンは自動化された倉庫を都市部近くに建てなければならなくなる。そのような土地は不動産も人件費も高い。従来の基準では、わずかな利益のための膨大な投資である。

しかしアマゾンにとっては大きなチャンスだ。それはなぜか？ メイシーズ、シアーズ、ウォルマートにはできないからだ。消費者がそれに飛びつくのを、競争相手は指をくわえて見ていることになる。

2015年のアマゾンの輸送費の支出は70億ドル、輸送費の純損失は50億ドルで、全体の利益は24億ドルだった[52]。これをばかげていると思うだろうか？ 実はそうではない。

アマゾンは世界最大の酸素ボンベを抱えて水中にもぐろうとしている。他の小売企業はその後を追い、価格も同じにして、配送日数の変化に対処せざるをえなくなる。違いは他の企業の酸素は肺の中にある分だけで、溺れるのが目に見えているということだ。アマゾンはやがて浮上し、小売業の海をほぼ独り占めするだろう。

引き返すことができる②のタイプの投資を何度もするうちに、アマゾン株主は失敗に対して寛容になる。これは四騎士すべてに共通する点だ。

アップルとグーグルの自動走行車プロジェクトや、フェイスブックがユーザー課金を増やすために定期的に導入する新しい機能を考えてみてほしい。彼らは実験がうまくいかなければすぐに撤回する。

ベゾスが最初の年次書簡に書いていたとおりだ。「失敗と発明は不可分の双子だ。新しいものを生み出すには実験が必要だ。そして最初からうまくいくことがわかっていたら、それは実験ではない」[53]。

挑戦を支えるアメリカ文化

四騎士はすべて他社より先を行くことを旨とし、大胆な計画に賭け、失敗に寛大だ。この失敗を恐れない遺伝子は、アマゾンの、さらに大きく見ればアメリカ経済の成功の核心である。

私は9つの会社を設立した。1人で設立したものもあれば、ほかの人と共同でつくった会社もある。戦績は多少甘めにつけると3勝4敗2引き分けというところだ。ほかの社会では私は受け入れられなかっただろうし、ましてや報われることもなかっただろう。アメリカは第二のチャンスの国だ。ジェフ・ベゾスは当然グローバリストではあるが、アマゾンの文化は間違いなくアメリカ的だ。

並はずれた富を持つ人には共通点がある。それは失敗だ。彼らはたいてい、明らかな失敗を経験している。

富への道はリスクが満載で、そのリスクが結局……いや、とにかく危険なのである。頭にボールがぶつかって倒れても立ち上がり、ズボンの汚れを払い落とし、バッターボックスに立って次はもっと思い切りバットを振るよう励ましてくれる社会。それこそ、億万長者を量産するための秘伝のソースだ。

アメリカの破産法は他国に比べるととても寛大だ。そのためリスクを恐れない人が引き寄せられ、大方の予想どおり、その大半が受け入れられる。世界で最も裕福な50人のうち29人はアメリカに住み、ユニコーン（時価総額が10億ドル以上の非上場ベンチャー企業）の3分の2は本社をアメリカに置いている[54][55]。

小売りはさほど儲からない

鉱山のある土地を所有するのはたしかに分がいいが、鉱山労働者につるはしを売るのも儲かるビジネスである。カリフォルニアのゴールドラッシュが、170年前にそれを証明した。

アマゾンは、それが現在でも通用することを証明している。アマゾンは豊かな鉱山を持っている。同社の収益は消費財の小売り（アマゾンとアマゾン・マーケットプレイス）と、〝その他〟（アマゾン・メディア・グループの広告収入とクラウドサービス〈ＡＷＳ〉）に分かれている[56]。

ほとんどのｅコマース企業は、利益を出すことができず、ある時点で投資家たちも「ベゾスの焼き直し」のビジョンに飽きてしまう。するとその企業は売却されるか閉鎖される。勝者がすべてを獲得するエコシステム、加速する顧客獲得競争、ラスト・ワンマイル・コスト、そして全般的なネット経験の不足が重なって、ｅコマース専門の企業は維持できない。

アマゾンもこの事実からは逃げられない。アマゾンのコア・ビジネス（ｅコマース）でさえ利益を出すのが難しい。それでもアマゾンは世界で最も信頼され、評価の高い消費者ブランドを生み出した。それは消費者に大きな価値をもたらしたからだ[57][58]。

アマゾンはｅコマースの売上高で優位を占めているが、そのビジネスモデルは簡単に再現・維持できるものではない。アマゾンが初めて黒字になったのは設立から7年後の２００１年の第４四半期で、それ以降も赤字と黒字を行ったり来たりしている。このことは最近では忘れられがちだ[59]。

この数年間は、アマゾンはそのブランド価値で商売し、借入金を利用して他のもっと儲かる事業へと手を広げている。振り返ると、アマゾンの小売りのプラットフォームは、周囲との関係とブランドを築き、のちにそれで儲けるためのトロイの木馬だったのかもしれない。

存在感を増すＡＷＳ

２０１５年の第１四半期から第３四半期、アマゾンの小売事業における対前年同期比の伸び率は13パーセントから20パーセントの範囲だった。一方、アマゾン・ウェブ・サービス（ＡＷＳ）は同時期に49パーセントから81パーセントも伸びた。

ＡＷＳは２０１５年第１四半期には営業利益の38パーセント、第３四半期には52パーセントと、大きな割合を占めるにいたっている。[60] アナリストの予想では、ＡＷＳの売上げは２０１７年末には１６２億ドル、時価総額は１６００億ドルに達する。これは同社の小売事業を超える規模だ。[61] 言い方を変えれば、世間がまだアマゾンを小売企業と思っているのを尻目に、同社はいつのまにかクラウド企業となっていたのだ。しかも世界最大の、である。

そしてアマゾンはウェブ・ホスティング（顧客のメールサービスやウェブサービスを預かって運用する）にとどまろうとしない。アマゾン・メディア・グループだけで、まもなくツイッターの2016年の収益25億ドルを上回り[62]、最大級のメディア資産を持つことになる見込みだ[63]。

アマゾン・プライムというアメリカで最も入りやすいクラブ（アメリカ全世帯の44パーセントが加入している）[64]の会費は年間99ドル。翌々日配達は無料。特定製品は2時間で配送（アマゾン・ナウ）。オリジナルコンテンツを含む音楽・映像ストリーミング[65]なども提供されている。コンテンツのアイデアには試作品をつくる予算が与えられ、オンラインで視聴者に投票してもらってどのシリーズにゴーサインを出すか決定する。

運輸業への参入

さらにアマゾンは、絶大な力を持つ組織らしく、3方向への戦略を進めている。空、陸、海だ。

小売店のみなさん、商品をお客様に1時間で届けることができますか？　任せてください。アマゾンが代わりに（無料で）やってあげます。そんなところにお金をかけられる組織はほかにないでしょうから。

都市の中心部にあるロボットが運営する倉庫、専用の貨物輸送機とトラック。毎日、ボーイング767貨物輸送機4機分の貨物が、カリフォルニア州トレーシーからストックトンの空港を経由して、去年できたばかりの100万平方フィートの倉庫へと送られる。[66]

2016年、アマゾンは連邦海事委員会から海上輸送業者の免許を与えられた。つまりアマゾンは他社の商品を配送することができるのだ。

この新しいサービスを、アマゾンはフルフィルメント・バイ・アマゾン（FBA）と呼んでいる。アマゾンの中国子会社はより簡単かつ効率的に、太平洋の向こうから商品をコンテナで取り寄せることができるようになる。アマゾンはどのくらいの時間で海上輸送事業を牛耳るだろうか。[67]

太平洋の海上輸送市場は3500億ドル規模だが、利益率は低い。製品を100セットまで入れられる40フィートのコンテナ1個の価格が1300ドル（1セットにつき13セント。フラットスクリーンのテレビを送るのに10ドル未満）。泥臭い商売だが、アマゾンが参入すればそれも変わるだろう。

コストで大きな割合を占めているのは人件費だ。荷物の積み卸しとその事務手続き。アマゾンはハードウェア（ロボット）とソフトウェアを活用して、こうしたコストを削減することができる。始まったばかりの航空機部隊と併せて、これはアマゾンの次の巨大事業になるかもしれない。[68]

ドローン、ボーイング757／767、トラクター・トレーラー、太平洋横断海上輸送。そして世界で最も複雑な物流業務を監督していた（6カ月もぐりっぱなしの潜水艦に物品を供給していた）退官軍司令官たちの力を活用し、アマゾンは史上最強の物流インフラストラクチャを構築しつつある。私のような人間は、ただ恐れ入るしかない。私は飲みたいときにゲータレードが冷蔵庫にあるかどうかすら思い出せない。

最後のカギは店舗

アマゾンの世界制覇のための最後のカギは、オンラインにどっさりため込んだ資産を使って、オフラインの小売環境を征服することだ。それはつまり実際の店舗、ｅコマースのせいで滅びると言われていたものだ。

しかし実際の店舗が消滅するというのは、ひどく誇張された言説だ。実は滅びかかっているのは店舗ではなく中産階級である。かつては重視されていたその階級と、彼らが住む地域のためのビジネスなのだ。

アメリカ最大のショッピングモール所有者はサイモン・プロパティ・グループである。この会社の株価は２０１６年に史上最高値をつけたあと、２０１７年に一気に下落した。[69] しかしサイモンは中～低所得者世帯向けの地域の土地を売却して、富裕層が住む地域に資産を集中させたので、うまくやっていくと思われる。

全米に1000以上あるショッピングモールの価値（売上げ、規模、質、その他）の44パーセントは、いまやトップ100のショッピングモールが握っている。同じく高級モールを所有するトーブマン・プロパティズは、テナント1平方フィート当たりの2015年の売上げは800ドルで、2005年から57パーセント上昇したと報告している。

これを〝B〟クラスと〝C〟クラスのモールを運営するCBL&アソシエイツ・プロパティズと比較してみよう。こちらの1平方フィート当たりの売上げは374ドルで、上昇率はたった13パーセントだった。(70)

つまり店舗は残っているのだ。ただ、どの地域の店が残っているかは注意して見る必要がある。しかしそれはeコマースでも同じだ。最終的に、それら2つを統合する方法を理解している小売企業が勝者となるだろう。アマゾンはそんな企業になろうとしている。

マルチチャンネルの時代

小売りの次の時代は、名をつけるなら〝マルチチャンネルの時代〟である。成功するにはウェブ、人との交流、そして実店舗の統合が重要となるだろう。

そんな時代になっても、アマゾン優位は変わらないと思える。私はアマゾンがいずれ店舗を運営すると言ってきた。しかも膨大な数の店舗だ。そのときは経営が苦しい小売企業を買収するのが理にかなっている。メイシーズや各地に展開し配送網を持っているコンビニエンス・チェーンは格好のターゲットだ。

アマゾンの最大の経費は輸送費だ。より多くの家庭にできるだけ短時間でものを届けることを目指している。アマゾンが460店舗を展開するホールフーズを買収したのもそのためだ。[71]すぐそばに多くの消費者が住む都心に、実際の店をつくることができる。アマゾンは10年前からオンラインで食品を販売していたが、あまりうまくいっていない。[72]野菜や肉は店で直接買いたいという消費者が多いのだ。マルチチャンネル時代の成功のカギは、どのチャンネルを最大限に活用し、私たちの狩猟採集者としての本能をどうやって満たすかだ。

本書を書いている時点で、ホールフーズの買収だけでなく、アマゾンはシアトルとサンフランシスコ・ベイエリアでスーパーマーケットの試験的な運営を始めている。シアトル、シカゴ、ニューヨークシティに本屋も開いた。今後もサンディエゴ、ポートランド、ニュージャージーでの開業を計画している。

なぜ本屋つぶしのアマゾンが、いまさら実店舗を持つのか。エコー、キンドル、その他の商品を販売するためだ。「顧客は商品を見たり触ったりしたがる」。これはアマゾンのCFOブライアン・オルサヴスキーの言葉だ。[73]

アマゾンはまた、アメリカのショッピングモールをターゲットとした期間限定の小売店を、手始めに12店開いている（２０１７年末には総計１００店くらいになると思われる）[74]。老舗のメイシーズ、シアーズ、Ｋマート、大手のＪＣペニー、コールズが２０１７年に何百という店の閉鎖を発表したにもかかわらず、アマゾンは店舗を増やしているのだ[75][76]。

ジェット・ドットコム

その一方、マルチチャンネル時代で一歩先を行こうと、実店舗の怪物ウォルマートがアマゾンのライバルであるジェット・ドットコムを33億ドルで買収した。しかしこれは、中年の危機に陥ったウォルマートが33億ドルで植毛したように感じる。

ウォルマートはオンライン販売の売上げが伸びないことにいらだっていたが、それはもっともな話だった。アマゾンの売上げが伸びるほどウォルマートのｅコマースの売上げの伸びが鈍化し、やがて止まってしまった。

ジェット・ドットコムが示しているのは、失敗するドットコム企業とユニコーンの違いだ。前者はハックスター（訳注：強引なセールスや宣伝をする人）にすぎないが、後者は明確なビジョンを持っている[77]。

その違いはどこでわかるだろうか。それは投資回収手段・株式現金化の方法があるかどうかである。
ジェットの創設者マーク・ロリーは先見の明のあるハッカーだ。彼はジェフ・ベゾスと同じDNAを持っているのではないかと思うくらい共通点がある。ロリーは銀行勤めからeコマースの世界へ移り、取り扱い品として紙おむつを選んだ。これは本よりさらに好都合だ。必ず補充が必要な消耗品なのだから。

2005年、ロリーはダイパーズ・ドットコムを開始し、クイッツィの名のもとに子育て世代向けの他のカテゴリーの商品も扱い始めた[78]。

ベゾスが同社を見学に訪れたとき、自分の会社に戻ったような錯覚に陥ったに違いない。ロボットが働く、都心に近い場所にある倉庫。ベゾスはそこに惚れ込んで、2011年に5億4500万ドルでクイッツィを買収した[79]。その価格で目的の分野へ参入する推進力を得て、優秀な人材を確保し、市場から競争相手を減らしたのだ。

しかしロリーはジェフ・ベゾスの下で働きたくはなかった。彼はジェフ・ベゾスになりたかったのだ。24カ月後、彼は会社を去り、新たに手に入れた富でジェット・ドットコムを設立した。これはベゾスにとって、5億ドルの離婚調停費用を払って別れた夫がとなりの家で自分の友人たちに言い寄り始めたように感じられたはずだ。

前妻の怒りは収まらなかった。2017年4月、ベゾスはクイッツィを閉鎖し、多くの従業員を一時解雇した。あなたが出て行くというのなら、弟も地下から出て行ってもらうとばかりに。クイッツィには閉鎖するべき理由があったのかもしれない。しかしベゾスはロリーに「とっとと失せな」と通告したのだろうと、私は思っている。私たちは世界中の大企業の大半は、中年の人間が経営していることを忘れがちだ。彼らは強烈な自負心の持ち主で、しょっちゅう感情的で不合理な決断をしている。

ジェットは倉庫の人件費を減らすだけでなく大量仕入れで価格を下げることによって、客の買い物の量を増やそうとしている。同社は会員制卸売クラブのコストコと同じように、年間50ドルの会員登録料を設けていた。これはアマゾンと正面から勝負しようという度胸を持った初の企業だった。

しかし突然、厄介な事態になった。会社も、それが打ち出す策も支離滅裂になっていったのだ。ジェットは事業を始めてまもなく、会員制モデルを廃止する予定であると発表した。理由はそれがなくても好調だからだという。

ウォルマートによる買収の話が出たとき、ジェットは収支を合わせるのに、週400万ドルの広告費をかけ、年間200億ドルの売上げをあげる必要があった[80]（これはホールフーズやノードストロームの収益より多い）。

従来の消費者マーケティングの重要性はデジタル化によって低下した。よりよい製品が現れて、消費者が精査するための道具を手に入れられるようになっている。新しい〝マーケティング〟とは何か。それは小さな思いつきで驚くほどの額の資本をつくり、自分たちを〝破壊者〟だと演出する能力だ。それによって、深くなる目尻のしわにパニックを起こしている旧経済の企業に自社を売りつけることができる。

アマゾンがマルチチャンネルに参入する理由

ウォルマートは、すでにある小売店舗のインフラストラクチャにeコマースの運営を加えようとしている。一方でアマゾンは、頑強なオンライン小売事業を補完するための店舗をつくったり買収したりしている。

消費者もしだいにマルチ販売チャンネルの体験を好むようになっている。デジタル（特にスマートフォン）が消費者と店舗とサイトの間の結合組織となる。消費者は常に、次の3つから好きな体験を選べる。

1つ目はeコマースでのすばらしい体験。2つ目は店内でのすばらしい体験。そして3つ目はスマートフォンによってつながったサイトと店舗でのすばらしい体験だ。

電話で予約したものを店で受け取る。オンラインで買ったものを店で交換する。そしてレジの列で並ばなくてすむ。これができればほぼ無敵である。セフォラ（フランスのＬＶＭＨモエ・ヘネシー・ルイ・ヴィトン傘下で、化粧品や香水を扱う専門店)、ホームデポ、そしてデパートでは、すでにこの種のマルチチャンネル統合がなされている。

未来の小売りはいまのところ、アマゾンの現在の形態よりセフォラに近いように思える。しかしアマゾンは消費者のマルチチャンネルの夢を実現し、他の小売企業を(価格面で)巻き込む力(資本、技術、信頼、顧客への配送)を持っている。

ではなぜオンライン・リテールの王様であるアマゾンが、マルチチャンネル・リテールに参入しなければならないのか。[81] それはeコマースには伸びしろがなく、eコマース専門の企業が長期的に生き残るのは難しいからだ。

eコマースでは、顧客のブランドへのこだわりが減るのにともない、顧客獲得のコストが上がり続けている。そのような状況の中で、企業は顧客を獲得し続けなければならない。

2004年、豊かな消費者の47パーセントが好きな小売りブランドの名をあげることができた。6年後、その数字は28パーセントにまで低下している。[82] eコマースだけの経営は、どんどん危険になっているのだ。誰もグーグルや気まぐれな消費者に振り回されたくはない。

アマゾンは高額な顧客獲得費用とブランド不信仰のメリーゴーラウンドから降りることを決めた。同社が価格づけと専用コンテンツと製品を通して、世間の人々にアマゾン・プライムに

アマゾンでの1カ月の買物額（2016年、全米平均）

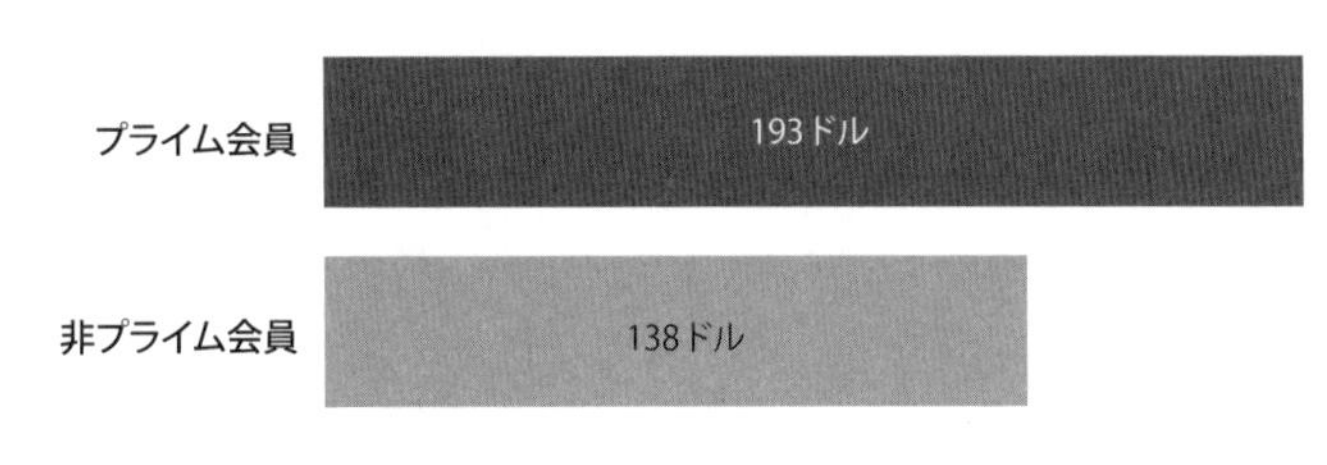

Shi, Audrey. "Amazon Prime Members Now Outnumber Non-Prime Customers." *Fortune*.

入るか、さもなければ離れるかと迫ったのはそのためだ。

プライムの会員は安定的な収益をもたらす。他社に浮気せず、年間購入額が非会員より140パーセントも多い。[83] 現在のスピードでプライムが成長し、ケーブルテレビ離れがこのまま続けば、8年後にはケーブルテレビ契約世帯よりもアマゾン・プライムに加入している世帯のほうが多くなる。[84]

莫大なマルチチャンネルへの投資

強力なマルチチャンネル販売組織は、小売業界で生き残るための前提条件になりつつある。しかし、それを築くためのコストはどんどん重く高額になっている。そこでアマゾンの出番だ。アマゾンのインフラストラクチャは事実上、世界で最も裕福な世帯にものを届けるパイプを築きつつある。全米の高所得世帯の70パーセントがプライムに加入している。[85] アマゾンの店舗は、実際のところラスト・ワンマイルへの対策だ。そこは自社だけでなく、他の小売店のための倉庫にもなるだろう。

1枚の黒いドレスを倉庫から出して、トラック、飛行機、トラックを経由してあなたの家に届けたところ不在で持ち帰り、翌日にまた届けたものの、あなたは試着して返品することにして、茶色の制服を着た男に渡し、そこからまたトラック、飛行機、トラックの輸送を経て倉庫にまで戻す。これはとても高くつく。

アマゾンの配送コストは2012年第1四半期から50パーセント増加している。[86] そんなことが続けられるわけがない。そのためにアマゾンは年会費を集め、そのインフラを使う非会員には料金を課すことが必要になる。それがまさに同社が目指しているものだ。

全盛期のウォルマートでも、自前の航空機やドローンは持っていなかった。フェデックス、DHL、UPSなどの翌日配送の会社は、この10年で平均83パーセントも料金を引き上げている。そして30年前に追跡サービスが登場して以降、翌日配送事業の世界には、大きなイノベーションがない。要するに彼らは無防備な状態のままで、そこに最強の敵が乗り込んでこようとしているのだ。

フェデックス、DHL、UPSの時価総額の合計は1200億ドルである。[87] この大半は今後10年でアマゾンに浸食されるだろう。アマゾンへの消費者の信頼はさらに高まり、同社はアメリカと欧州における最大の輸送業者となる。自身がその最初の顧客となっているかもしれない。

「アレクサ、ブランドを殺すのは誰?」

アマゾンの音声テクノロジーのアレクサは、小売りとブランド両方の地盤を揺るがす可能性がある。

大学やビジネス界での私の同僚の多くが、ブランド構築はいつの時代にも必勝戦略だと信じている。しかしそれは間違いだ。株価がS&P指数を5年連続で上回っている13社(そう、13社しかないのだ)のうち、消費者ブランドはアンダーアーマー(スポーツ用品メーカー)1社だけだ。同社も来年にはこのリストからはずれるだろう。クリエイティブ業界の役員たちや広告会社、消費者企業のブランド・マネジャーは、まもなく会社を去って行くだろう。捨て台詞は「家族と一緒にもっと長い時間を過ごしたい」というお決まりの言葉だ。ブランド時代はピークを過ぎた。

ブランドとは関連商品をわかりやすく伝えるためのラベルであり、消費者が適切な製品を見つけるための手引きだ。消費者向けパッケージ商品(CPG)のブランド(洗剤のタイドやコカ・コーラ)は、メッセージ、包装、店内の配置、宣伝活動を通し、何十億ドル、何十年を費やしてブランドを構築してきた。

「お気に入りのブランド」がある人の割合

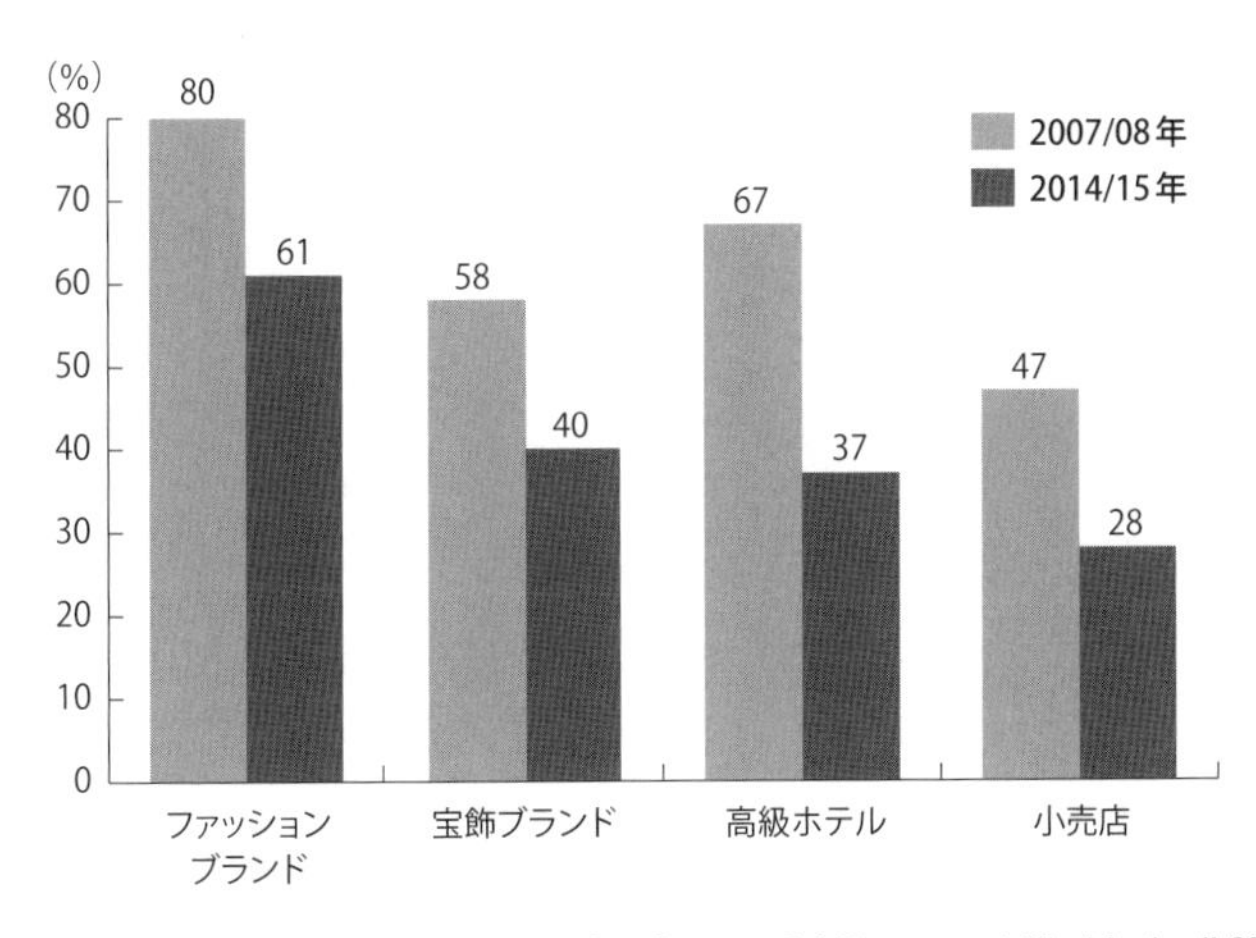

Findings from the 10th Annual Time Inc./YouGov Survey of Affluence and Wealth, April 2015.

しかし買い物の場所がオンラインに移行すると、製品のデザインや感触はあまり重要ではなくなる。視覚に訴える販促も、商品棚の並べ方の工夫もない。

音声はブランドが何世代も何十億ドルもかけて築いてきた特性から、さらにかけ離れている。音声による案内では、消費者は価格もわからずパッケージも見ないため、ブランドにこだわる傾向はさらに薄れる。

ブランド名の検索はどんどん減っている。[88] 消費者が望むのはいくつかのブランドの価格を比較することで、アマゾンはその機会を提供しているのだ。アマゾンの、特にアレクサの手によるブランドの死の前兆が、検索項目の中に現れているのかもしれない。

私の会社L2ではいくつか調査を行って

（それはアレクサに向かって命令を叫ぶことだ）、アマゾンの戦略について手がかりを集めている。そこでわかったことがいくつかある。

アマゾンがアレクサを通した販売を推し進めようとしているのは明らかだ。多くの商品で、クリックではなく音声で注文した場合のほうが価格を安くしている。

電池のような重要なカテゴリーで、アレクサは自社のプライベート・ブランドであるアマゾン・ベーシックのものを勧める。サイトに他のブランドがいくつかあっても、その選択肢は教えない（「申し訳ありません。ほかには見つかりません」）。アマゾンではほかのブランドの電池も扱っているが、ネット上の電池の売上げは、アマゾン・ベーシックが3分の1を占めている。

小売店が顧客への影響力を利用して、自社のプライベート・ブランドに替えさせるのは珍しいことではない。しかしここまで徹底した店は見たことがない。アマゾンはブランドをめぐる戦いを優位に進めている。武器は熱い投資家からの果てのない資本だ。目標はブランドの利益を減らして消費者に還元することにある。

ブランドを殺すものには名前がある。それはアレクサだ。

破壊者アマゾン

最近のカンファレンスで、私の前にジェフ・ベゾスが講演を行ったことがある。映画『シックス・センス』で死者が見える子どもと同じように、ジェフ・ベゾスには、ほとんどのCEOたちよりビジネス界の将来がよく見えている。

雇用破壊と、社会にとってのその意味について訊かれたとき、彼はこう答えた。「最低限所得保障制度をふたたび採用することを考えるべきだ。そうでなければ、逆所得税によって、すべての国民に貧困ラインを上回るだけの現金を支給するべきだ」。聴衆は口々に褒め讃えた。「弱者のことをそれほど考えてくれるとは、なんと偉い人だ」と。

しかし待ってほしい。アマゾンの倉庫内部の写真が世間にあまり出回っていないのに気づいた人はいないだろうか。それはなぜなのか。あまりにも衝撃的で、不安をかきたてる光景だからだ。

安全が守られていないとか？『ニューヨーク・タイムズ』の記事のとおり、従業員を酷使しているとか[89]？

どちらも違う。不安をかきたてるのは、従業員を酷使するどころか、従業員がいないことなのだ。ジェフ・ベゾスがアメリカ人の所得保障を支持するのは、将来の労働事情を見越してのことだ。少なくとも彼のビジョンには、人間のための仕事はないのだ。ゼロとは言わないまでも、現在の労働人口を養うにはとても足りない。いま人間が行っている仕事の多くは、いずれロボットが遜色なく（ときにははるかにうまく）行えるようになるだろう。しかもロボットは子どもを空手に連れて行くために早退したいといった面倒な要望も出さない。

アマゾンは同社の中核能力の1つであるロボティクスについて、ほとんど公言しない。それは深夜テレビの司会者や、うるさい政界の候補者の餌になるのが目に見えているからだ。

2012年にアマゾンはひっそりと、高度な倉庫ロボット会社キバ・システムズを7億7500万ドルで買収した。[90] アマゾンの倉庫で働く人は誰もが激しく動揺したのではないか。起業家は雇用を創出してくれるはずだろう？　実はそうではない。少なくともテクノロジーの世界の起業家の大半は、技術力を高め、省力化を進めることで雇用を破壊している。

基本的に成長が横ばいの小売業界において、アマゾンの2016年の収益は290億ドルに増加した。[91]

アマゾンが100万ドルの収益をあげるのに必要な従業員数は、メイシーズ（小売業の中では生産性が高いほうだが、ここでは業界全体の代表とみなす）と比較すると、はるかに少ない。アマゾンの成長により、小売業界で7万6000人分の仕事が破壊されると考えられる。この数はＮＦＬ最大のカウボーイズ・スタジアムの収容人数とほぼ同じである。それだけの数の従業員（店主、レジ係、販売係、ｅコマース・マネジャー、警備員ら）を前に、こう伝えることを想像してみてほしい。「アマゾンのおかげで、あなたたちの仕事はもう必要ない」。

そして来年はさらなる状況の悪化（あなたがアマゾンの株主なら「悪化」ではないが）が見込まれる。カウボーイズ・スタジアムに加えてマディソン・スクエア・ガーデンを埋めるくらいの失業者が出ることが予想される。

これはアマゾンに限ったことではない。四騎士すべてが、多少なりとも雇用を減らすことは間違いない。

ベゾスのスピーチを聞いて私が最初に思ったのは、アイン・ランド（訳注・ロシア系アメリカ人の小説家。代表作『肩をすくめるアトラス』は多くの偉大なビジネスマンが愛読していると言われる）を引用しないＣＥＯの話というのは、なんともすがすがしい、ということだった。しかしよくよく聞いていくうちに、ベゾスはとても恐ろしい話をしていることに気づいた。がっくり力が抜けたと言うべきか。

破壊される雇用に代わるだけの仕事を新たに生み出すことはない。ベゾスほどの洞察力と影響力を持つ男がそう結論している。おそらく私たちの社会は、中産階級を維持する方法を見つけなければならないという重荷を背負うことをやめてしまったのだ。

それについてじっくり考えて、こう問いかけてみよう。「私の子どもたちは、私よりいい生活を送ることができるだろうか？」。

世界制覇

アマゾンの1兆ドル企業への道においては、小売事業の周辺を取り巻く他の分野だけでなく、さらなる買収が行われる可能性が高い。同社は最近、20機のボーイング767のリース、トラクター・トレーラーの購入、そして輸送業への参入を発表した[92]。

過去18カ月でアマゾンの株価が倍増する一方、（メイシーズやカルフールを含め）ライバルの小売企業の株価は半減している。買収は企業規模を拡大し、それまで協力を拒んでいたブランド（高級ブランド全般）と強制的に関わりを持つための、都合のよい方法となる。ホールフーズの買収によって、アマゾンは食料品販売の足掛かりをつくった。それだけではない。アマゾンは店舗という形の効率のよい倉庫を何百も手に入れたのだ。

アマゾンの時価総額は4340億ドル。メイシーズ（時価総額80億ドル）とカルフール（1

60億ドル）の発行済株式を50パーセント割増しで買っても、自社株は8パーセントの希薄化ですむ。[93]アメリカ司法省が何を言うか想像するしかないが、おそらくはアメリカ経済の競争をさらに激しくしようとするだろう。そしてメイシーズとカルフールの株主は安堵のため息をつくことになる。

あるいは、アマゾン・ゴーで取り組んでいるキャッシュレスのレジ・システムを完成してメディアを騒がせ、時価総額をさらに100億ドル上昇させるかもしれない。このアイデアをはじめとするいくつかのばかげたアイデアが、市場が提供してくれるキャッシュを投入することで実現する。その結果アマゾンが得をする一方、他の小売企業が打撃を受ける。彼らは、（おそらくスティーヴン・スピルバーグは別として）当代随一のストーリーテラーであるジェフ・ベゾスを、羨望のまなざしで見ているだけになるだろう。

ベゾスは世界中の小売業界を制覇するというビジョンを果たすだろう。さらにほとんどのBtoC企業が料金を払ってアクセスするインフラを手に入れようとしている。

2017年、ヨーロッパの小売業界の成長は1・6パーセント、2018年は1・2パーセントと見込まれている。[94]アマゾンはすでにヨーロッパ第1位のオンライン小売業者だ。2015年の売上げは210億ユーロ。これは第2位のオットー・グループの3倍、第3位のテスコの5倍である。[95]

しかし本当の破壊が始まるのは、アマゾンがアメリカ以外の世界中でリアル店舗を開くときだ。すでにインドでの開店を計画している。誰もがアマゾンの品ぞろえ、価格、オンラインで購入できる手軽さを好んでいるのはたしかだ。しかし消費者の決定にいちばん影響を与えるのは、いまでもリアル店舗なのだ。人々は店に入って、商品に触れたいと思う。そこは昔ながらの狩猟採集者の血が騒ぐ場だ。これは特に、最初にその本能が発達した食品について言える。食品の分野で大きな変化が起きようとしているのは間違いない。まもなくアマゾンがそのテクノロジーを物流、精算、配送に活用し、新しい業界標準をつくるだろう。

ホールフーズは商品の価格の高さを批判され、株価が下落していた。アマゾンはそれにぴったりの解決法を持っている。460のホールフーズの店舗はアマゾンのサプライチェーンになる。つまりアマゾン・フレッシュの配送拠点、そして他の事業の輸送拠点となる。さらにあらゆる種類のネットショッピングの返品場所とすれば、コストを大幅に削減できる。

アマゾンは自社の拠点が、できるだけ多くの人にとって1時間以内に行ける場所であることを目指している。ホールフーズはそれを実現するための策なのだ。

もしアメリカで、アマゾンが郵便局かガソリンスタンドを買収すると考えてみよう。人々は荷物を受け取るために、そのような場所に出入りするのに慣れている。アマゾンは現在、そのような「クリックして回収」するタイプの店をサニーベールとサンカルロスにつくっている。

これはどちらもシリコンバレーの町だ[96]。それが先の仮説に対する答えとなるだろう。

アマゾンはいまや、あなたに必要なものすべてを、あなたが必要とする前に提供している。特に世界で最も裕福な5億世帯には、商品を1時間以内に発送している。多くの企業ではこうしたインフラを自社でつくるよりもアマゾンから借りたほうが安くつく。そのため企業はアマゾンに使用料を払っている。アマゾンに対抗できる規模、信頼、安い資本、ロボットを持つ企業はほかにない。

これらすべてを支えているのが、映画、音楽、NFLの試合のライブストリーミングなど、あらゆる娯楽を含むアマゾン・プライムの年会費である。アマゾンは将来、プライムの会員のためにマーチ・マッドネス（訳注：全米大学体育協会男子バスケットボールトーナメント）やスーパーボウルの放映権を獲得すると、私は予想している。アマゾンにはそれができるのだから。

1兆ドル企業への競争

いまや機は完全に熟した。アマゾンはゼロ・クリック注文への条件をすべてそろえている。AI、購入履歴、全米人口の45パーセントの住居20マイル以内にある倉庫、何百万ものSKU

（在庫管理単位）、アレクサ、最大のクラウド／データ・サービス、460（まもなく何千にもなる）もの実際の店舗、そして世界で最も信頼されている消費者ブランド。これらが、アマゾンが最初に時価総額1兆ドルを達成する企業になると考えられる理由だ。

そう言うと、あなたはこう訊きたくなるかもしれない。アップルやウーバーは？ 2008年から、この2社は他のどの企業よりも大きな利益を株主にもたらしてきた。これらの会社の成功のカギはiPhoneとGPSを使った注文・追跡だ。アマゾンの戦略とはまるで違っているではないか、と。

それは誤りだ。秘伝のソースはもっと平凡なものだった。アップルは画期的な店舗、ウーバーは支払いの手間を減らしたことが成功の要因だ。高級車の位置を追跡するGPSではなく、客が車・店から、面倒な支払い手続きをせず、すぐ出られるようにしたことだ。これら2社はそれによってアマゾンと同じ土俵で戦えるようになった。しかしアマゾンは、ゲームのルールをこの2社よりはるかによく知っている。

ベゾスが最近、株主への手紙で述べているように「アマゾンでは何年も前から、機械学習の実用化に取り組んでいる[97]」のだ。それは何年前からなのか？

アマゾンが顧客のニーズをすべて予測するAIによる販売のテストを行ったら――自動的に

商品を送り、返品したり音声で訂正されたもの（「アレクサ、ロゲイン（訳注：養毛剤）を追加、日焼け止めは減らして」）をもとに次に送るものを調整する――そのテストによって、アマゾンでの1世帯当たりの出費が増加するだろう。株価は跳ね上がり、時価総額は3倍になって1兆ドルを達成すると思われる。

フェイスブックとグーグルはメディアを、アップルは電話を支配している。そしてアマゾンは小売業界を制覇しようとしている。

大物が負け組になる

小売業はメディアや電話よりはるかに大きなビジネスだ。アマゾンが独り勝ちすれば多くの負け組が生まれる。それは個々の企業だけでなく、この業界全体について当てはまる。[98][99][100]

食品・雑貨

食品・雑貨を扱うスーパーマーケットが不運に見舞われる分野であるのは間違いない。それには致し方ない理由がある。

このアメリカで最大の消費者部門（8000億ドル[101]）は、イノベーションとは無縁だった。[102]相変わらずの下手な照明、相変わらずの不愛想な店員たち。好みのヨーグルトをさがして棚の

アメリカにおける市場規模

Farfan, Barbara. "2016 US Retail Industry Overview." The Balance.
"Value of the Entertainment and Media Market in the United States from 2011 to 2020 (in Billion U.S. Dollars)." Statista.
"Telecommunications Business Statistics Analysis, Business and Industry Statistics." Plunkett Research.

間の通路を歩き回るいらだたしい経験も相変わらずだ。

アマゾンはそれらを尻目に、食料品をネットで買えるアマゾン・フレッシュと、レジを通らなくてすむアマゾン・ゴー（2016年12月開始）を市場に送り出している。[103] 2017年6月、アマゾンはホールフーズを買収し、富裕層が住む地域に460の店舗を手に入れた。

全米の食品スーパーでの出費に占めるアマゾンとホールフーズの割合はわずか3・5パーセントにすぎない。しかし高級食品スーパーとハイテク配送企業の組み合わせは、この部門にとって重大な打撃になることを予感させる。

この買収が発表された日、スーパーマーケットのクローガーの株価は9・24パーセント、有機栽培品の宅配企業ユナイテッド・ナチュラル・フーズの株価は11パーセント、そしてターゲットの株価は8

パーセント下落した[104]。アマゾンはこうした多くの企業を食い尽くしてしまうことだろう。レストランも苦労するだろう。食品があっというまに配送されれば、家での食事の用意が楽になる。

そしてもちろん、インスタカートのような食品配送サービスも打撃を受ける。ホールフーズが買収されたとき、インスタカートの代表はこう述べた。「アマゾンはアメリカ中のすべてのスーパー、そして古くからある町の店に宣戦布告をした[105]」。

ウォルマート

最大の負け組はどこか。答えは簡単、ウォルマートである。

ウォルマートのeコマースの成長を妨げるものは、アマゾン以外にもある。低賃金でスキル不足の従業員では、マルチチャンネルの環が完成しない。顧客の多くはあまり裕福でなく、ブロードバンドやスマートフォンも持っていない。

20世紀の大富豪は最低賃金で従業員をうまく使ってものを売っていた。21世紀の大富豪は、賃金のいらないロボットをうまく使ってものを売っている。

アマゾンがホールフーズの買収を発表したのと同じ日に、ウォルマートはボノボスの買収を発表している。ボノボスは男性衣料の通信販売会社だが、買収される前に実際の店舗を手に入れていた[106]。

ボノボスには強力なマルチチャンネルのモデルがあった。顧客は店で試着し、服はあとで送られてくる。ウォルマートは小規模な小売企業からeコマースの特性を引き出し、アマゾンと競おうとしている。ジェットの買収のときと同じだ。しかし相手の巨大な規模からして、ボノボス買収で事態が大きく変わるとは考えにくい。

ウォルマートはアメリカ最大の食品・雑貨小売企業だが、アマゾンによるホールフーズの買収で戦争が激化した。[107]ウォルマートの店舗数はホールフーズの10倍。しかしアマゾンの物流管理のほうが一枚上を行きそうだ。

グーグル対アマゾン

相対的に見れば、グーグルもアマゾンに負けかけている。

アマゾンはグーグル最大の顧客であり、検索を最大限に活用している。グーグルがアマゾンをうまく使っているといっても、それには及ばない。グーグルが大した企業ではないと言っているわけではない。ただアマゾンには資金が集まるので、1兆ドル企業への競争ではアマゾンが有利ということだ。

商品の検索は利益につながる。適正な価格を調べ、最終的には購買につながる。高校時代に熱を上げていた相手をこっそり調べることとは違う。アマゾンの検索機能はいずれ、グーグルと肩を並べるかもしれない。何かを買おうとするとき、まずアマゾンで検索をするようになっている。

昔ながらの小売企業

しかし本当に食い物にされるのは、昔ながらの小売企業だ。成長が見込める唯一の道筋だったネット通販もアマゾンのせいで斜陽になりつつある。商品検索件数では、アマゾンがグーグルやブランド・コムを上回っている（小売企業においてｅコマースが占める割合は２０１５年から２０１６年で６パーセントから12パーセントへ増加）。

従来、消費者はブランドのサイトで商品について調べてからアマゾンで購入すると考えられていた。ところが現実は、商品検索の55パーセントはアマゾンから始まっている（グーグルなど他の検索エンジンは28パーセント）[108]。これによって権力と利益がグーグルと小売企業からアマゾンへと移行している。

その他の負け組：凡人

私はきわめて平凡な子どもだった。成績は可もなく不可もなく、テストでいい点数を取ることもなかった。高校のときはカリフォルニア州ウェストウッドのスーパーマーケットで働いていた。仕事は荷物運搬係、時給は４ドルくらいだった。

アメリカの小売業の従業員数（2015年）

"Retail Trade." DATAUSA.

カリフォルニア大学の1年生のとき、ブレントウッドの別のスーパーマーケットで、やはり荷物運搬係の仕事を見つけた。しかしこのときは労働組合の一員となったおかげで、時給は13ドルだった。私はこのアルバイトで年間1350ドルの学費と、その他もろもろの費用を賄（まかな）っていた。このスーパーマーケットはまだ健在なので、私に支払ってくれていた200パーセントの割増賃金のせいで倒産したということはないようだ。

何が言いたいかというと、1984年ごろにはまだ、きわめて平凡な若者がアルバイトをして一流大学を卒業することが可能だったのだ。

その後、状況は大きく変化した。若いころの私のような人間にとってはよい方向への変化ではない。

よくも悪くも、アマゾンをはじめ我々が崇拝する変革者たちが築いているのは、非凡な人間にとっては最高の、そして平凡な人間にとっては最悪の時代である。

今後、スーパーマーケットもそこで働く荷物運搬係も、なくなることはないだろう。しかし数は間違いなく減っていく。

他の小売店と同じように、スーパーも今後〝大規模〟化が進む。ロボティクス、安い資本、ソフトウェア、音声などを利用して、巨大な店の90パーセントの商品を、60パーセントの価格で販売するだろう。そのような店では人間の店員は専門知識を備え、裕福な客の相手をすることになる。

これが現在の小売業界のエコシステムだ。いったいどのくらいの数の仕事が、より効率的で費用対効果の高いロボットに取って代わられるだろうか。それはアマゾンに訊くべきことだ。

すべての小売企業（とその社員）に希望はないのか

それでも希望はある。巨大帝国と戦っている革新的な小売企業もある。いくつか例をあげると、前述のセフォラ、ホームデポ、ベスト・バイなどだ。これらの企業はアマゾンの逆を行き、人材に投資している。特別な位置づけをされた店員に、特別なユニフォームを与えて接客にあたらせていることなどがその例だ。彼らは人材とテクノロジーへ同時に投資している。消費者はもう商品を購入するためだけに店に来るのではない。品物はアマゾンで簡単に手に入る。客が店に来るのは店員＝専門家と話をするためだ。

彼らの戦略が、いずれ勝利に結びつくのだろうか。それともやはりアマゾンが勝つのだろうか。あるいは互いにどこかで折り合いをつけて、それぞれが成功する道をさぐるのだろうか。その答えが企業ばかりでなく、何百万という労働者と家庭の運命を左右する。わかっているのは、私たちはより多くの仕事が存在する未来像を描き、それを実現するビジネスリーダーを必要としているということだ。最低限所得保障制度の復活や逆所得税の採用を望みつつ、自らは税金を払わない億万長者ではない。

ジェフ、そろそろ本当のビジョンを教えてくれ。

第3章 アップル――ジョブズという教祖を崇める宗教

2015年12月、カリフォルニア州サンバーナーディーノで、28歳の衛生指導員とその妻が職場のパーティーに参加した。生後6カ月の娘は祖母に預けていた。パーティーで彼らはスキーマスクをかぶり、2丁のAR-15ライフルを乱射した。14人の職員が死に、21人が重傷を負った。容疑者は警察との撃ち合いで4時間後に死んだ。[1]

FBIは犯人のサイード・リズワン・ファルクのiPhoneを入手した。FBIはそのロック解除を申請し、そのためのソフトウェアをつくるよう命ずる連邦裁判所命令が出された。アップルはその命令を無視した。[2]

その翌週、私はブルームバーグTVに2度出演し、その問題について討論した。するとおかしなことが起こった。アップルは裁判所命令に従うべきという私の見解に対して、ヘイトメールが届くようになったのだ。しかも想像を超える数のメールだ。

アップルとプライバシーの議論についてどのような立場を取るかは自由だ。興味深いのは、もし犯人の携帯電話がブラックベリーだったら、ここまで議論が沸騰したかどうかということである。

おそらく論争にはならなかっただろう。それはなぜか。携帯電話のロックを解除すべしというFBI発の裁判所命令が、カナダのブラックベリー本社では違う受け止められ方をされたはずだからだ。私の想像では、同社が48時間以内にロック解除を実行しなければ、数十人の議員たちが禁輸措置を口にしたと思う。

調査会社がこの問題についてアンケート調査を行ったところ、意見はほぼ真っ二つに割れ、しかも大きな偏りがあった。全般的に若い民主党支持者はアップル側、年配の共和党支持者は政府の側についた(3)。どちらの側にしても予想外の結果かもしれない。前者は大きな政府の拡大を支持し、後者は大企業の特権を守ることを支持してきたからだ。しかし四騎士の1つであるアップルは、違うルールでゲームをしている。

別の言い方をするなら、消費者の生活を重視する人は、誰もがアップルの味方だ。若い民主党支持者（大学の学位を持つミレニアル世代）は地球を受け継いだだけでなく、MITの工学部卒業者とハーバード中退者に導かれ、その地球を征服したのだ。

彼らは収入を増やす一方で、若者らしく無茶な金の使い方をする。テクノロジーの才に恵まれているために、ビジネスの世界で影響力を持ち重要な地位に就く(4)。彼らがアップルを支持するのは、同社が自分自身の独立独歩、反体制、進歩的な理想を体現しているからだ。そして共同創設者の1人であるスティーブ・ジョブズがチャリティに一切関わらず、ほぼ中年の白人しか雇わず、ひどい人間だったことは都合よく忘れてしまう。

そんなことは問題ではなかった。なんといってもアップルはクールなのだから。さらに言うなら、アップルは革新者だ。だから連邦政府がその行動を無理に変えようとしたら、アップル信者たちは体を張って守ろうとする。もちろん私は、それにはくみしない。

ダブルスタンダード

私は常に他人からどう思われようが気にしないという態度を貫こうとしている。しかし同僚たち（多くはアイビーリーグを卒業したミレニアル世代）から慇懃なヘイトメールが送られてくると動揺する（恨みのこもった平凡な「おまえなんか死ねばいい」というヘイトメールより怖い）。

彼らはアップルのプライバシー問題についての私の見解に失望していた。彼らに言わせると、私の立場は正しくないというのだ。

彼らは、私が個人のプライバシーを守ろうとしないと感じたようだ。私からすれば、彼らが守ろうとしているのはプライバシーではなくアップルである。彼ら、そしてアップルの主張はこうだ。

・ＦＢＩがロックを解除できる新たなｉＯＳをつくるということは、自動消去できないバックドアをつくるということだ。それが悪の手（スペクターか？）に渡ってしまう可能性もある。
・政府は一般市民に対する調査に、企業を協力させるべきではない。

第一の主張については、アップルがｉＰｈｏｎｅに、他人がロック解除できるようなバックドアをつけるとしても、それは想像を超えるほど難しい作業ではない。アップルの予測では、6人から10人のエンジニアが作業して1カ月かかるという[5]。それでも原爆開発のために天才的な科学者をかき集めたマンハッタン計画とは比べ物にならない小さな規模だ。

アップルはまた、そのキーが悪の手に渡る可能性があってきわめて危険だという主張を変えていない。[6] ここで手に入れようとしているのは、時間をさかのぼって人類を破滅させるターミネーターを目覚めさせるマイクロチップではない。そしてＦＢＩはその作業をアップルの敷地内で行うことに同意さえしている。一般人がwww.FBI.govからダウンロードするアプリができるわけではないのだ。[7]

第二の主張は、第一の主張よりは傾聴すべき部分がある。営利企業を、その意思に反して政府の戦いに徴用するべきではないかもしれない。しかしそうなると別の疑問が湧いてくる。もしフォード・モーターがＦＢＩにも開錠できないトランクつきの車をつくれたとしよう。そこに誘拐された人が閉じ込められているという証拠があったとしても、ＦＢＩはフォードに助けを求められないのだろうか。

裁判官は捜索令状を毎日発行している。彼らは無差別な捜査を避けるため、捜査押収の法にのっとっている。家、車、コンピュータを調査する命令を出すのは、犯罪を防ぐ、あるいは解決する可能性のある証拠や情報を集めるためだけだ。

しかしなぜか、アップル信者はｉＰｈｏｎｅを聖なるものと認定した。ビジネスの世界のルールに従う必要はないらしい。

聖と俗と

物体がスピリチュアルな目的に使われるとき、それが神を崇めるものとして神聖視されることはよくある。スティーブ・ジョブズはイノベーション・エコノミーのキリストとなった。彼の輝かしい偉業であるｉＰｈｏｎｅは彼を崇めるための道具となって、他の物体やテクノロジーの上位にたてまつられている。

このように我々はｉＰｈｏｎｅに熱狂し、その過程で新たな企業過激主義への扉を開いてしまったのだ。

この過激主義は身体的な危険を招くようなことはない（アップルの社員が暴力的な過激派とは思わない）。しかし宗教とは関係ないこの種の崇拝は危険である。なぜかと言えば、１つの企業を法律の外に置き、ノーチェックで放置することになるからだ。そうなれば、その企業は規範を守ろうとする意思を失ってしまう。

こういったダブルスタンダードは勝者総取りの環境をつくり、それがさらに不平等を助長する。実際、スティーブ・ジョブズ時代のアップルは、アメリカの他の企業には許されなかった行動が許されていた（とりわけジョブズ自身の、ストックオプションを付与する日付を過去にさかのぼって操作して利益を得る、いわゆるバックデート問題[8]）。ある時点からアメリカ国民とアメリカ政府は、ジョブズとアップルはもう法律で縛らないことにしたのだ。それはジョブズが死ぬまで続いた。

それだけの価値があることだったのかどうかは、あなたが判断するしかない。

21世紀最初の10年、ジョブズがアップルに帰還したのち、同社はビジネス史上最大のイノベーションに乗り出した。その10年でアップルは世界を揺るがし続けた。1000億ドル規模の新たなカテゴリーを生み出す製品やサービスを次々と打ち出したのだ。それがｉＰｏｄ、ｉＴｕｎｅｓ、アップルストア、ｉＰｈｏｎｅ、ｉＰａｄである。このようなものはそれまで存在しなかった。

毎年行われるアップル開発者会議（ＷＷＤＣ）では、ジョブズがステージに立って、新しい製品アップグレードについて次々と発表する。そしてステージ袖に向かって歩き出したかと思うと途中で足を止め、振り向いてこう言う。「そうそう、もう１つ……」。そして世界を変える。

アップルの製品発表会は、以前はどちらかと言えば小さな顧客向け集会だった。しかしそれが突然、政治的人民集会になった。世界の株式市場が息をつめてそれを見守っている。ニュース記者たちが夜明けから会場の外に集まり、数時間かけて下調べをする。そしてアップルのライバル会社は心をなだめながら、次に何がヒットするか戦々恐々としている。

神がかったアップルの10年

いまとなっては、アップルの10年がどれほどすごいものだったか忘れがちである。ｉＰｏｄの発売は２００１年後半。ドットコムバブルの崩壊と９・11アメリカ同時多発テロという２つの衝撃的事件が起きたあとだった。ｉＰｏｄの発売は、ケネディが暗殺されたほんの数カ月後に、ビートルズが『エド・サリヴァン・ショー』に出演したのと同じ役割を果たした。それは闇の中で、希望と明るい未来を示す一筋の光だった。

その後、ジョブズはハリウッド並みに芝居がかるようになる。ジョブズはナップスターが開始したファイル共有サービスが音楽業界を破壊すると警告した。これにより、音声ダウンロードによる海賊行為に対する過剰なまでの反応（もちろんアップルの有利になる）を引き出すことに成功した。

それで同社の最高傑作が登場する舞台は整った。ｉＰｈｏｎｅだ。ｉＰｈｏｎｅを手に入れるために、世界中のアップル・マニアが電気店の前に徹夜で列をなした。そして満を持して登場したのが至高のｉＰａｄだ。

アップル成功の陰のヒーローは、ナップスターの創業者ショーン・ファニングである。彼の会社の脅威により、音楽業界はアップルの手に落ちた。音楽業界はバンパイアが血液袋に引き寄せられるがごとく、アップルと手を組もうとした。

もしスティーブ・ジョブズが病を克服していたら、アップルは向こう10年もこれと同じペースを保っていただろうか。おそらくはそうなったはずだ。

褒められたものではない性格ではあったが、彼は重要なことを1つなしとげた。ジョン・スカリーのもとで数年間リスクを避けてきたアップルを、リスクを負うことを最優先する大企業（それも史上最大の）にしたことだ。

他のフォーチュン500企業のCEOと違い、スティーブ・ジョブズは慎重な考えをこきおろし、その結果が歴史に刻まれた。スティーブ・ジョブズは自ら設立した会社を世界一価値のある会社に育て上げた最初の人物になった。それはインテルのボブ・ノイスも、ヒューレット・パッカードのデビッド・パッカードもなしえなかったことだ。アップルストア、タッチスクリーン、MP3プレーヤー、どれも当時は理解されなかった。

彼はアップルによいことをたくさんもたらしはしたが、同時に会社の中の破壊勢力でもあった。従業員を罵倒する。博愛精神や団結心はゼロ。気まぐれと誇大妄想癖のおかげで、アップルは常に無秩序すれすれだった。

彼が死んで同社の歴史的なイノベーションの連続は終わったが、ティム・クックのもとで、将来性や収益性、規模を計算した経営を行えるようになった。その結果はバランスシートに見ることができる。利益が成功の証なら、2015年度のアップルは史上最も成功した企業である[9]。この年のアップルの利益は534億ドルにのぼった。

2017年の税制改革で法人税が引き下げられたのは、別に議会からアップルへの忖度ではない[10]。しかし世界中の他の特権階級の人間と同じように、政治家の多くも、iPhoneを取り出すときにかすかな優越感をおぼえるのは間違いないだろう。これは理屈ではない。アップルは――たとえばエクソンに比べ――好感度が高いのだ。シンク・ディファレント――そう、そろそろ発想の転換が必要ではないか。

より神に近く

アップルはいつも他者から*インスピレーションを得る*（アイデアを盗むときの常套句だ）。近年のアップルがインスピレーションを得ているのはぜいたくな高級品業界である。アップルは希少性を追求して並外れた利益を得るようになった。垢抜けないITハードウェア企業には逆立ちしてもまねできないことだ。アップルのスマホ市場のシェアは、台数では14・5パーセントにすぎない。しかし全世界のスマホの利益の79パーセントを独占している（2016

世界のスマホ市場のマーケットシェアと利益シェア（2016年）

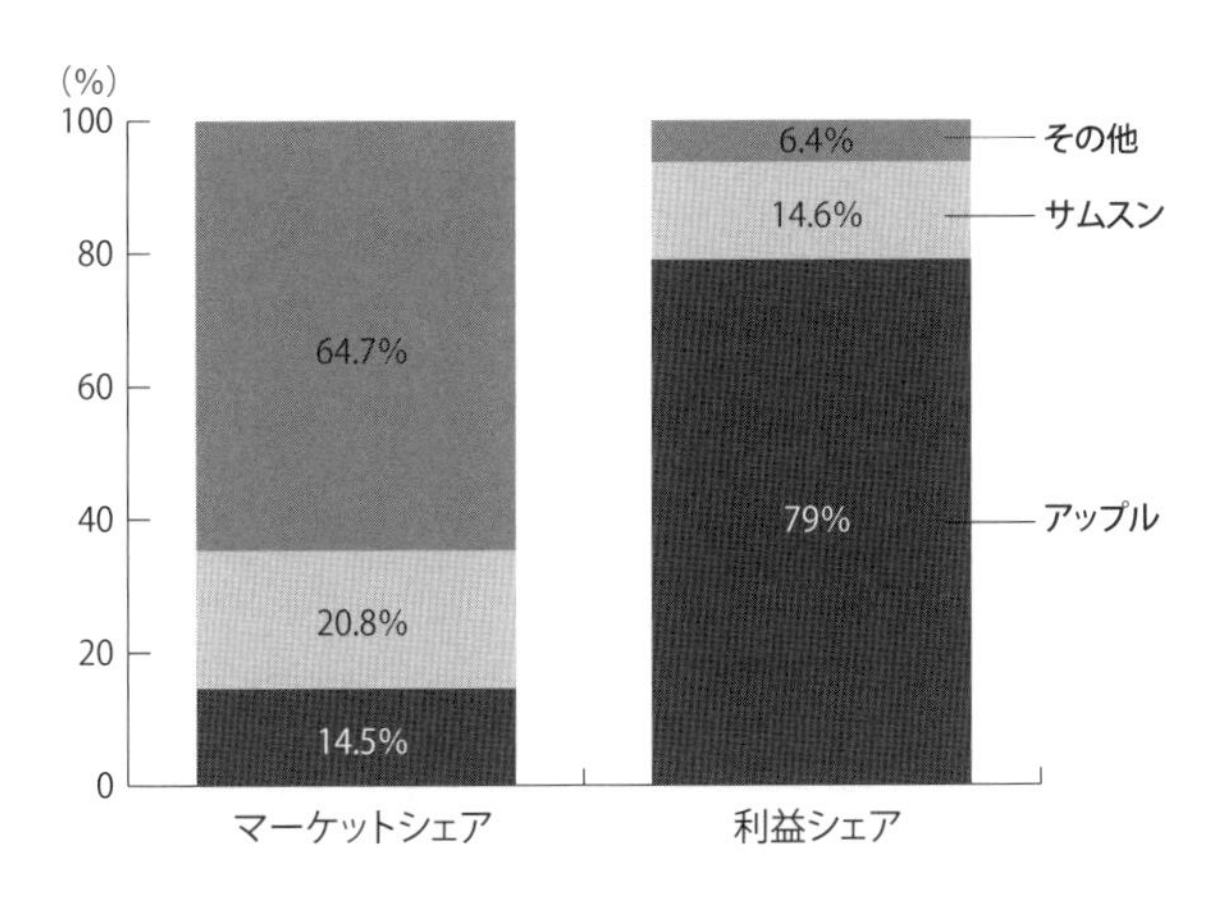

Sumra, Husain. "Apple Captured 79% of Global Smartphone Profits in 2016." MacRumors.

年[11]）。

　スティーブ・ジョブズは本能的にこのことを理解していた。

　1977年にサンフランシスコで開催されたコンピュータ見本市の参加者は、会場のブルックス・ホールに足を踏み入れた瞬間に違いを感じた。他のパソコン会社の連中はむき出しのマザーボードや不細工な金属の箱を並べていた。しかしジョブズとウォズニアックは、褐色のプラスティック型におおわれたアップルIIのうしろに座っていた。これはのちに、エレガントなアップルの外見の特徴となった。

　アップルのコンピュータは美しかった。エレガントだった。そして何より、ハッカーやプログラマーの世界において、アップルの製品はぜいたくなムードを醸し出していた。

ぜいたく志向は人間の外部でつくられるものではなく、我々の遺伝子に組み込まれている。それは人間の枠を超越して神聖なる理想に近づきたいという本能と、自分の魅力をアピールしてよき伴侶を手に入れたいという欲望を結びつける。

1000年にわたり、人間は教会、モスク、寺院でひざまずき、周囲を見回してこう考えていた。「たかが人間がこの魔法のような音、絵画、建築を生み出せたはずがない。この音楽がいかに人間離れしているか。この彫刻、あのフレスコ画、あの大理石の壁。俗な世界からかけ離れている。これこそ神がおわすところだ」。

歴史を振り返ると、ぜいたくに縁がなかった大衆は教会に通って芸術品を眺めていた。宝石をちりばめた聖杯やきらめくシャンデリアといった世界で最も美しい工芸品だ。彼らはそれを見て感じる美的な感動を、神の存在と結びつけるようになった。これがぜいたくの基本である。産業革命と経済的繁栄のおかげで、20世紀になるとぜいたくは何千万どころか何億もの人々の手が届くものになった。

18世紀のフランス貴族は、国家のGDPの3パーセントを、美しいかつら、おしろい、ドレスに費やしていた。ドレスの豪華さで地位を誇示し、従者に尊敬の念を抱かせて従わせていたのだ（ナイキが得意とするディスプレイ販売や広告契約は、ここから始まっているのかもしれない）。カトリック教会は何百年も前から建造物（店舗）の力を知り、戦争や驚くべきスキャンダルにも耐えるブランドを築き上げた。マリー・アントワネットの化粧、かつら、ドレスは大流行した。

いま、バスケットボールのスター選手がアップルのBeatsを身につける。何も変わっていないのだ。

「神」と「セックス」に近づくためのぜいたく品

ぜいたく品を欲しがるのはなぜか。それは自然選択と、そこから生じる欲望と羨望のなせるわざだ。力を持つ者のほうが、住居、温もり、食物、そしてセックスの相手を手に入れやすい。美しいものを集める人は、ただ眺めていたいからであって、セックスは関係ないと言う。それは果たして本当だろうか。

イタリアの有名ブランドであるボッテガ・ヴェネタのメッシュのバッグや、ポルシェ911の後部のラインに、人は引き込まれてしまう。それらは本当に美しい。あなたはそれを所有したくなる。それが持つパワーの光の中に立ち、その光を浴びた自分を見せつけたい。ポルシェを（たとえゆっくりとでも）運転すると、自分が魅力的に思え、手あたりしだいにセックスができそうな気がする。

男は子種をまき散らすようにできている。だから我々の中の原始人が、ロレックスやランボルギーニを——そしてアップルを欲しがるのだ。そして下半身で考える原始人は、人の気を引くチャンスのために多くの代償（法外な価格）を支払う。


ぜいたく品は合理性という点ではまったく意味がない。私たちはただ神聖なる完璧さに近づきたいという欲望、あるいは生殖の欲望から逃れられないというだけだ。

ぜいたくとは、お金を使うこと自体がその体験の一部だ。ダイヤモンドのネックレスを移動販売の車で買う？　たとえ石が本物だとしてもごめんだ。ティファニーで明るい照明の下、低い声で話す身なりのいい店員から買うほうがよほど満足できる。

ぜいたく品というマーケットは鳥の大きく美しい羽のようなものだ。不合理だがセクシーで、冷静になれという脳からの指令——「そんな余裕はないはずだ」「こんなの意味がない」——を容易に制圧してしまう。


ぜいたく品は巨額の富も生み出した。神への羨望とセックスへの欲望が衝突し、ビジネス界でかつて見たことないほどの経済的なエネルギーと価値が一気に生まれた。世界の長者番付トップ400人を見るとよくわかる。遺産成金と金融業者を除けば、テクノロジーや他の部門よりも、ぜいたく品と小売業の人間のほうが多い。以下はヨーロッパの大富豪10人の資産の源のリストである[12]（個人名はどうでもいい。会社名のほうが、計り知れないおもしろさがある）。

ザラ
ロレアル
H&M
LVMH（モエ・ヘネシー・ルイ・ヴィトン）
ヌテラ（チョコレートのスプレッド）
アルディ（ドイツのディスカウントチェーン）
リドル（ドイツのスーパーマーケットチェーン）
トレーダー・ジョーズ（アメリカの食料品スーパー）
ルックスオティカ（メガネ、アイウェアのメーカー）
クレイト&バレル（インテリアショップ）

最高の地域の最高の家

テクノロジー企業が老化すると、やがて時代にそぐわなくなる。この問題を解決した企業はまだない。アップルは高級ブランドとして、数世代にわたる成功に挑む初のテクノロジー企業である。

当初のアップルは高級ブランドではなかった。せいぜいがダサい地域（ITハードウェア業界）に建つ最高の家だった。

当初、アップルはライバル会社に比べると、直感的に操作できるコンピュータをつくっていただけだった。エレガントな外見という、スティーブ・ジョブズの考えに惹かれたユーザーは少数派だった。他はもう1人のアップル創業者であるウォズニアックのアーキテクチャに惹きつけられた。

当時のアップルは、主に消費者の頭脳に訴える会社だったのだ。アップル初期からのファンの多くは、セックスアピールなど気にしないコンピュータ・オタクだった。アップルは通りの向こうの高級品の業界を眺め、こう考えた。やってやろうじゃないか。最高の地域で最高の家になればいいんだ。

1980年代、同社は傾きかけた。インテルのチップを内蔵し、マイクロソフト・ウィンドウズで走るマシンのほうが処理速度が速く、価格も安かったからだ。ウィンドウズは合理的判断をする脳に訴えていた。マイクロソフトのワードとエクセルはグローバル・スタンダードになった。ゲームはほとんどインテルのコンピュータのもので、アップルではなかった。

セクシーな戦略

ここでアップルは狙いを頭から心へ、そして下半身へと移し始めた。そしてこれがぎりぎりの時期だった。かつて90パーセントを超えていた同社のシェアが、10パーセントを切ろうとしていたのだ。[13]

１９８４年に発売されたアップルのマッキントッシュ・コンピュータは、魅力的なアイコンと、心に訴えかける外見を持っていた。コンピュータはフレンドリーになれる。そして話をする――コンピュータを立ち上げたとき「ハロー」と画面に出るのはよく知られることになる。アーティストはマックで自分を表現し、美を生み出し、世界を変えることができる。[14] そして超画期的だったのがデスクトップ・パブリッシング（訳注：文字などをきれいにレイアウトするためのソフトウェア。本書もこのソフトウェアでレイアウトされている）だ。Ａｄｏｂｅのソフトウェアは、マックの精密なビットマップ・ディスプレイにしか合わなかった。[15]

アップル・ユーザーはアップルを持つことで、自分たちは社会の画一的な歯車の１つではないという自負を強めた。[16] かつて私もそうだった。設立した会社の社員と私は、性能不足のわりに高価格のアップル製品に20年にわたって苦しめられることになった。それはただ、自分たちは他人とは発想が違うと主張したいためだけだった。
しかし当時はまだアップルもセクシーではなかった。そのころコンピュータを持って歩き回るようなことはなかった。コンピュータはコンピュータ・ルームに置くものだった。目当ての異性をそこに連れてきてハードウェアを見せびらかすという行為は、実用的でもなければロマンチックでもなかった。

本当のぜいたく品になるには、コンピュータは小さく、新しい機能を備え、もっと美しくなる必要があった。それを公私の場を問わず持ち歩き、持ち主の成功をアピールするのだ。変化はiPodから始まった。あの音楽ライブラリーを丸ごとポケットに入れて持ち運べる、トランプの箱くらいの大きさのつややかな白いブロックだ。

不格好で、色もグレー、青、黒しかなかったMP3プレーヤーの中にあって、iPodは美しかった。さらに技術的な奇跡——5ギガバイトのメモリを実現した。第2位の東芝のものは128メガバイトだった。アップルはエレクトロニクス業界をさがし回り、きわめて小さい宝石のようなディスクドライブをつくる会社を見つけたのだ。

やがてアップルは〝コンピュータ〟という語を社名からはずした。コンピュータという概念は過去に置き去りにするという意思表明だ。[17] 未来は音楽から電話まで、コンピュータによって動くものが中心となるだろう。顧客はそうしたブランド製品を持ち歩き、身につけることさえあるかもしれない。アップルは高級品へと向かい始めた。

2015年のアップル・ウォッチの登場で、この話は完結した。アップル・ウォッチの商品発表では、スーパーモデルのクリスティ・ターリントン・バーンズが舞台へ上がった。カメラが向きを変えて、居並ぶ有名人たちを一瞬映し出す。そしてアップルが新製品の宣伝のために17ページを買い取った媒体は『コンピュータワールド』ではなく(以前マッキントッシュのときに買った)『タイム』誌でさえなかった。それは『ヴォーグ』だった。そこで使われたのは、販売価格1万2000ドルのローズゴールドバージョンの写真。撮影したのは、いまやさまざまな企業の製品の広告写真で名をはせているピーター・ベランジャだ。高級品への転換はそこで完了した。アップルは最高の地域に建つ最高の家になったのだ。

超レア感

一種の超レア感がアップルの成功のカギである。iPod、iPhone、iWatch、アップル・ウォッチは何百万台も売れるかもしれない。しかしそれを(平気な顔で)買えるのは世界の1パーセントにすぎない。そしてそれこそアップルが望んでいることだ。[18]

2015年第1四半期に、全世界で出荷されたiPhoneのシェアは18・3パーセントにすぎなかった。しかしアップルは業界の利益の92パーセントを占めた。[19] これこそ、高級品のマーケティングというものだ。

友人や初対面の人に、能力もDNAも経歴も含め、自分が上位1パーセントに入る人間であることを、さりげなく伝えるにはどうすればいいか。簡単な話だ。iPhoneを持てばいい。実際、携帯電話のOSで地図を色分けすると、そこに貧富の差がはっきりと表れる。マンハッタンでは全面的にアップルのiOS。そこからニュージャージー、あるいは世帯収入の平均が激減するブロンクス地区へ移動するとアンドロイドになる。LAでは、マリブ、ビバリーヒルズ、パリセーズはiOS。サウスセントラル、オクスナード、インランドエンパイアならアンドロイド。iPhoneはあなたが完璧に近い存在であり、セックスする機会を多く持つという、何よりも明確なシグナルである。

アップルを賞賛する記事を書くライターは多いが、その大半は同社が高級ブランドであるという視点が欠けている。

高級ブランドの５条件

私は25年にわたって高級ブランドにアドバイスをしているが、ポルシェからプラダまで、そのすべてに共通する５つの性質があると断言できる。それはアイコン的な創業者、職人気質、垂直統合、世界展開、高価格である。これらについて、それぞれ掘り下げていこう。

1　アイコン的な創業者

持つことが自己表現となるブランドを築くのに最も効果的なのは、そのブランドをある人間、特にその会社の創業者として具現化することだ。ＣＥＯはいくら変わっても創業者は永遠である。

１８３０年代に貧しい10代の少年だったルイ・ヴィトンは３００マイルの道のりを歩いてパリへ向かった。しかも裸足だった。彼は箱づくりの専門家となった。やがてナポレオン三世の妻で皇后のウジェニー・ド・モンティジョのために、すばらしいトランクをつくることになる。[20]

ヴィトンはアイコンとしての創業者の典型である。こうした起業家たちは、興味深い浮き沈みを経験した経歴と、店よりも博物館に置くのがふさわしいほどすばらしいものをつくる腕がある。アートとアートの大衆化（職人気質）によって、ブランドが活気づき続いていく。そうした創業者はふつう職人階級から生まれる。彼らは幸いなのか災いなのか、幼いころから自分がなすべきことを知っている。美しいものをつくることだ。そこに選択の余地はない。

この業界の派手さや浅薄さに皮肉な見方をする人は多い。しかしポルシェ911を運転してみればいい。ナーズ・オーガズム・ブラシで頬紅を差してみればいい。ブルネロ・クチネリの服を着てみればいい。そのとき、自分の視線がいつもより鋭く、意志がいつもより固いと感じるはずだ。

近代史において、職人が他の集団よりも大きな富を生み出しているのもそのためだ。「ぜいたくの反対は貧困と思っている人がいますが、それは違います。ぜいたくの反対は下品なのです」と、ココ・シャネルは言った。

イノベーションのアイコンとしてのスティーブ・ジョブズの力について理解するために、若いころのエルヴィス・プレスリーを思い出してみよう。彼がもしサンスタジオでの伝説的なレコーディング・セッションのあと、そして軍隊を除隊する前に20代で死んでいたらどうだっただろう。少なくとも彼が白いベルボトムの衣装を着て、ラスベガスのステージをよたよた歩く姿を見るはめになることはなかった。エルヴィスは42歳で亡くなったが、あと20～30年長く生きていたら、退職者のための豪華客船クルーズで懐メロショーをやっていたかもしれない。そしてグレイスランド（訳注：エルヴィスの屋敷があったところで、いまは記念館になっている）はトレーラーハウスの駐車場になっていたかもしれない。

アイコンは死ぬと、毎日の生活（年をとることも含め）につきまとう批判を免れる。これはブランドにとっての理想だ。もしタイガー・ウッズが凡人として世間に忘れられるのではなく、不倫騒動のときに妻の車で轢き殺されていたらどうだろう。ナイキにとってタイガー・ウッズというブランドの価値はどれほど高くなっただろうか。

それは間違いなく、公人が死ぬことの数少ないメリットの1つだ。評判を台無しにする愚行や、さらに悪い老化を防ぐことができる。ジョージ・ワシントンが死んだとき、この国の他の建国の父たちが、こっそり安堵していたのを我々は知っている。もうそれで彼のすばらしい評判が傷つけられることはなくなったのだから。

アイコン的な創業者が、実生活ではろくでなしであろうが、そんなことはどうでもいい。アップルはそれを証明した。

世間はスティーブ・ジョブズをキリストのようなヒーローとして祭りあげている。しかし実際のところ、スティーブ・ジョブズは決して善良な人間ではなかった。とくに父親としては最低だったようだ。彼は裁判所で父親であることを否定した。生物学的に血のつながりがあるとわかっていながら、そして何億ドルもの資産を持っていながら、娘の養育費を払うことを拒否したのだ。前述したとおり、アップルでのストックオプションの問題に関する政府の調査では偽証したとも言われている。

ところが2011年にジョブズが死ぬと、世界中が嘆き、何千人もがインターネットに追悼の言葉を書き込んだ。アップル本社、世界中の店舗、そして彼が通っていたハイスクールの前にまで信者が集まった。これはアイコン的な創業者を神格化し、スターを聖人にする儀式だった。晩年のジョブズがしだいに禁欲的な風貌になっていたために、さらに神格化が容易になった。

それ以来、アップルのブランドはさらに明るく輝いている。スティーブ・ジョブズに対して、我々は不健全なほど執着し、崇拝している。

スティーブ・ジョブズは「宇宙をへこませた」(訳注：スティーブ・ジョブズ自身の言葉「私たちは宇宙をへこませるためにここにいる〈少しでも世界を変える〉」)とよく言われる。しかしそうではない。私の意見では、スティーブ・ジョブズは宇宙に唾を吐いたのだ。宇宙をへこませているのは、毎朝起きて、子どもに服を着せ、学校へ行かせ、子どもの幸せのためなら何でもするという人々だ。世界にもっと必要なのは、まじめな親たちのための家であって、高性能なばかげた電話ではない。

2 職人気質

高級品の成功は、細かでほとんど超人的な達人の技術へ目を向けることから生まれる。そんなものを見ると、遠くの惑星から宇宙人がやってきて、すばらしいサングラスや絹のスカーフをつくったのではないかと思える。

バーゲン専門の人間からすると、なぜさまざまな形の蝶番をつくったり、帽子の内側の細い糸すべてを結んで美しく仕上げたりするのかと感じるかもしれない。しかし自由に使えるお金があり、食べる心配をする必要がない人にとっては違う。すばらしい工芸品を日常生活で使うという経験はかけがえのないものだ。

アップルのぜいたくさはシンプルであることだ。これこそ究極の洗練である。シンプルであることがアップルのこだわりだ。80年代のスノーホワイトのデザイン（オフホワイトの表面に、コンピュータを小さく見せる水平のライン）からｉＰｏｄの「ポケットに１０００曲」まで、それは変わらない。そこからなめらかな表面や使いやすさが生まれる。

ｉＰｏｄのクリックホイールは、エレガントであると同時に遊び心があった。「スクロールを見ただけでとりこになった」という名言がある。アップルはパワーブック（ノート型マッキントッシュ）のボディにアルミニウムを選んだ。それは他の材質より軽く、ボディを薄くできる上に熱伝導率がよくなるからだ。さらに見た目に高級感がある。昔のｉＭａｃの宣伝コピーのとおり、アップルのテクノロジーは「シンプルにすばらしい、すばらしくシンプル」なのだ。[21]
アップルはそうして何度もアイコンになる製品をつくる。つまり「何でもないように見えて……あまりにもシンプルで、首尾一貫して必然的で、合理的に考えればほかにやりようがない」と思える製品だ。[22]
認知心理学では、魅力的な物体を見ると気分がよくなり、創造的なことをしたくなることが示されている。[23]「魅力的なもののほうが使える」と、アップルで1993年から98年までハイテク部門の副社長を務めた認知工学者ドン・ノーマンは言う。「洗車してワックスをかけたてのほうが、車はよく走るだろう？　少なくともそう感じるじゃないか」。[24]

3　垂直統合（メーカー直営店）

1980年代初頭、GAPはリーバイスや他のカジュアルな服とともに、自社ブランドの在庫を山ほど抱えた、平凡な衣料品のチェーンストアだった。

しかし1983年、新しいCEOのミッキー・ドレクスラーがやってきて大改革を行った。店の照明を柔らかくし、木を漂白し、有線放送の音楽を流し、壁には有名なカメラマンが撮った白黒写真を飾った。すべての店が、ドレクスラーが思い描いたブランド経験を客に提供した。

彼は高級品を売るのではなく、ブランドの周囲に世界を生み出し、消費者の顔を見て対応し

GAPとリーバイスの収益

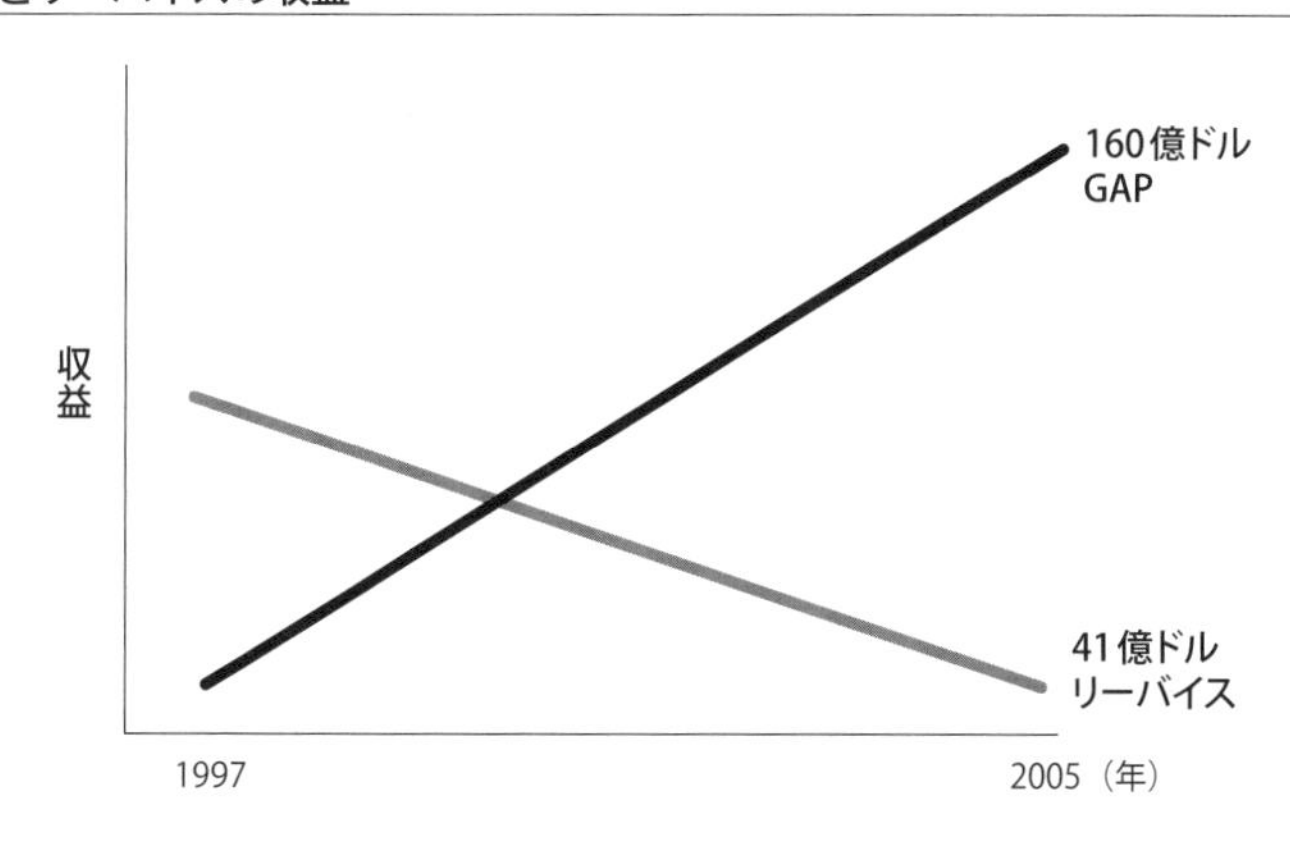

Gap Inc., Form 10-K for the Period Ending January 31, 1998 (filed March 13, 1998), from Gap, Inc. website.
Gap Inc., Form 10-K for the Period Ending January 31, 1998 (filed March 28, 2006), from Gap, Inc. website.
"Levi Strauss & Company Corporate Profile and Case Material." Clean Clothes Campaign.
Levi Strauss & Co., Form 10-K for the Period Ending November 27, 2005 (filed February 14, 2006), p. 26, from Levi Strauss & Co. website.

た。彼は高級ブランドに倣い、高級品の幻影を生み出した。彼の戦略によって売上げと利益は急増した。そこから20年にわたる快進撃が始まって、小売業界の羨望の的となる。[25]

多くの人はドレクスラーを〝商売のプリンス〟と呼ぶ。しかし彼のビジネスへの影響はそれよりはるかに大きい。

ドレクスラーは、テレビはブランドのメッセージを放送できるが、本物の店はもっと多くを伝えられると考えていた。ドレクスラーは顧客がブランドの中へと入っていき、匂いを感じたり触れたりできる場所を用意した。店舗をブランドの資産価値を築く場所にすると、ドレクスラーは決意した。そのため、GAPのライバルであるリーバイスが最高のテレビCMを制作していたとき、ドレクスラーは最高の店舗を建てた。

その結果どうなったか。1997年から2005年で、GAPの収益は65億ドルから160億ドルと2倍以上になったが、リーバイスは69億ドルから41億ドルへ減少した。[26][27][28][29]

ブランド構築の現場は、電波から現実の世界へと移行した。リーバイスは油断しているところを突かれた。私はリーバイスがアップル並みに成功すれば、世界はもっといい場所になると信じている。ハース一族(リーバイ・ストラウス社のオーナー)は理想のビジネス・オーナーだからだ。謙虚でコミュニティに尽くし、寛容である。

スティーブ・ジョブズは1999年にアップルに戻ってすぐ、ドレクスラーをアップルの役員会に迎えた。その2年後、アップルはバージニア州のタイソンズコーナーに初の店舗を構えた。[30]

アップルの店舗はGAPの店舗よりも派手だった。ほとんどの専門家はあきれた。店舗なんて過去のものだと、彼らは言った。インターネットこそが未来だ。よりによってスティーブ・ジョブズがそれをわかっていないのか。

いまとなっては思い出すのも難しいが、アップルが当時その行動を起こしたとき、ほとんどの人がそれを失策だと思った。アップルは見当違いのことをしている。アップルは立派な店を開くことで、運動靴と同等のものを高級品に位置づけようとしている。なんとばかなことを、と彼らは考えた。テック市場の中心はマイクロソフトとインテルが動かす日用品だと、アップルはわかっていないのか。そしてブームはeコマースであることも。

アップルの前最高財務責任者のジョセフ・グラジアノは大惨事が起こることを示唆し、『ビジネスウィーク』誌に語った。「ジョブズはチーズとクラッカーで満足している世界でキャビアを出そうとしている(31)」。

その店舗はたしかに、テック業界を変えた——そしてアップルを高級品へと押し上げた。iPhoneでアップルのシェアは増加したが、ブランドイメージと利益率を上げたのは店舗である。ニューヨークの5番街やシャンゼリゼを歩くと、ヴィトンがあり、カルティエがあり、エルメスがあり、そしてアップルがある。これは人の心をつかむ販売法だ。2万6000ドルのカルティエの腕時計や、5000ドルのバーバリーのトレンチコートも、ありふれた百貨店の棚にあれば輝きを失うだろう。

しかしブランドが経営する店舗は、そのブランドにとっての神殿となる。アップルの店舗の1平方フィート当たりの売上げは約5000ドルで、小売業で最高である。第2位はコンビニエンス・ストアだが、そこには50パーセントの違いがある(32)。アップルの成功の決め手となったのは、iPhoneではなくアップルストアなのだ。

4 世界展開

富裕層というのは、地上に存在する他のどんな集団より均質である。

私は最近、J・P・モルガンの投資サミットで講演を行った。CEOであるジェイミー・ダイモンが、同銀行の300人の重要顧客と、その顧客の資産を運用しているファンドの創設者やCEO50人ほどを招いていた（いずれも常軌を逸した金持ちだ）。世界がほほ笑む人々（幸運なる精子の会）である。

あらゆる国から来た人々、あらゆる文化的背景を持つ人々にもかかわらず、そこには似たものがあふれていた。部屋にいた誰もが同じ言語を話す（本当の意味でも比喩的にも）。エルメス、カルティエ、ロレックスを身につけている。子どもをアイビーリーグへ行かせ、イタリアやフランスの海辺かカリブ海のサン・バルテルミー島で休暇を過ごす。

世界中の中産階級が一堂に会しても、そこには多様性がある。違う食べ物を食べ、違う服を着て、互いの言葉は理解できない。人類学の見本市だ。それとは対照的に、世界のどこへ行っても、富裕層のエリートは多様でありながら同じ色だ。

高級ブランドが大量生産品よりも地理的な境界を越えやすいのは、これが理由である。

ウォルマートやカルフールなどマス・マーケットの小売業者は、ある地域に進出するとき、そこの歴史に詳しい人を雇わなくてはならない。しかしアップルを含む高級ブランドは、自らの世界を規定できる。
ブランドの象徴的なイメージは、デザインの要素で決まる。たとえばアップルストアならガラスだ。アップルストアにあるガラスの枠、直方体や円柱形のディスプレイ、透明なガラスの階段などの特許はジョブズが取得している。開放的な空間に最小限のインテリア。店に商品カタログは置かない。製品は購入するときに店員が持ってくる。富裕層が集う18カ国の街に出店した492の店舗には、毎日100万人の崇拝者がやってくる。[33] 2015年にディズニーのマジック・キングダムを訪れたのは、のべ2050万人だった。[34]

アップルは世界的なサプライチェーンも運営している。部品は中国の鉱山、日本の工房、アメリカのチップ工場から、数カ国の業者の巨大な製造工場（よく知られているのは中国）に届く。そこから完成品が世界中のアップルストア（実際の店舗やオンライン販売用）へと送られる。

同時にこれらの製品の売上げから生じる何十億という儲けは、独自の複雑な経路を経て、アイルランドなどのタックスヘイブン（租税回避地）に戻る。その結果、巨額の利益とマージンが生じる。アップルは史上最も高い利益をあげている企業の1つでありながら、アメリカの税率という厄介ごとに悩まされることはない。

5 高価格

高価格は高品質の証であり、それを持つことは選ばれし者の証明となる。

自分がどんなサイトを見ているか調べてみてほしい。あなたはより高級なものに興味を持ち、つい見てしまっていないだろうか。オークションサイトを見ているときでさえ、「いちばん値段が高い」物を好奇心でさがしていないだろうか。ここには負の価格弾力性がある。もしエルメスがスカーフを19ドル95セントで販売したら、顧客の大半は興味を失うだろう。

アップルはこの意味ではエルメスとは違う。コンピュータや携帯電話は、他の安いブランドの20倍から100倍の値段では売れない。しかし、それでもかなり高い値段をつけている。iPhoneは会員クーポンなしだと1台749ドルだ。格安メーカーのスマホなら159ドル、最新のブラックベリーは549ドルである。[35][36][37]

スティーブ・ジョブズはほとんどのことを、高級テクノロジー製品のパイオニアであるヒューレット・パッカードから学んだ(まともな人事ポリシーは学ばなかったが)。アップル・コンピュータの初期のころから、ジョブズは同社を賞賛し、アップルを同じイメージでつくりたいと公言していた。ジョブズが特に賞賛したヒューレット・パッカードの特質は2つある。ひとつは革新的で高品質の製品——特に計算機——をつくる努力。そしてもうひとつは、それを喉から手が出るほど欲しがるエンジニアに法外な値で売りつけていたことだ。

2社には違いもある。ヒューレット・パッカードはほぼプロ向けの機器製造会社で、高級品ビジネスとはとうてい言えない。一方、アップルは消費者に直接販売するため、それが発するシグナルやエレガンスを100パーセント活用できる。

アップルの顧客の中には、自分たちが不合理な決定に基づいて買い物をしていると指摘されたら、不愉快に感じる人がいるかもしれない。

彼らは自分たちがスマートでセンスがいいと信じている。だからどんな決定も頭脳が決めていると考えている。モノがいいからだよ、と彼らは言う。直感的に操作できるユーザー・インターフェース。それに効率アップのためのクールなアプリケーションを見てくれ。ラップトップはほかより性能がいい。ウォッチは1日3000歩余分に歩くよう励ましてくれる。高くても納得だろう？　彼らは自分にそう言い聞かせる。

たしかにそうかもしれない。そして人はメルセデス・ベンツに大金を払うときも同じことを言う。高級品はすばらしい。しかしそれは社会的地位を伝えるものでもある。それはあなたの生殖能力のブランド価値をも向上させる。

これは裕福な地区ではわかりづらいかもしれない。なにしろ誰もがアップルの製品を持ち歩いている。パリの伝説的なカフェ・ド・フロールでMacBookを開いても、同じことをしている人がたくさんいてクールに見えないかもしれない。この場合は逆に考えてみよう。もしそのカフェでデルの格安コンピュータを立ち上げたり、写真を撮るのにモトローラのスマホを取り出したらどうなるか。異性へのアピール度はどのくらい低下するだろう。

ところで私は、高級品を買えば実際にモテるようになると言っているわけではない。何百万人ものｉＰｈｏｎｅユーザーが、１人で寝ているに違いない。

しかし高級品を買うと感情のスイッチが入り、幸福や成功を感じさせるセロトニン量が急上昇する。おそらくそれで他人から見て魅力的に見えるのだろう。何度も引き合いに出して恐縮だが、格安のデルではこうはいかない。

高級品を目指して成功したアップルの裏には、たくさんの敗者がいる。たとえば２０１５年は、ほぼ間違いなくナイキにとって最高の年だった。しかし収益は28億ドルの増加にとどまる。[38]それに対してアップルの収益は５１０億ドル増だった。[39]人がそれほどの金額を払おうとするものは、ほかにないだろう。

アップルの猛攻撃でつぶされる可能性が最も高いのは、１０００ドル未満のものを売る中間レベルの高級品製造業だ（Ｊ・クルー、マイケル・コース、スウォッチ、その他）。これらの顧客は出費に慎重だ（そして若い消費者は、服より携帯電話やコーヒーを気にする）。

では自由に使える限られたお金はどこに消えるのか。画面がクモの巣のようにひび割れた古いスマホは、去年のジャケットやバッグよりも、所有者の魅力を減らす。若者たちは78ドルのパーカーや、298ドルのショルダーバッグ、498ドルのバッグを買うのをためらうようになるだろう。代わりに買うのは、もちろん新しいiPhoneだ。

その一方で、アップルに取られた510億ドルは、ポルシェやブルネロ・クチネリなどの最高級ブランドには影響しない。これらの品の顧客は欲しいものは何でも買えるので、取捨選択をする必要はない。

テクノロジー企業から高級ブランドへ転換するというジョブズの決定は、ビジネス史上、とりわけ重要な——そして価値を創造した——見識だった。

テクノロジー企業は短期間で大企業になれるが、長きにわたって存続することはまれだ。しかしシャネルはシスコシステムズより古いし、グッチはグーグルが消滅へ向かうのを見ることになるだろう。

アップルは最高の遺伝子を持ち、22世紀まで存続する可能性が四騎士の中でいちばん高いと私は思う。頭に留めておいてほしい。四騎士の中で、少なくともいまの時点で、創業者と創業当時の経営陣がいなくなったあとでも好調を維持しているのはアップルだけなのだ。

高級ブランドは長生きする

NYUスターン校の財政学教授アスワス・ダモダランの調査では、テクノロジー企業が従来の企業のライフサイクルをたどるスピードが上昇していることがよくわかる。その種の企業はいわば、犬並みに年をとるのが早い[40]。

よいニュースは、それらの企業は他の業界に比べ、速いスピードで新製品を発売し、会社を大きくし、顧客を獲得できるということだ。他の業界では不動産、資本、流通機構を整えるのに何年もかかることがあるし、大きな労働力を必要とするといった面倒に直面する。

悪いニュースは、あるテック企業を月まで飛ばすのと同じロケット燃料を、後を追うさらに若くてスマートで機敏なライバル会社も持っているということだ。

野生の雄ライオンの寿命は10年から14年である。しかし飼育されているものは20年以上生きるという[41]。なぜか。飼育されている場では、常に他の雄から戦いを挑まれることがないからだ。野生の雄はほとんどが王座を守るか奪うかの戦いで負ったケガで死ぬ。老衰で死ぬのはごくわずかだ。

テクノロジー企業はライオンの最強の雄のようなものだ。王になるのはいいことだ。収益の実態以上に世間から高く評価され、(うまくいけば)短期間で富を築くことが可能だ。そしてイノベーターをロックスターのように崇める社会から愛され、賞賛される。

しかし、王になりたいのはみんな同じだ。強さ、スピード、暴力的なまでの攻撃性、失敗することを考えない鈍感さを備えた若手が、王をひきずりおろそうと挑んでくる。

アップルは大いに先見の明のある企業の1つから、業界を支配する偉大な企業の1つとなった。高級ブランドに転換することで自らを若手の攻撃対象から外したのだ。これはアップルの寿命を延ばすだろう。

アップルは、スティーブ・ジョブズのあとには、ビジョンではなくどのように会社を大きくするか理解している経営者が求められると知っていた。もしアップルの役員会が明確なビジョンを持つ者が欲しければ、ジョナサン・アイブ(アップルのチーフ・デザイン・オフィサー)をCEOにしていただろう。

アップルはテクノロジー企業ではない

いまのアップルにはビジョンが欠けている。それでも同社はいまだ好調だ。iPhoneを大きくして、その後また小さくしたが、そこにはシンプルを追求する特質がよく表れている

（最高のパンはどんな切り方をしても美味である）。

同社はブランド（と資産）を持っていることに気づいて、長い時間をかけて高価な投資を行ない、他の企業にはまねできない高級ブランドとなった。

マッキントッシュの時代から、アップルはテクノロジー企業という看板を下ろした。年を経るごとに、より多くをより安く提供するという哲学（ムーアの法則）から離れることを意識している。

アップルの現在の事業はテクノロジーではない。人々に製品、サービス、そして感情を販売することだ。それを買った人は神に近づき、もっと魅力的になれる。

アップルはこれらの要素を半導体とディスプレイの技術を通して提供している。力強く人を酔わせるものが融合されて、世界で最も利益の大きな企業ができあがっている。人はかつては着ているもので判断され、いまはなぜか食べているもので判断される。しかしあなたが何者であるかは、メールを打つ道具で判断されるようになった。

最高の商売人、ジョブズ

いまだ多くの人が、スティーブ・ジョブズがアップルのすばらしい製品すべてを開発していると信じているようだ。これには少なからぬ戸惑いをおぼえる。彼がカリフォルニア州クパティーノにあるアップル本社の研究開発部の実験室に座る。小さなマザーボードにチップをはんだづけして……やがて、ブーム！　世界がiPodを手に入れる。しかしそれは実のところ、25年前にアップルⅠでスティーブ・ウォズニアックがやっていたことだ。

スティーブ・ジョブズは天才だったが、彼の才能は別のところにあった。そしてその才能が特に際立ったのは、そこらじゅうのビジネス専門家がテクノロジーの〝中抜き〟――物理的な流通や小売りをなくして、バーチャルなeコマースに代替させる――を宣言していたときのことだ。

ジョブズは他の経営者が理解していなかったことを理解していた。コンテンツや日用品でさえオンラインで販売される時代に、電子機器のハードウェアを高級なぜいたく品として売るにはどうすればいいか。そう、他のぜいたく品と同じように売ればいいのだ。

煌(きら)びやかな神殿の中で、明るい照明のもと、店員を呼ぶと若く熱心で〝才能あふれる〟販売員がとんでくる。何よりもアイテムをガラスの箱の中で売る必要がある。他の客だけでなく、道行く人たちにも見えるようにするのだ。そういう人たちがのぞきこんで、選んでいる人を目にする。これが完成すれば、ほぼどんなものでもその店で売ることができる。エレガントでスタイリッシュに包装され、もっと高い同種の商品と共通するデザインの装飾を備えていれば。

アップルが他のテクノロジー企業にはまねできない利益を得て、ありえないほど規模を拡大できたのも、このためだ。アップルは「製品の価格は高く、生産コストは低く」を実現した。他のぜいたく品カテゴリーで、これに迫るものはない。ハンドバッグのボッテガ・ヴェネタのバッグは高価だが、それをつくるコストも高い。自動車でもフェラーリなどの高価な製品は、決して低コストではない。マンダリン・オリエンタル・ホテルも低コストからかけ離れている。

しかしアップルはどちらも実現した。それができたのには3つの要因がある。大半のテック企業（特に消費者向け）に先駆けて製造ロボットを重視したこと。世界的なサプライチェーンを確立したこと。そしてサポートとIT専門家の力を背景に、小売業としての存在感を確立したことだ。この3つの要素により、アップルはあらゆるブランドや小売業の羨望を集めている。

参入障壁は越えられる

企業は敵（新参の成り上がり者やライバル企業）の侵入を防ぐために、どんどん壁を高くしようとしている。ビジネス理論では、この構造を〝参入障壁〟と呼んでいる。

理論としては悪くないが、現実にはしだいに壁にひびが入り、崩れ始めているところもある。特にそれが当てはまるのがテック企業だ。プロセッサーの価格の落ち込み（これもムーアの法則）と回線容量の増加、そして生まれたときからデジタル育ちの新たな世代のリーダーの出現。これらが重なって、それまでなかった大きなはしごが生み出された。スポーツ専門チャンネルESPN、ファッションブランドのJ・クルー、ジェブ・ブッシュ（ジョージ・ブッシュ元大統領の弟。2016年の大統領選に出馬表明するも共和党予備選の途中で撤退）……どれも難攻不落ではなかった。これらの壁を越えるためのはしごは、動画、ファストファッション、ドナルド・トランプのツイッターだった。このようなはしごがあれば、どんな壁も越えられそうだ。

では、とんでもなく成功している企業は何をしているのだろうか？

ビジネス本のキリストであるマルコム・グラッドウェル（訳注：『ニューヨーカー』のスタッフライターで、何冊もベストセラー本を出している）は、ダビデとゴリアテの寓話（弱小なものが強大な者を打ち負かすたとえ）を引用して、相手の弱みを突けと強調している。逆に言うと、あなたがテック業界に切り込むことができたら、戸惑う敵の弱みを突くのにあなたが使った武器による攻撃を防ぐ力をつけておくことだ。

いくつか明らかな例をあげよう。ネットワーク効果を活用する（誰もがフェイスブックをやっているのは、みんながやっているからだ）、知的財産の保護（時価総額100億ドルを超えるテック企業はすべて、他の100億ドルを超える企業と訴えたり訴えられたりしている)、業界標準となって市場を独占できるものを開発する(この文章をワードで打っているのはほかに選択肢がないからだ)。

深い堀を張りめぐらす

しかし私は、他社がまねのできないことをすることこそ、長期的な成功を収めるカギだと考えている。周囲にめぐらした堀をより深くすると言い換えてもいい。

いつまでもiPhoneが最高の携帯電話であり続けることはない。多くの企業がなんとか追いつこうとしている。しかしアップルは強力な免疫システムを備えた重要な資産を持っている。19カ国に展開する492の店舗だ[42]。いや、ちょっと待て。その地位を狙っているライバルは、オンライン・ストアをつくれば勝てるのではないか。それは違う。HP.comがロンドンのリージェント街のアップルストアに挑むのは、銃撃戦に(バター)ナイフでのぞむようなものだ。

たとえサムスンが実際の店舗に資本を注ぎ込むことにしたとしても、同等のものを提供するのに(少なくとも)10年はかかるだろう。「女性が9人いても1カ月で子どもはできない」のたとえどおりだ。

実店舗の苦境は、デジタル化による秩序破壊のせいだとされている。それも一理ある。しかしネット販売は、いまだ小売り全体の10~12パーセントを占めるにすぎない[43]。消滅しかかっているのは店舗ではなく中産階級であり、彼らに商品を売っていた店舗である。中産階級の世帯が集まる地域、あるいはそこをターゲットにしていた店は苦闘している。それに比べ、富裕層が集まる地域の店は好調である。

かつて中産階級はアメリカの61パーセントを占めていた。しかしいまやその層はマイノリティであり、人口の半分に届かない。ほかは収入がそれより下か上の層だ[44]。

アップルは時間も費用もかかるアナログな堀をより深くすることを選んだ。新規参入者が高い壁を越えるために、どんどん長いはしごをつくり続けることをわかっていたのだ。グーグルとサムスンもアップルと同じほうへ向かっている。しかしその2社は、アップルストアの華やかさやつながり、宗教的なイメージをまねるのではなく、より性能のよい携帯電話をつくることを目指すだろう。

デジタル時代に成功した企業はすべて、こう問いかける必要がある。大きくて高い壁のほかに、深い堀をどこにつくるべきか。それは実行しようとすると高くついて、ライバル企業が渡るのに長い時間がかかる、昔ながらの防御策である。アップルはそれを見事にやってのけた。

アップルは引き続き世界最高のブランド、そして店舗に投資している。

アマゾンも堀を深くすることを選び、時間と大金をかけて100以上の倉庫を建設している。なんとクラシックな！　おそらくその数はいずれ1000を超えるだろう。さらにアマゾンは最近、20機のボーイング767をリースし、何千台ものアマゾン・ブランドのトラクター・トレーラーを購入したことを発表した[45][46]。

グーグルはサーバー・ファーム（多数のサーバーを集積したもの）を持っている。また、20世紀初頭の飛行技術である飛行船を飛ばし、そこからブロードバンドを地上に提供しようとしている[47]。

四騎士のうち、フェイスブックは深い堀を持たないため、高いはしごを持った軍隊に侵入されやすいという弱みがあった。しかしそこに変化の兆しが見える。フェイスブックはマイクロソフトとともに、大西洋の海底にケーブルを敷設することを発表した[48]。

アップルのような企業が独り勝ちすると、マーケットどころかある地域全体が空洞化することがある。iPhoneは2007年に発売され、それでモトローラとノキアが大打撃を受けた。両方で10万人の雇用が削減された。

ノキアは絶頂期にはフィンランドのGDPの30パーセントを担い、国家の法人税のほぼ4分の1を支払っていた。1939年にロシアはフィンランドに侵攻したが、2007年にはアップルが商業的に侵攻し重大な経済的打撃を与えた。ノキアの凋落（ちょうらく）によってフィンランド経済全体が落ち込んだ[49]。株式市場における同社のシェアは70パーセントから13パーセントにまで低下した[50]。

次に来るもの

アップルと四騎士の他の3社の歴史に目を向けると、それぞれ別の事業から始まっていることがわかる。アップルはマシン、アマゾンはストア、グーグルは検索エンジン、フェイスブックはソーシャル・ネットワーク。

以前は互いに競合するとは思えなかった。しかし2009年、当時グーグルのCEOだったエリック・シュミットが、利益の衝突を見越してアップルの取締役会を辞任した（あるいは辞めるよう頼まれたのか）。

それ以来、四騎士はどんどん互いの領域へと踏み込んでいる。少なくとも2社か3社は、お互いの市場で競合している。それは広告であったり、音楽、本、映画、ソーシャル・ネットワーク、携帯電話であったり、最近では自動運転車であったりする。

しかしアップルは高級ブランドとして独自の地位を確立している。これはたいへん大きな利点だ。多大な利益をもたらす競争上の強みとなっている。ぜいたく品であることがアップル・

ブランドを他から切り離し、安さを競う激しい価格競争とは無縁の高みへと押し上げている。

いまのところ、アップルと他の騎士との間の競争はそれほど激しいものではない。アマゾンが販売しているタブレットは高級品を目指していない。フェイスブックはアップルほど異性にアピールしない。そしてグーグルが一か八かで発売したウェアラブルコンピュータ、グーグル・グラスはセクシーとはかけ離れている。かけていると異性に避けられるレベルだ。

アップルは世界中のどの企業よりも深い堀をはりめぐらしていると考えられる。ぜいたく品ブランドとしての地位によって生きながらえる可能性は高い。他の3社はハイテク競争集団の最強の雄であり、それほど長くは存在しないと思われる。その中にあって、アップルだけは死を逃れるかもしれない。

世界をへこませる

低コスト製品と高価格によって、アップルはデンマークのGDPやロシアの株式市場並みのキャッシュをため込んでいる。ボーイング、エアバス、ナイキの時価総額の合計と同等と言ってもいい。いつかアップルはこのキャッシュを使う義務を負うだろうか。もしイエスなら、どう使うべきなのだろうか。

大学の授業料と物価水準

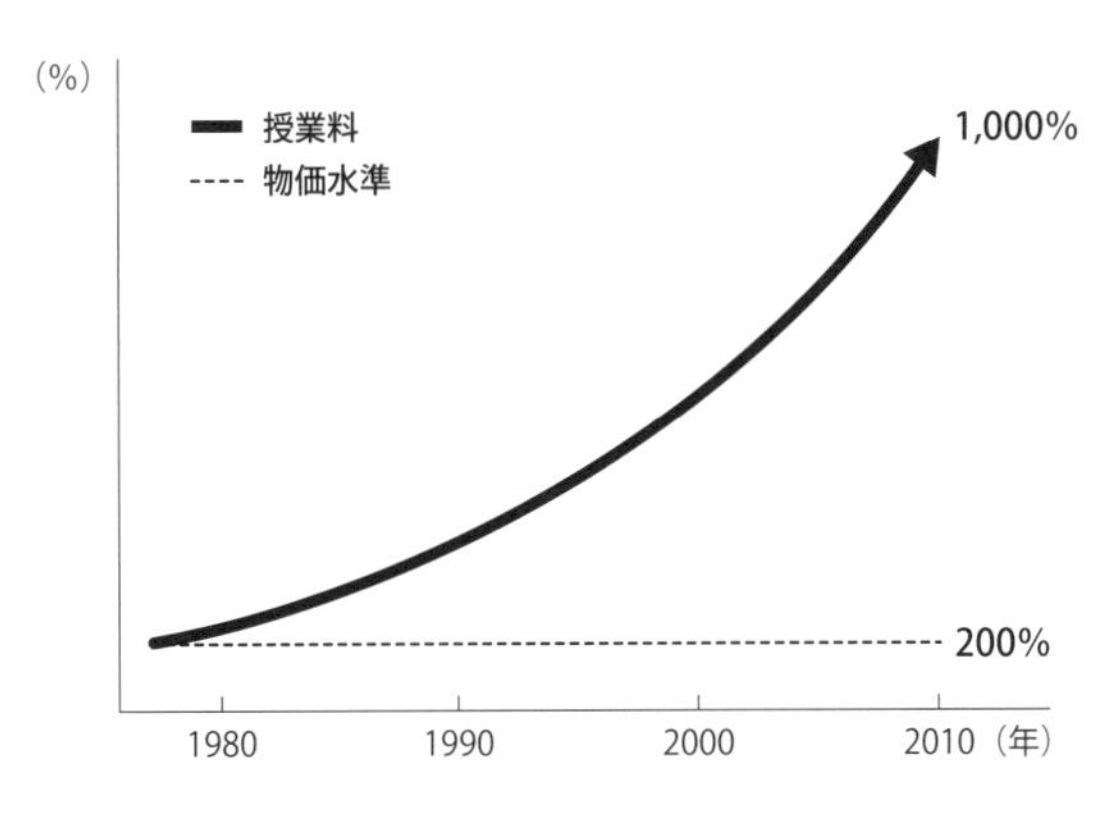

"Do you hear that? It might be the growing sounds of pocketbooks snapping shut and the chickens coming home . . ." AEIdeas, August 2016. http://bit.ly/2nHvdfir.
Irrational Exuberance, Robert Shiller. http://amzn.to/2o98DZE.

私から提案がある。アップルは世界最大の授業料無料の大学をつくるべきだ。

教育市場は限界まで熟している。いまにも木から落ちてつぶれそうだ。教育セクターの弱みは、コストが急激に上昇していることだ。インフレや生産性とイノベーションのコスト増加に比してもひどい状況だ。

テクノロジーが世界のGDPを独り占めし続けている理由は、よりよい製品をより安くつくる必要があるという思考形態にある。ところが教育は50年間ほぼ変わらないままなのに、ケーブルテレビはおろか、医療よりも速く価格が上昇している。

私は毎週火曜の夜に、ブランド戦略のクラスで120人の学生を教えている。この授業料はのべ72万ドル。1コマ6万ドルの計算になる。学生が支払う授業料は借金で賄われていることが多い。私は教える内容に自信を持っているが、教室に向かうとき、学生は私とプロジェクターに対して1分当たり500ドル支払っていることを肝に銘じている。これは！　あまりに！　ばかげている！

優秀な大学から授与される学位は、よりよい生活へのチケットである。そのチケットはアメリカの低・中所得世帯出身ならきわめて優秀な学生しか手に入れられない。しかしアメリカまたは外国の富裕世帯出身ならほぼどんな学生でも手に入る。収入がアメリカ上位20パーセントの世帯の子どもの88パーセントが大学に入学する一方、最下層の世帯では8パーセントしか入学できない。

アップルにはこれを変える力がある。ブランド力を持ち、オンラインでの講義配信の枠組みと実際のキャンパス（将来の教育はオンライン、オフラインの混合になると思われる）の両方を購入できるだけのキャッシュをため込んでいる。アップルなら、ばかげた教育の世界を打ち壊すことができる。

そしてその教育の主眼は創造性――デザイン、人文科学、芸術、ジャーナリズム、教養――であるべきだ。世界はいまSTEM教育（科学・技術・工学・数学の教育分野を総称する）へと猛スピードで向かっている。将来は創造的な人たちのものだ。彼らはテクノロジーを力に、形、機能、そして人々をそれ以上のもの――美しく刺激的な――として思い描くだろう。

重要なのは教育のビジネスモデルをひっくり返し、授業料を安くして、リクルーターに金銭を請求することだ。学生は金を持っておらず、その学生をスカウトするリクルーターのほうには金があるのだ。

ハーバード大学も370億ドルの寄付金を使い、授業料を取らず、クラスの規模を5倍にすれば、それと同じ大改革ができる。それだけの経済力はある。しかしハーバードでさえも、私たち大学関係者に共通する病気に感染している。社会的利益よりも自らの威光を求めるという病である。

我がNYUでさえ、ちょっとやそっとでは入れない大学になったことを自慢している。これは私に言わせると、ホームレスのシェルターが入所希望者を何人断ったかを自慢しているようなものだ。

アップルにはキャッシュ、ブランド力、スキル、そしてマーケットがあるのだから、教育で本当に世界をへこませることができる。でなければ……次に発売するスマホの画面の質を上げることくらいしかできないのかもしれない。

第4章

フェイスブック
——人類の1／4をつなげた怪物

規模の観点から見れば、フェイスブックは人類史上、最も成功しているもののひとつだ。

世界には中国人が14億人、カトリック教徒は13億人、そして毎年ディズニー・ワールドで待つことに耐えている人が1700万人いる。[1][2][3]

一方、フェイスブックは20億の人々と意義深い関係を持っている。[4] サッカーのファンは35億人いると言われる。しかしこのすばらしいゲームでさえ、世界の人口の半分を取り込むまでに150年かかった。[5] フェイスブックとその関連組織は、20年たたないうちにそこまで到達して

1日にフェイスブック、インスタグラム、ワッツアップを見る時間（2016年12月）

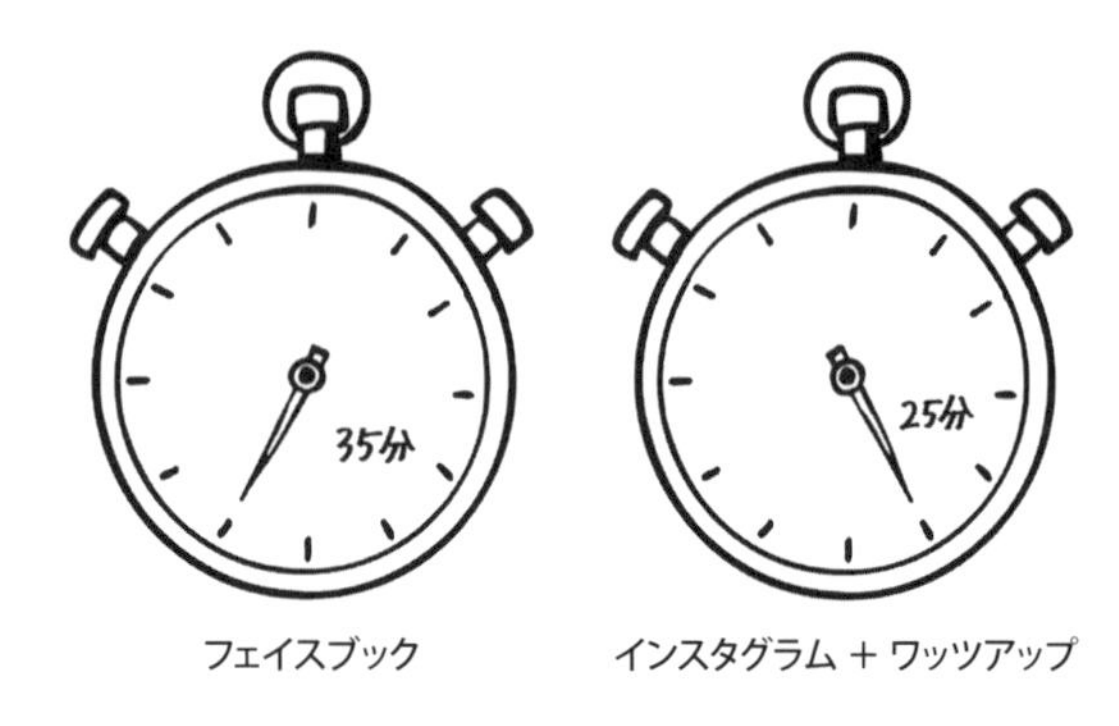

"How Much Time Do People Spend on Social Media?" MediaKix.

しまいそうだ。同社は最速でユーザー1億人を超えた5つのプラットフォームのうち3つを所有している。フェイスブック、ワッツアップ、そしてインスタグラムだ。

人は毎日35分をフェイスブックに費やしている。[6] インスタグラムとワッツアップを合わせると50分になる。これはネット接続している6分に1分、モバイル機器を使用している5分に1分に相当する。家族との時間、仕事、睡眠以外の行動で、それ以上の時間をかけるものはない。[7]

フェイスブックの時価総額4200億ドルが過大評価と思うなら、インターネットが独占企業となり、時間単位で課金されたらどうなるか想像してみてほしい。我々のデジタル生活の根本を握るインターネット社は、やがて株式公開する。インターネット社の20パーセント——一般的なIPOで販売される株式の割合――は、いくらの価値があるか。ネット接続時間の5分の1から6分の1を占めるフェイスブックには、それと同じくらいの価値があるはずだ。私は4200億ドルは安いと思う。

欲しいもの

私たちは毎日見ているものを切望することから始める。

――ハンニバル・レクター

フェイスブックの影響力は未曾有のスピードで大きくなっている。それは私たちが切望するものが、フェイスブックにあるからだ。

消費者の購買欲を高めるという面から見ると、フェイスブックが特に大きな影響を及ぼしているのは、マーケティングの漏斗（ファネル）のいちばん上にある「認知（アウェアネス）」の段階だ。

ソーシャル・ネットワーク、特にフェイスブックの子会社であるインスタグラムを通してものごとを知り、そこからアイデアと欲望が生まれる。友人の1人がメキシコでJ・クルーのサンダルを履いている写真を見ると、それが欲しくなる。トルコの高級ホテルの屋上でカクテルを飲んでいる写真を見ると、同じ経験をしたくなる。そう思い立つと、どこで手に入れられる

マーケティングのファネル（漏斗）

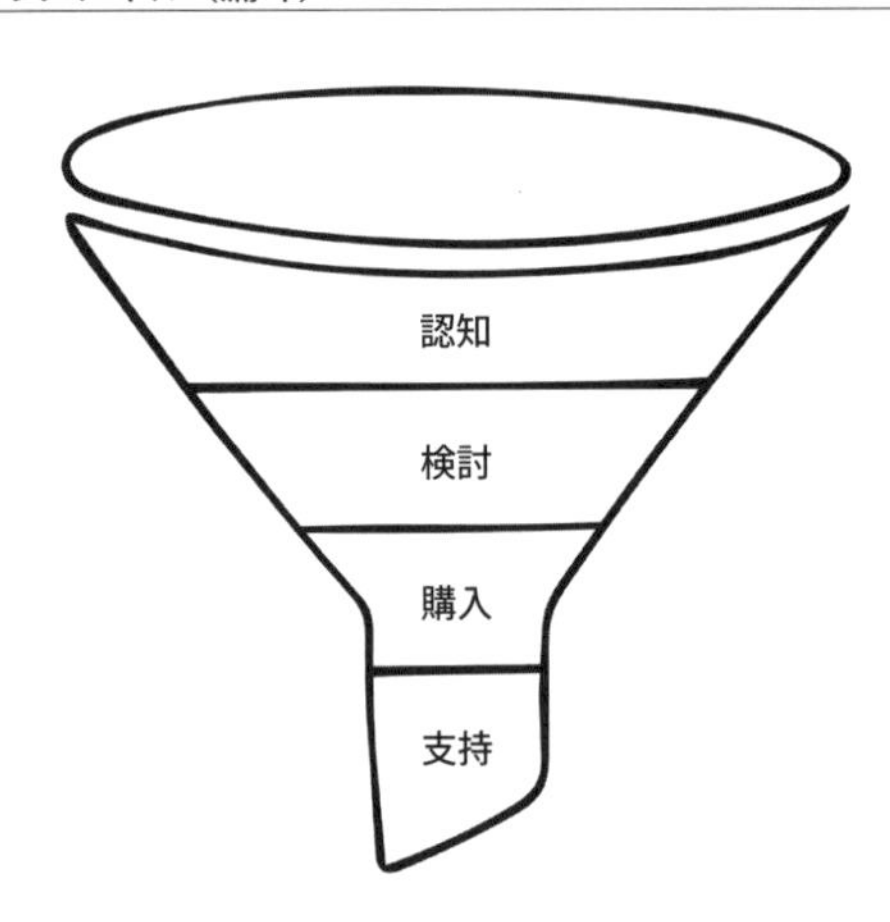

かをグーグルやアマゾンを検索して調べる。

つまりフェイスブックはアマゾンより漏斗の上部にある。フェイスブックは〝何〟を提案し、グーグルは〝方法〟を提示し、アマゾンは〝いつ〟それが手に入るかを教えてくれる。

これまでマーケティングでは、規模とターゲティングのどちらか1つを選ぶしかなかった。

スーパーボウル中継のCMは規模を提供する。1億1000万人の人がそれを見るが、そのすべてにほぼまったく同じ広告を見せる。[8] しかしそこで見る広告の大半は、ほとんどの視聴者に関連がない。あなたはおそらく「むずむず脚症候群」ではないし、韓国製自動車を買おうとはしていないだろう。そしてバドワイザーは飲まないし、これから飲むこともないだろう。

その対極として、イーベイが主催する最高マーケティング責任者のディナーパーティーでプレゼンされるコンテンツは、そこにいる1人ひとりに深い関係がある。そしてこの10人分のディナーに、イーベイは2万5000ドル以上をかける。ターゲットはきわめて明確だが、規模を大きくすることはできない。

規模とターゲティング能力を併せ持っているメディア企業は、フェイスブックだけだ。フェイスブックの18億6000万人のユーザーが自分のページをつくる。そこには何年分もの価値ある個人的なコンテンツが収められている。(9) 広告主がある個人をターゲットにしたければ、フェイスブックがその人の行動に関連するデータを集めてくれている。

それがグーグルを上回る利点であり、フェイスブックがグーグルのマーケットシェアを奪っている理由である。モバイルアプリも備えたフェイスブックは、いまや世界最大のネット広告の売り手である。ほんの数年前にグーグルが従来のメディアからあざやかに広告料を奪い取ったばかりであることを考えると、これは驚くべき業績である。

皮肉なのは、フェイスブックがまわりの友人たちよりその人のことをよく理解しているのではないかと思えるレベルにまで達していることだ。フェイスブックは私たちがクリックしたもの、使っている単語、動き、そして友人のネットワークから、詳細な——そしてきわめて正確な——人物像を描き出す。

私たちの実際の投稿は、友人たちに見せるために描かれたもので、ほぼセルフプロモーションである。フェイスブックの中のあなたは、写真を修正したあとのあなたである。フェイスブックは気取ってめかしこむためのプラットフォームだ。ユーザーは人生最高の体験、覚えていたい瞬間、そして覚えていてもらいたい瞬間のことを投稿する。パリで過ごした週末や、最上席で大人気ミュージカル『ハミルトン』を観劇したときのことだ。離婚届の写真や、木曜日にどれほど疲れて見えるかを投稿する人はほとんどいない。ユーザーは自らのキュレーターなのだ。

しかしフェイスブックはだまされない。フェイスブックは真実を見抜く。そこにいる広告主も同じだ。だからこそフェイスブックはこれほどの力を持つようになったのだ。私たちのほうを向いている側、つまりフェイスブックのユーザーは、本当の私たちをさらけ出させるための餌なのだ。

つながることと愛すること

人間同士の関わりは人を幸せにする。ハーバード大学メディカル・スクールの伝説的な「グラント・スタディ」がそれを証明した。この調査はいまの時点で最も長期にわたって行われた人間についての調査だ。1938年から1944年にハーバード大学の2年生だった男子

268人を75年間も追跡している。目的は何の因子が〝人間の幸福〟に強く寄与するかを突き止めることだ。この調査では性格タイプからIQ、飲酒習慣から家族関係、〝陰嚢がぶら下がる長さ〟まで、驚くほど幅広い心理的、人類学的、身体的特徴を調べた[10]。

この調査によって、幸福レベルに最も強く影響するのは人間関係の深さと有意義さであることがわかった。75年と2000万ドルの研究費をかけた調査によって導き出されたのは、3語の結論だった。「幸福とは愛である（ハピネス・イズ・ラブ）」。

愛は親密さと深さ、そして他者との相互関係から生じる。

フェイスブックは、うまく使えば人間関係を築くことと育むことの両方に役立つ手段となる。それは誰もが感じているはずだ。20年来会っていない人を見つけたり、引っ越したあとも友人と連絡を取り合ったりすると、心が満たされるのを感じる。友人が生まれたばかりの赤ん坊の写真を投稿していると、それを見た自分はいい気分になる。ドーパミンが分泌されるのだ[11]。

生物種として見ると、私たち人類より強く俊敏な競争相手はたくさんいる。人間の発達した脳は、競争上の差別化なのだ。他者への共感は、とても人間的な性質だ。

ソーシャル・メディアのプラットフォームに投稿される大量の映像は、人々の共感度を高め、ひいては子どもを毒ガスで殺そうとする者を減らす。少なくともそういうことをする人間をさがしだして捕まえようとする意識を高めるはずだ。
頻繁に貿易をしている国同士は戦争する確率が低くなることは周知の事実だ。暴力による死は減っていて、今後も減り続けると思われる。それは、より多くの人々が、より多くの人々と親密になっていると感じているからだと、私は信じている。[12]
無私と他人のための行動は、人類という種が生き残るためのカギである。そしてその行動は生という見返りを得る。他人のための行動が体と心にいい影響を与え、私たちは若さを保つ。フェイスブックは私たちの心、幸福、そして健康にとって大きな意味を持つものになっている。

人類の4分の1が、フェイスブックに誇張と自己欺瞞だらけの投稿をしているかもしれない。しかしフェイスブックでユーザーが愛を見つけるチャンスを得ているのも事実だ。プロフィールの交際ステータスを〝交際中〟から〝独身〟に変更するだけで、強力なパートナーさがしのシグナルを発信できる。誰かがステータスを変えたという話が、ネットワークを通して広がり、その人が存在することも知らない遠く離れた人にまで届く。
フェイスブックは、顧客が人間関係の情報を変更すると、それで生じた行動上の変化を分析する。次のグラフが示しているとおり、恋人のいない人のほうがフェイスブック上のコミュニケーションが頻繁になる。それは求愛行動での身づくろいの一部だ。

恋人ができる前後の投稿数の変化

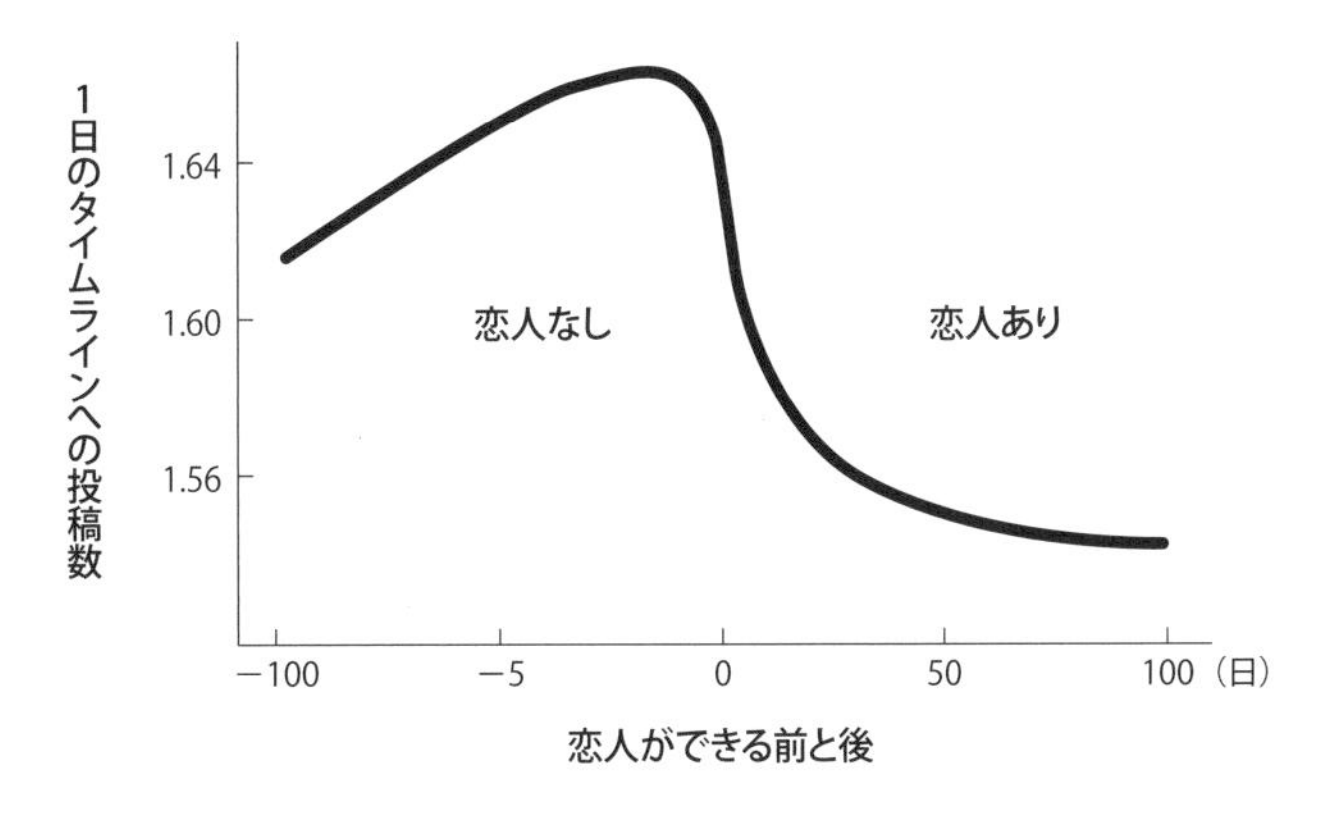

Meyer, Robinson. "When You Fall in Love This Is What Facebook Sees." *The Atlantic*.

しかし交際が始まると、フェイスブック上のコミュニケーションは激減する。フェイスブックの機能はこれを追跡し、〝センチメント分析（sentiment analysis）〟というプロセスにかける。肯定的・否定的意見に分類し、使われている言葉や写真から、各人の幸福の度合いを割り出すのだ。予想どおりというか、交際が始まると幸福度は大幅に上昇する（ただ最初に高揚したあと、一度落ち込むようだ[13]）。

誇大なセルフプロモーション、フェイクニュース、集団思考がプラットフォームに蔓延している以上、フェイスブックを疑ってかかるのは仕方のないことかもしれない。しかし同時にそこで人間関係や、愛さえも育まれるということも否定できない。そして、そのようなつながりで人は幸せになるという証拠がある。

マーケターの楽園

2017年現在、地球上の6人に1人が、毎日フェイスブックを見ている。[14] ユーザーは自分が何者か（ジェンダー、居場所、年齢、教育、友人）、仕事は何をしているか、何が好きか、きょう、あるいは近々何をしようとしているかを書き込んでいる。

これはプライバシー重視の人間にとって悪夢のようだが、マーケターにとっては楽園である。

フェイスブックのオープンな性質、そして「生きるとはシェアすること」という若い世代の信念から生まれるデータセットとターゲティング・ツールはすばらしい。それに比べれば、スーパーのPOSデータやフォーカス・グループ、委員会、アンケート調査などは、のろしと手旗信号の間くらいのものに見えてくる。参加費として75ドル分のクーポン券をもらえるモニター調査で、マジックミラーのうしろから見てデータを集める仕事は消えかかっている。簡単なアンケート調査は、デジタル時代にはほぼ意味がない（簡単でなければならないのは、いまの人たちは長いアンケートに答える時間がないからだ）。いまやある人が私生活で実際にどのような行動をしたかは、本人による申告ではなく、データから判断できる。

フェイスブックは「気持ち悪い」

巨大な学習エンジンであるフェイスブックは、ある商品を検索する人の記録をただ集めているだけではない。アメリカで携帯電話にフェイスブックのアプリを入れると、フェイスブックはすべてを聞き……そして分析を行う。そう、フェイスブックに関連させて行うことはすべて集められ、蓄積されている可能性が高い[15]。

彼らはそのデータをターゲット広告などに使っていないと主張している。しかしあなたが興味を持ちそうな、あるいはシェアしたいと思うようなコンテンツをお勧めするのには使っている。

わかっているのは、フェイスブックが実際に周囲の騒音を盗み聞きして、その中からあなたが電話で話していることを抽出できるということだ[16]。つまり、フェイスブックはその騒音から、あなたが誰と一緒にいて、何をしているのかを判断できるのだ。そこではＡＩで増強した聴取ソフトウェアが活躍している。

広告のターゲットとしてデータを集められるのは気持ち悪いが、ブラウザを開いたとき、自分向けのターゲット広告が出るのはさらに気持ちが悪い。あなたはインターネット上で、靴の広告につきまとわれることはないだろうか。そのときあなたはターゲットにされているのだ。

さらに気持ち悪いのは、フェイスブックが巧妙にそれを使い、いくつものプラットフォームでデータを集めてシェアできるということだ。インスタグラムでヴァンズの靴の画像をダブルタップしたら、翌日には同じヴァンズの靴の広告がフェイスブックに現れるかもしれない。あらゆるものが関連づけられていることこそが〝気持ち悪さ〟の極みである。

プライバシーと関連づけの冷戦

ここではプライバシーの意味について、あまり深く掘り下げることはしない。その議論は何十もある他の場所で盛んに行われている。

しかし一般論として、私たちの社会ではプライバシーと関連づけの間の冷戦が起きている。本当の狙撃（フェイスブックを禁止するなど）はまだなされていない。しかし両陣営（プライバシー支持、関連づけ支持）は互いを信頼しておらず、簡単に対立がエスカレートする可能性がある。

私たちはデータを利用されることを承知の上で、企業が動かしている機械に、私たちの生活についての大量の情報を流している。その一方で、企業がそれを保護し、無視してくれるだろうと期待している。

こうしたプラットフォームは利便性がとても高い。そのため、いまのところ顧客は自分たちのデータやプライバシーが大きなリスクにさらされるのを許容するという態度を示している。ネットワークのセーフガードは不十分だ。典型的な例が、２０１４年と２０１６年に起きたヤフーのデータ漏洩事件である。データのハッキングはいまや当然のこととして生活に織り込まれている。私は認証を2段階にして、パスワードを頻繁に変更する。それで漏洩は99パーセント免れると言われた。

それでも私はいまだ、プライバシーを守るためにもうスマホもフェイスブックも使わないという人が現れるのを待っている。もしあなたが携帯電話を所有し、ソーシャル・ネットワークに参加しているなら、あなたはプライバシーの侵害を覚悟しているということだ。それだけの価値を認めているのだ。

ベンジャミン・バトン経済

機械によるデータ収集やＡＩによって動くいまの経済の中では、誰が勝者になるのだろう。次のグラフを考えてみよう。タテ軸には、ある企業が影響を及ぼす人の数を示している。フェイスブックやグーグルは、もちろん何十億人ものための会員制クラブだ。しかしウォルマートからツイッター、テレビまで、何億人もの人々が見るものはほかにもある。そのレベル

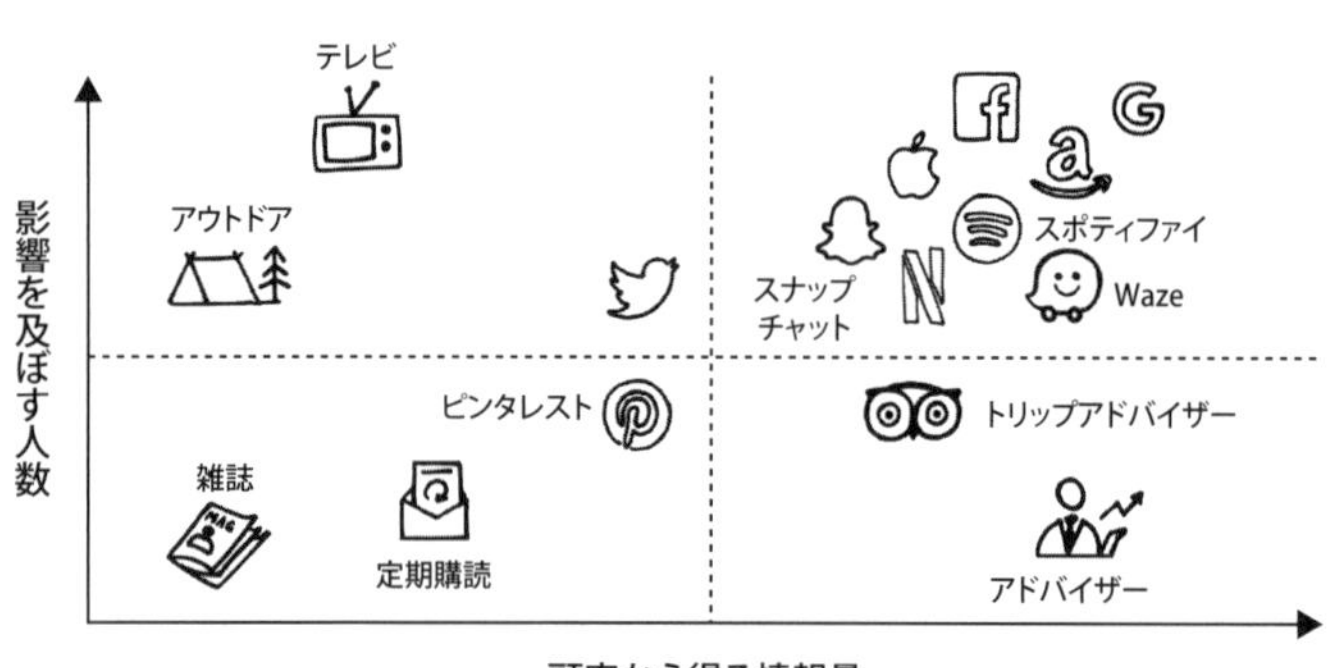

のものは強大な力を持つ。

しかし〝情報収集〟をヨコ軸に取ってみよう。企業はどのくらい顧客からデータを集めるだろうか。顧客はどのようなデータを提供するのだろうか。企業はそれをどのように利用しているのだろうか。配車サービスのウーバーのサイトで行き先が自動入力される。音楽配信サービスのスポティファイから自分が好きそうな曲を勧められる。このように円滑に、そしてすばやくユーザー体験を向上させるのに使われているのだろうか。

過去5年間で、毎年インデックスを上回る実績をあげたS&P500の企業はたった13社だった。現在の勝者総取りの経済をよく表している。[17]

これらの企業のほとんどに共通するものは何か。それはユーザーと情報収集アルゴリズムを組み合わせて、互いの利益になるよううまく活用していることだ。これは走行距離が長くなると車の価値が上がるようなものである。

現在は時間に逆行する、ベンジャミン・バトン（映画『ベンジャミン・バトン　数奇な人生』の主人公は年をとるごとに若返る）のような製品がある。ナイキの靴は履けば履くほど価値が落ちていく。しかしあなたがナイキの靴を履いていることをフェイスブックに投稿すれば、ネットワークの価値は上がる。

これは〝ネットワーク効果〟あるいは〝アジリティ（敏捷性）〟と呼ばれる。ユーザーがネットワークをより強力にするだけではない。フェイスブックにいる誰かがカーナビのアプリを使うと、サービスが全体的に向上する。地理的な位置を特定したり交通パターンを測定したりできるようになるのだ。

では、あなたはどの会社で働くべきだろうか。あるいはどの会社に投資するべきだろうか。答えは簡単。ベンジャミン・バトン企業だ。

150回の「いいね」で、あなたは丸裸になる

もう一度グラフを見てみよう。右上の部分にある企業は勝者だ。アマゾン、グーグル、フェイスブックという3つのプラットフォームもここに入っている。ユーザーを記録しリピーターにして収益化するのが、各プラットフォームの仕事だ。これらの企業のアルゴリズムは、それ

ができるようにつくられている。

新聞は何百万人にも読まれるが、その記事がこれら3つのプラットフォーム上に現れれば、読者の数はもっと増える。

3つの大きなプラットフォーム――アマゾン、グーグル、フェイスブック――は、私を上から下まで知っている。しかし従来型の新聞の接触では、企業は何の情報も収集できない。『ニューヨーク・タイムズ』は、私の住所と郵便番号をはじめとする大まかなことしか知らない。私がほぼずっとカリフォルニア州在住であることくらいは知っているかもしれないし、知らないかもしれない。休暇の予定を追跡しようとしているかもしれない。私が興味を持ちそうな記事を知らせてくることはあるかもしれない。しかし、それはある集団をターゲットとしたもので、私だけのためにつくられたプラットフォームではない。

フェイスブックのアルゴリズムは、ある地域の特定の小さな集団だけをターゲットにできる。広告主が「ポートランド周辺に住むミレニアル世代の女性で、車を買おうとしている人をさがして」と言うだけでいい。

ケンブリッジ・アナリティカ（イギリスのEU脱退やトランプの大統領選で使われたデータ会社）は、2016年の選挙に先立ち、有権者の〝サイコグラフィック・プロフィール〟を作成した。利用したのは何百万というアメリカ人のソーシャル・メディアのアカウントを掘り起こしたデータだ。同社は行動マイクロターゲティングを用いて特別なトランプ支持のメッセージを送り、特定の有権者の共感を呼んだ[18]。

あなたが「いいね」（好き、高く評価、気に入った）をつけたものが１５０件わかれば、そのモデルはあなたのことを配偶者より理解できる。これが３００件になると、あなた自身よりあなたのことを理解できる[19]。

『ニューヨーク・タイムズ』は他の従来のメディアと同じように、グーグルが自由に自社の記事にアクセスするのを許していた。それが間違いだと気づいたときにはもう遅かった。

そしてフェイスブックと比較すると、『ニューヨーク・タイムズ』が定期購読歴15年の私について知っていることは、いまだごく基本的なことだけだ。テレビ局が知っていることはさらに少ない。21世紀にあって、これではあまりにも能がない。

そしてこのスキームで判断すると、能がない企業は敗者である確率が高い。そのような企業はお金をもらって自社のマイナスになることをする。広告主がそこで集めたデータを使って広告が無駄だったと判断し、広告費をカットしていたかもしれないのだ。

デジタル企業にも遅れているところはある。たとえばツイッターは、顧客のことをあまりよく知らない。何百万人もが偽名を使っている上に、4800万のアカウント（15パーセント）は機械による自動ツイートだ[20]。

その結果、同社は世界中のあらゆる地域のトレンドを分析することはできるのに、個人をターゲットにすることには苦戦している。ツイッターは重要であると高い評価を得ているわりに、市場価値はそれほど高くない。これはウィキペディアやPBS（アメリカ公共放送ネットワーク）と同じだ。世界の役に立ってはいるが、ツイッターの株主にはあまり役立っていないのだ。

最高の人材

170ページのグラフで見ると、フェイスブックは影響力でも情報収集でも秀でている。この能力がデジタル時代には大きな強みとなる。

それを支えるのが、デジタルに強い優秀な人材である。優秀な人間は自分の能力を発揮できるトップクラスの職場で働きたがる。将来の展望が明るく、至るところにチャンスと対処すべき興味深い問題があり、使える資金が唸るほどある職場。それはたとえばフェイスブックのような企業である。同社は設立5年目のワッツアップを買収するのに、ポンと200億ドル出した。そんな度胸と駆動力を持つ会社はめったにない。

WPPとフェイスブック&グーグル間での人の移動

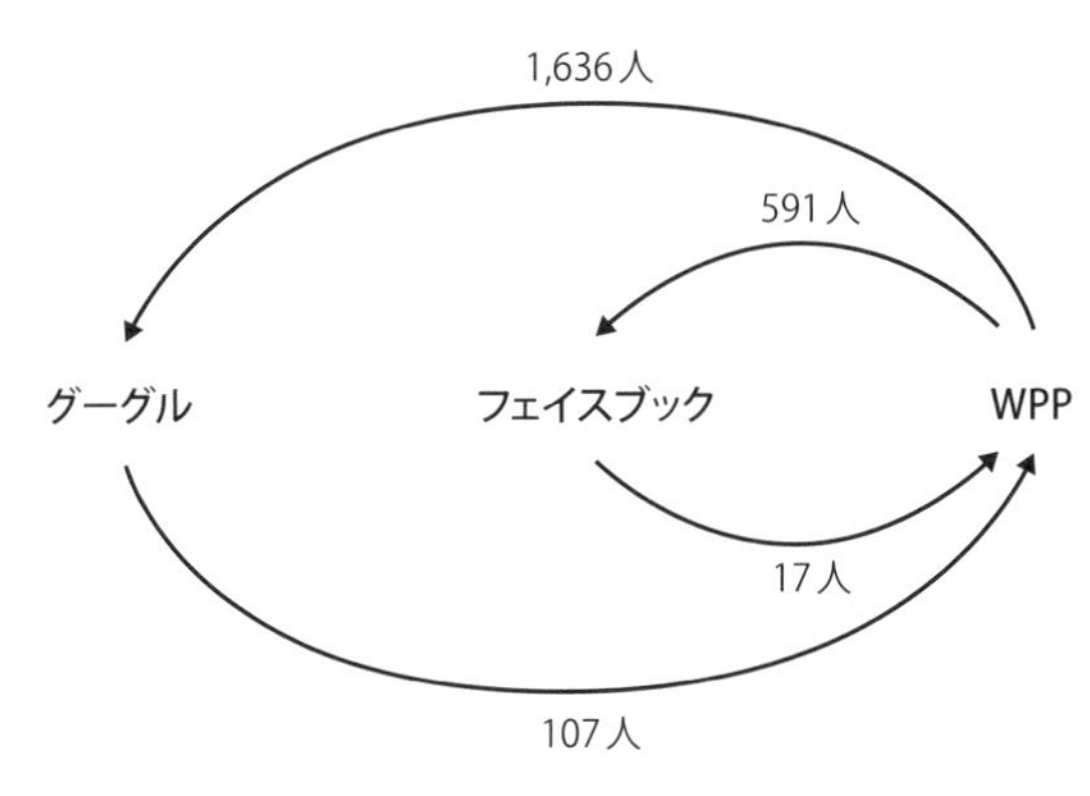

L2 Analysis of LinkedIn Data.

私の会社L2では、伝統的な会社も四騎士も含めて、大手企業間の人材移動を追跡している。WPPは世界最大の広告代理店グループだ。この会社の元社員2000人以上が、フェイスブックとグーグルへと移動している。逆に以前フェイスブックとグーグルにいた社員で、WPPに移動したのはたった124人である。

逆移動してWPPへと移った124人について考えてみよう。その多くは、フェイスブックかグーグルでインターンをしただけだったことがわかった。その後入社のオファーをもらえず、WPPに入っていたのだ。[21] 近年の広告業界は、しだいにテック業界で就職できなかった人々が動かすようになっている。

これはデジタル業界の巨人たちの力をよく表している。単に機械が私たちのデータを大量に処理して、どんどん性能がよくなっているというだけではない。トップレベルのきわめて優秀な人材が集まってくるのだ。グーグルで仕事を得るために課される知能テストを知っているだろうか。これはきわめて難しいことで有名だ。フェイスブックに入るのも、負けず劣らず難しい。ただ公にしていないだけだ。

vs.スナップチャット

第二次世界大戦はイギリス人の頭脳、アメリカ人の腕力、そしてロシア人の血による勝利であると、チャーチルは言った。フェイスブックはその3つをすべて兼ね備えている。顧客であるあなたがそのどれにあたるのかといえば、血である。

スナップチャットを考えてみよう。多くのアナリストが、大成功しているこのカメラ・アプリケーションを次なる騎士の候補と考えた。

このアプリはスタンフォード大学卒業生が考案し、2011年に登場してすぐ大ヒットとなった。撮ったばかりの写真とビデオを友人に送れる。このアプリのミソは、写真やビデオがほんの数秒、あるいは数時間で消えてしまうことにある。それは誤りをカバーする保険となり、人々はよりプライベートなコンテンツを送りやすくなった。将来の配偶者や雇用主に見られることを心配しないですむ。一瞬で消えてしまうため切迫感が生じ、エンゲージメント（ユーザーからの反応）が高まるという効果もあった（広告会社にとっては垂涎（すいぜん）もの）。そしてスナップチャットは10代の少年少女たちにウケている。とても難しく影響の大きな層だ。

スナップチャットは創設以来、多くの機能を増やしている。テレビにまで進出し、モバイル・ビデオ・チャンネルも開始した。２０１７年、同社はすでにツイッターに追いつく勢いだ。新規株式公開を申請したとき、ユーザー数は毎日１億６１００万人に達していた。[22] 公開時の時価総額は３３０億ドルだった。[23]

今後についてのようすをうかがってみよう。フェイスブックはすでに、若い企業をつぶす立場になっている。スナップチャットの最高戦略責任者であるイムラン・カーンは「スナップチャットはカメラ会社でＳＮＳ企業ではない」と強調している。

スナップチャットの創業者にして最高経営責任者のエヴァン・スピーゲルがフェイスブックからの買収の申し出を拒絶したとき、マーク・ザッカーバーグはどう思っただろうか。ばかにされたと感じたか、さらに脅威をおぼえたか、私にはわからない。しかしザッカーバーグが朝起きて目を開けたとき、そして夜に目を閉じるとき、「スナップチャットをこの世から消してやる」と考えていることを、私は信じて疑わない。

ザッカーバーグは映像がフェイスブックのキラーコンテンツであり、その多くは彼のソーシャル・ネットワーク帝国のインスタグラムにあることを理解している。私たちが映像による情報を取り込む速さは、言葉の情報を取り込む速さの6万倍である。[24]そのため映像は心に直接届くのだ。

そしてスナップチャットがそのマーケットのかなりの部分を奪っていく、あるいはトップに上りつめる恐れがあるとすれば、その脅威はつぶしておかなければならない。

それを実行するために、フェイスブックはカメラ優先の新しいインターフェースをアイルランドで開発している。それはスナップチャットにそっくりだ。2016年の収支報告会でのザッカーバーグの発言は、スナップチャットをおかしなほど意識していることを思わせる。「我々はカメラがシェアするための手段になると信じている」。

フェイスブックはすでに他のスナップチャットのアイデアを拝借（要するに盗用）している。たとえばクイック・アップデーツ、ストーリーズ、自撮り用フィルター、1時間メッセージ。この流れが止まることはないだろう——政府が介入するまでは。フェイスブックは牛を食べるビルマニシキヘビだ。牛を飲み込んだ直後は、ヘビはその形になる。消化されるともとの形に戻るが、その分、大きくなっている。

この巨大なニシキヘビの正体の大半はインスタグラムだ。フェイスブックは2012年にこ

全世界での投稿率と交流率（2016年第3四半期）

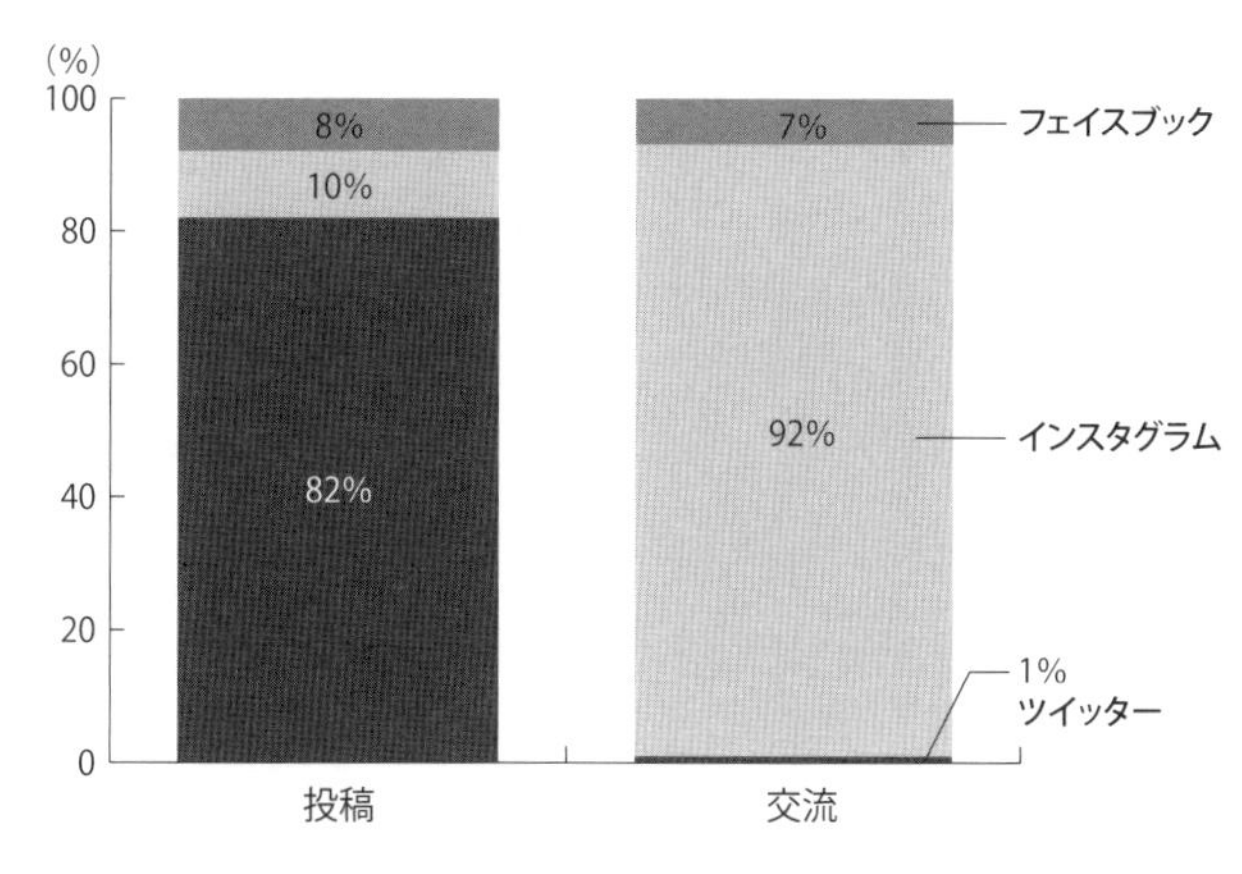

L2 Analysis of Unmetric Data.
L2 Intelligence Report: Social Platforms 2017. L2, Inc.

の写真共有アプリを10億ドルで買収した。それはいまでも史上最大級の買収であるのは間違いない。

「社員がたった13人の企業に10億ドルも出すのか？」という嘲笑を浴びながらも、ザッカーバーグは意志を曲げずにインスタグラムを買収した。その結果、支払った金の50倍以上の価値を生む資産を手に入れた。インスタグラムに対する評価はどうあれ、この20年で最高の買収だったと言っても過言ではない（2年後、ザッカーバーグは社員数がフェイスブックとほぼ同じだったワッツアップを買収するのに、この20倍の２００億ドルを払ったが、これは成功とは言いがたかった）。

プラットフォームを認識している人の数にユーザーからの反応のレベルをかけた〝パワー・インデックス〟という指標がある。この指標が、インスタグラムが世界一強力なプラットフォームであることを示している。ユーザー数は4億人で、フェイスブックの4分の1にすぎない。しかしユーザーからの反応のレベルは15倍だ。

スピードと順応力

フェイスブックがインスタグラムで成功した要因は、そのスピードとマーケットへの順応力にある。新機軸を次々と生み出す能力は、他に類を見ない。うまくいくものもあれば（メッセンジャー、モバイルアプリ、カスタマイズ・ニュース・フィード）、失敗に終わるものもある（商品購入などのアクションを友人に通知するおせっかいなビーコン、うまく動かないバイボタン）。新しい製品を生み出しては消すことで、フェイスブックは世界で最も革新的な企業になった。

それほど知られていないが同じくらい重要なことがある。フェイスブックはユーザーや連邦政府から不評をかうと、すぐに手を引くということだ。

フェイスブックは、ユーザーへの浸透度がまだ浅いことをわかっている。ユーザーは自分のページのメンテナンスに大きな労力を使っているが、もっと魅力的な競争相手が現れたら、何百万人もの客を奪われてしまう可能性はある。フェイスブックがマイスペース（音楽エンターテインメントを中心としたSNS）の客を奪ったように。

そのため、あからさまな金集めの策にユーザーがそっぽを向くと――ビーコンのように――同社はすばやく手を引く。そして時間をおいてほとぼりが冷めたころ、他の新機軸を他の領域で試すのだ。

ジェフ・ベゾスは有名なインベストメントレターの1つで、成熟した企業をだめにするのは、プロセスへの度を超した執着であると強調していた。ユナイテッド・エアラインのCEO、オスカー・ミュノッツに聞かせたいセリフだ。ミュノッツは飛行機から客をひきずりおろした従業員をかばってこう言った。「彼らはこうした状況に対処するのに決められた手順に従っただけだ[25]」。

そうした新機軸の多くは無料で提供される。フェイスブックは巧妙な立ち回りで利益を得る。いずれは世界最大のメディア会社になり、グーグルと同じように、コンテンツをユーザーから入手するだろう。言い換えると、10億人の顧客が、フェイスブックのために無報酬で働くのだ。

それに比べると、大手エンターテインメント企業がオリジナルのコンテンツを制作するのに使う資金は何十億ドルにも及ぶ。ネットフリックスはドラマシリーズ『ザ・クラウン』を1

シーズン制作するのに1億ドル以上かけている。2017年のコンテンツ制作費は60億ドル以上になる（NBCやCBSより50パーセント多い[26]）。

一方、フェイスブックは私たちの注目を集めるのに別の武器を使う。生後14カ月の幼児が、家にやってきたばかりの子犬と一緒に丸くなって寝ている写真だ。これを熱心に見るのは少数の視聴者で、おそらく200〜300人の友人たちだろう。

しかしそれで十分なのだ。あとは機械がさっさと集計し、区分し、ターゲティングする。もう少したとえ話をすると、もしコンテンツ制作コストがなかったら、CBS、ESPN、バイアコム（MTV）、ディズニー（ABC）、コムキャスト（NBC）、タイム・ワーナー（HBO）、そしてネットフリックスの価値をすべて合わせるとどのくらいになるだろうか？　単純なことだ。いまのフェイスブックの価値と同じである。

2社による覇権

グーグルとフェイスブックはメディア地図を描き直している。やがてこの2社が、史上最高額の広告をコントロールするだろう。それぞれの会社でも、2社合わせた額でも。

少なくともあと10年、メディア広告費用の成長の中心がモバイルにあるということについては、多くの人が同意するだろう。フェイスブックとグーグルの2社で世界のモバイル広告費の

アメリカでのデジタル広告費の増減（前年比、2016年）

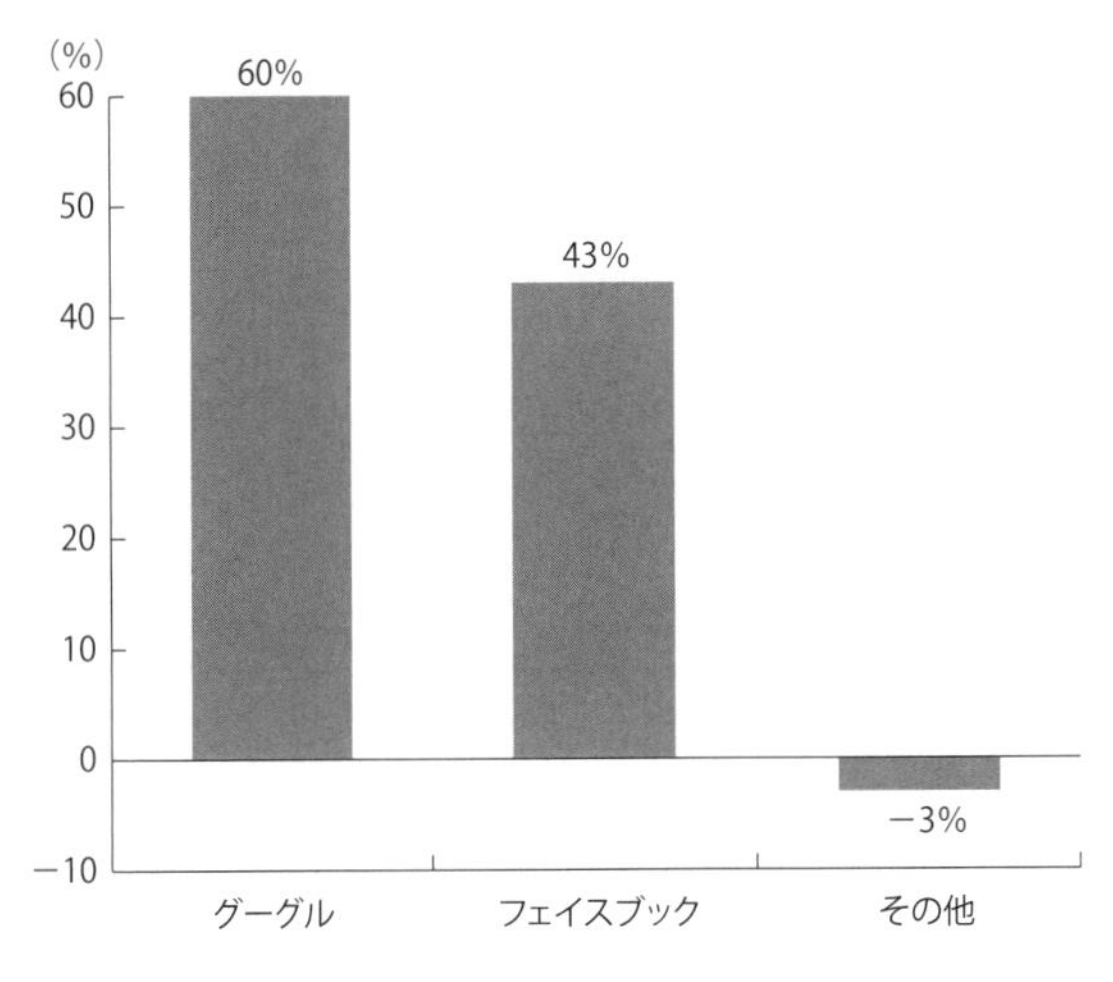

Kafka, Peter. "Google and Facebook are booming. Is the rest of the digital ad business sinking?" *Recode.*

51パーセントを支配し、シェアも毎年増加している。

2016年、デジタルメディア広告収入増加の103パーセントは、これら2社が担っていた。[27] つまりフェイスブックとグーグルがなければ、デジタルメディアはもう、斜陽の分野である新聞、ラジオ、テレビの仲間入りをしているはずなのだ。

肩透かし

フェイスブックとグーグルは、将来、大胆な賭けに出ることを期待されるかもしれない。特に高価な例がバーチャル・リアリティ（VR）だ。フェイスブックはその分野で他を出し抜いた。

２０１４年、ザッカーバーグはＶＲヘッドセットのトップ企業であるオキュラスリフトを20億ドルで買収した[28]。その際、彼はこう熱弁をふるった。「ＶＲが新しい世界を開くだろう」。それから何年かたったが――まだ開いてはいない。

人々はヘッドセットを頭に装着してバーチャル会議に出るさまを思い描いた。ニューヨークと東京の外科医が、同じバーチャル手術室で手術を行える。祖父母は遠く離れた孫たちと、バーチャルな時間をともに過ごすことができる。

このようにして、フェイスブックは私たちの頭の中に入り込んでくるはずだった。それは新しいプラットフォームへとつながるはずだった。コミュニケーションのためだけでなく、一緒にバーチャルな世界で時間を過ごせるような……。ビジネスチャンスは山ほどあるはずだった。

ザッカーバーグに煽られて、いくつものベンチャー企業がＶＲの新興企業に何千億ドルも注ぎ込んだ。まもなく四騎士を含めた他のテクノロジー企業も、この技術を研究し始めた。次のビッグなものが現れるとき、誰も眠っていたくはない。結果、多くの会社が肩透かしをくった。

宇宙で最も強い力は平均への回帰である。どんな優秀な人物でも、常に正しい判断ができるわけではない。マーク・ザッカーバーグが（とても）正しいことをたくさんしたなら、いずれ大きな間違いをするはずなのだ。

そして実際に間違えた。テクノロジー企業は、（まだ）公の場で何を装着するかを決定できるほどのセンスはない。人々は自分の外見をとても気にする。たいていの男は、女の子とキスをしたこともないようには見られたくはない。グーグル・グラスを覚えているだろうか。あれは人々を打ちのめした。要は、ＶＲのヘッドセットをつけた人はみんなばかみたいに見えるのだ。

ザッカーバーグにとってのＶＲは、チャーチルにとっての第一次大戦時のガリポリの戦いになるだろう。どんな人でも（ひどく）間違えるという証拠になる大きな失敗だが、勝利への行進が止まるわけではない。フェイスブックはまだ世界のメディア市場を支配し、21世紀の広告業をつくり直す立場にある。

飽くなき欲望

食欲旺盛な獣であるフェイスブックは、今後も同じように存続していくことだろう。フェイスブックは世界的な影響力、ほぼ果てのない資本、そしてきわめて優秀なデータ処理能力を持つＡＩマシンだ。フェイスブックはグーグルとともに、アナログとデジタルのメディア世界を荒廃させるだろう。

いずれ世界的なメディア・ビジネスで起こるはずのことが、いまその裏側で起きている。従来のメディアがテック・メディアに生きたまま食べられているという状態だ。

総合的に見て、昔ながらのメディアがなくなることはないだろう。ただ働いたり投資したりする場所としては、あまりいい場所ではなくなるということだ。

生き残る企業もあるだろう。少なくともしばらくは『エコノミスト』『ヴォーグ』『ニューヨーク・タイムズ』などが、競争相手が減って得をするかもしれない。そしてつかのま、マーケットシェアが増加して得をする。しかしそれはあくまで〝つかのま〟のことである。

フェイスブックは、着実に昔のメディアを去勢していくだろう。

たとえば『ニューヨーク・タイムズ』は、そのオンライントラフィックの15パーセントをフェイスブックから得ている(29)。またフェイスブックがその記事を自動的にプラットフォームに投稿することを認めている。つまりユーザーはフェイスブックから『ニューヨーク・タイムズ』のサイトに移動せずに、記事を丸ごと読めるということだ。その見返りとして『ニューヨーク・タイムズ』は広告収入をずっと得られる。どこかで聞いた話ではないだろうか？

これはいいことのように思えるが、現実はフェイスブックが主導権を握ることになる。顧客に『ニューヨーク・タイムズ』をどのくらい見せるかは、フェイスブックが好きなように決められる。つまりフェイスブックはいつでも、『ニューヨーク・タイムズ』の代わりに他のメディアのコンテンツを出せるのだ。

そのせいで、かつてはアメリカのメディア業界が誇る企業の1つだったニューヨーク・タイムズ社が、単なる商品供給業者になってしまった。広告を出すのに最も適したコンテンツは何か、そして誰がそれを見るかはフェイスブックが決める。『ニューヨーク・タイムズ』がグーグルにデータへのアクセスを許可したのは、自らの足元に銃を乱射するようなものだった。『ニューヨーク・タイムズ』をはじめ、フェイスブックのインスタント・アーティクルズに参加しているメディア企業は、自らの口に銃をくわえているのも同然だ。我々は何も学んでいない。

2016年後半、『ニューヨーク・タイムズ』は収益が少ないという理由で、インスタント・アーティクルズのプログラムから手を引いた[30]。『ニューヨーク・タイムズ』は（また）自らの将来を売ろうとしていたが、幸いなことに、それはあまりいい話ではないと気づいたのだ。

個人情報という石油

サウジアラビアの油田のどこかで原油を掘っているのなら、話はかなり簡単だ。パイプを地面に突き刺して地表にあふれ出てくる原油は、そのまま車に給油できるくらいきれいなものだ。そのような確実な掘削リグなら、1バレル当たり3ドルで原油が採掘できる。不景気と言われるマーケットでも、その石油は1バレル当たりおおよそ50ドルで取引される。

アメリカで拡大しつつあるシェールガスの中心地、ペンシルベニア州ユニオンタウンではどうだろうか。企業は地元の農家とその土地の鉱業権をめぐって交渉し……やがて地中深くまで掘って、シェールガスを掘り当てようとしている。

この会社は地中1万フィートで曲がる高性能の機械に投資している。もちろん価格は高い。もしこの会社がシェールを見つけたら、そのまわりを機械で取り囲み、何千ガロンという塩水を送り込んで岩を砕き、噴出する天然ガスを捕まえなければならない。これには、1バレル30ドル分の原油よりもコストがかかる。

ではサウジアラビアの国営石油会社サウジアラムコが、経費の一部を使って、ペンシルベニア州西部の地面を掘る意味はあるだろうか。当然ながら、少なくとも経済的理由からは、意味はない。1バレル当たり20ドルの利益を無にすることになる。そんなことを誰がしようと思うだろう。

フェイスブックは同じ問題に直面している。同社にとっての原油——主要取扱品目——は、フォローしている何十億という人間の個人情報と、彼らに関する知識である。

フェイスブックが持っている人々のデータは、簡単にお金になる。それに比べると、バーチャル・リアリティ用のゴーグルや致死の病気の治療、ファイバーケーブルの敷設、自動走行車などのビジネスは、成功する確率がはるかに低い。人々がクリックや「いいね！」や投稿を通して何かを好きだとか嫌いだとかをはっきりと表明していれば、その人たちに何を売り込めばいいか簡単に判断できる。サウジアラビアの石油を売るくらい簡単だ。

私がフェイスブックでバーニー・サンダース（2016年の大統領選に民主党で立候補した）の記事をクリックして、チャック・シューマー（民主党上院議員）についての話を〝気に入った〟としよう。フェイスブックはほぼ躊躇（ちゅうちょ）なく、私を「筋金入りのリベラル」というバケツに放り込むだろう。もう少し確実を期すこともできる。コンピュータは、私の経歴に「（カリフォルニア大学）バークリー」という言葉を見つける。するとフェイスブックは自信を持って、私を環境保護論者のバケツに振り分ける。

フェイスブックのアルゴリズムはこれらをもとに、私にもっと多くのリベラルな記事を送り、私がそれをクリックすると金が入ることになる。ニュース配信は、4つの基本変数――製作者、人気、投稿のタイプ、日付――と独自の広告アルゴリズムに基づき行われる。[31]

私があるコンテンツを消費すると、アルゴリズムは何を私に配信すべきなのかを理解する。それが『ガーディアン』の解説記事であろうと、エリザベス・ウォーレン（民主党上院議員）が何かについての憤りを表明しているユーチューブ動画であろうと、友人の政治への意見表明であろうと関係ない。私はリベラルというレッテルを貼られているからだ。

そして社会は分断される

しかし政治についてそれほど明確な意見を表明していない人についてはどうだろうか。政治の記事をどうやって売ればいいのだろうか。

そのような人の多くは穏健派だと考えられる。アメリカ人のほとんどは穏健派だ。実はそういう人々のほうが、理解するのははるかに難しい。そういう人を理解するには、友人のネットワークや移動、郵便番号、彼らが使う言葉、訪れるニュースサイトなどを分析する必要がある。それはたいへんな作業で、しかも利益が薄い。

さらにそれだけの労力をかけても、まだ確実とは言えない。広告主へ売りつける穏健派のバケツの中身は、個人が直接発したシグナルではなく、多くの相互関係に基づくものだからだ。そこには必ず間違いがある。

私が住むニューヨークのグリニッジビレッジは、ほとんどが民主党支持だ。トランプに投票したのはたった6パーセント[32]。つまり、私が住んでいるのは、トランプ支持者がほとんどいない隔離された狭い世界だ。言ってみれば窓がない独房のようなところだ。そんな狭い世界も居心地は悪くないが。

穏健派の好みを予測するのは難しい。また穏健なコンテンツは人々の注目を集めにくい。カーディガンを着た男性が、落ち着いた口調で、メキシコとの自由貿易は是か非かという議論をしていると想像してみてほしい。どのくらいの人がクリックするだろう?

穏健派へのマーケティングは、金がかかるわりに効果が薄い。そのため過激なコンテンツばかり増えて、冷静でまっとうなものはどんどん減っていく。

だからフェイスブックをはじめ、アルゴリズムが動かしているメディアは、穏健派にはほとんど目を向けない。あなたが共和党寄りだとすると、共和党的なものがどんどん配信されるようになり、やがてかなり偏った右寄りのトークラジオのクリップを配信されても平気になる。右派系陰謀論者のアレックス・ジョーンズの動画まで見るようになるかもしれない。

右でも左でも、熱狂的な信者は、そうした餌をすぐクリックする。いちばんクリックされやすいのは対立と怒りを煽るものだ。クリックされればその投稿のヒット率が上がり、グーグルとフェイスブックの両方でランキングが上昇する。それでさらにクリックとシェアが増える。最高(最悪)のケースでは、ある記事や映像クリップが口コミを一気に集め、何百万、ときには何億もの人へ広がる。そして人々の間の断裂はさらに深くなる。これは毎日、どこかで起きていることだ。

アルゴリズムがこうして私たちの社会の分断を深めていく。私たちは自分を分別のある生き物だと思っているかもしれない。しかし脳の奥底には生き残りたいという衝動があり、それが世界を「私たち」対「彼ら」というふうに分けてしまう。怒りと激情は簡単に燃え上がる。

多くの人は白人至上主義者のリチャード・スペンサーが殴られる動画をクリックせずにはいられない。政治家の言説は極端に見えるかもしれないが、彼らは大衆の要望に応えているだけなのだ。私たちは毎日ニュースを読んで怒りを増幅させ、過激な方向へと進んでいく。

クリック vs. 責任

アメリカ人の44パーセント、そして世界の多くの人が、フェイスブックでニュースを見ている[33]。しかしフェイスブックはメディア企業とみなされるのを嫌っている。グーグルも同じだ。マーケットでは以前から、この2社がメディア企業というレッテルを避けようとするのは、評価の高さが株価に反映されないからだと考えられてきた。メディア企業では株価が高くならないのだ。

一方、四騎士は神レベルの株価――何千億ドル――に慣れすぎている。四騎士の少数精鋭の労働者たちがエリートとしていい気分を味わい、ビジネスの成功者とみなされ、さらにはえげつないほどの金持ちになるには、神レベルの株価が必要なのだ。そしてそれこそが彼らにとっての人材確保戦略になっている。

彼らがメディア企業と見られたくない理由はもう一つあり、それはもっとひねくれている。ニュースビジネスに真剣に取り組む企業は、公共に対する自分たちの責任を認識している。顧客の世界観を形成する役割を重視しているのだ。それはたとえば、客観性、事実確認、ジャーナリスト倫理、シビル・ディスコース（訳注：互いに理解しようとするための対話）などである。それには多くの労力が必要で、その分、利益は減る。

私がいちばんなじみのある『ニューヨーク・タイムズ』では、編集者は正しいニュースを伝えようとするだけでなく、記事のバランスを取ろうとしている。左派の興味を引く記事が多いと感じたら、保守派の記事でバランスを取る。たとえばドリーマーたち（訳注：不法入国者の子どもへの救済策で強制送還を免れていた人々）が国外追放される、南極の氷が解けて大きな塊が分離したなどのニュースの次のページに、オバマケアを攻撃するデイヴィッド・ブルックスのコラムを掲載するのだ。

いまや責任あるメディア企業は減少し、本当にバランスの取れた〝正しい〟報道ができているのか、永遠に議論することができる。しかし、いまでもメディアは中立的であろうとしている。編集者たちがどの記事を特集するか話し合うとき、少なくとも伝えるという自分たちの使命を考える。クリック数と金がすべてではない。

しかしフェイスブックにとっては金がすべてだ。もちろん、同社はその強欲さを、見識ある態度を装って隠そうとしている。しかし基本的には、他のテクノロジー経済の勝者や四騎士の他の企業とやり方は同じだ。

リーダーたちの間に進歩的なブランド意識を持たせ、多文化主義を標榜し、自然エネルギーを導入する。しかし同時に弱肉強食の原則にのっとって利益を追求し、日常的に起こっている雇用破壊には目をつぶる。

現実から目をそらしてはいけない。フェイスブックの唯一のミッションは金儲けである。会社の成功はクリック数と金額で測られる。ならば記事の内容が嘘でも本当でも関係ないではないか。何人か〝メディアの番人〟を雇って、擁護させておけばいい。機械がそうみなす限り、1クリック＝1クリックなのだ。そのため編集作業はすべて、フェイスブックを効率的に機能させるためのものだ。それらは右派でも左派でもクリックをつり上げるような、とんでもないフェイク・ストーリーをつくりあげる。

2016年の選挙のときに大きな話題となったピザ・ゲート事件をご存じだろうか。ワシントンDCのピザ店コメット・ピン・ポンにまつわる話だ。

客からは見えない奥の部屋で、児童売春が行われているという噂が立った。犯人はヒラリー・クリントンのキャンペーン・マネジャーだったジョン・ポデスタの兄だという。多くの人がそれを信じた。ノースカロライナ州の1人の男がアサルトライフルを持ってやってきた。監禁され虐待されている子どもたちを助けなければならない。彼はレストランに入って発砲し、逮捕された。幸いなことに負傷者はいなかった。[34]

ここで最悪なのは、きちんとしたニュースをフェイクニュースのとなりに置くと、フェイスブックのプラットフォームがもっと危険になるということだ。

タブロイド紙の見出しにヒラリー・クリントンはエイリアンであると書いてあっても、信じることはないだろう。しかしフェイスブックでは『ニューヨーク・タイムズ』や『ワシントン・ポスト』の記事も読める。そのため、フェイクニュースまで信憑性があると思われるのだ。

プラットフォーム

フェイスブックはどうすれば、何らかの形で編集権限を発揮できるだろうか。

手始めとしてふさわしいのは、ヘイトクライムへの対応だ。これについては正しい側につきやすい。そしてヘイトクライムを犯したいという人間の数は、それほど多くない。

フェイスブックは手を挙げて「ヘイトに満ちた投稿はもうお断り」と宣言する。そうすれば、四騎士の他の企業と同じように、進歩的という毛布をかぶることができる。強欲、保守的、税金逃れ、雇用破壊といった、弱肉強食と感じるような行動を隠蔽できるのだ。

フェイクニュースは民主主義にとって、狂信的な白人至上主義者のような少数の異常者より、はるかに大きな脅威である。それらを排除しようとすれば、フェイスブックは世界で最も（あるいは2番目に）影響力を持つメディア企業としての責任を受け入れざるをえなくなる。彼らは真実と嘘を判別する義務を負うことになるのだ。そうなればフェイスブックは、激しい怒りや疑惑にさらされることとなる。主流のメディアが直面しているものと同じだ。

フェイスブックにとって、もっと頭の痛いことがある。虚偽の記事を削除することで、フェイスブックは何十億というクリック数と多額の収益も犠牲にするのだ。

フェイスブックのスポークスマンは、非難に対して「我々は自分自身で真実の判定者にはなれない[35]」と述べた。

いやいや、やってみることはできるはずだ。フェイスブックはアメリカの成人の67パーセントが使っている、群を抜いて大きなソーシャル・ネットワーキング・サイトだ[36]。毎日そこからニュースを入手する人が増えているのだから、フェイスブックはすでに世界最大のニュース・メディア企業になっていると言える。

ニュース・メディアにとって、真実の追求・監視より大きな責任があるだろうか。それがニュース・メディアというものの核心ではないのだろうか。

反発が続いたために、フェイスブックはフェイクニュースと戦う助けとなるツールを導入した。ユーザーが記事をフェイクニュースだと通告できるようになり、そこから記事は事実確認サービスに送られる。それに加えて、フェイスブックはフェイクニュースの可能性があるものを特定するソフトウェアを使っている[37]。

しかしこうした手段があっても、虚偽と思える記事に「真偽に疑問あり」というラベルがつくだけだ。このラベルに納得しない人は多いだろう。対立の激しい現在の政治情勢と〝バックファイア〟効果——相手が信じていることが間違っているという証拠を示すと、さらに激しく反発する——を考えればなおさらだ。だまされている人にそれは嘘だと納得させるよりも、人をだますほうが簡単なのだ。

人は無意識にクリックする

私たちは、ソーシャル・メディアは中立だと考えがちだ。それはただ材料を提示しているだけなのだと。人間は自律的で道理がわかった存在であり、真実と虚偽は区別できる。何を信じて何を信じないか選ぶことができる。互いにどう関わるか選ぶことができると。

しかしある研究では、何をクリックするかは無意識のプロセスであることが示されている。生理学者のベンジャミン・リベットはＥＥＧ（脳電図）を使って、脳の運動皮質の活動は、人間が動こうと考える３００ミリ秒前にそれを察知できることを示した[38]。私たちは事前に考えるのではなく反射的にクリックしているのだ。

私たちは一体感、賛同、安全という、潜在的なニーズに突き動かされている。フェイスブックはそのニーズを利用する。「いいね！」をどっさり送りつけて、プラットフォーム上でより多くの時間を使うよう仕向けている（成功の評価基準はサイト上で過ごす時間の長さである）。誰かがあなたの写真を「いいね！」すると、フェイスブックはすぐさま通知を送り、仕事や家庭生活を中断させる。あなたが自分や友人の政治的見解に合った記事をシェアするとき、あなたは「いいね！」を期待している。記事が激しいほど反応が増える。

前グーグルのデザイン倫理担当者トリスタン・ハリスは、テクノロジーが人間の弱みにどうやってつけ入るかを専門的に研究している。彼はソーシャル・メディアの通知をスロットマシンにたとえている[39]。

フェイスブックから通知が来る。「いいね！」が2つか２００か、興味津々だ。あなたはアプリのアイコンをクリックして、ホイールが回るのを待つ。１秒、２秒、３秒……期待が高まれば、その分、褒美もおいしくなる。「いいね！」が19個。１時間後にはもっと増えるだろうか？　そのときまたチェックして確かめなければ。

あなたがそうしているとき、フェイクニュースの記事がとなりのスペースを占拠している。それを何も考えずに友人にシェアする。読んでなくてもおかまいなしだ。自分たちがすでに信じていることを多くシェアすれば、仲間の賛同を得られるのだから。


フェイスブックは作業プロセスに人間の力を入れることに慎重だった（恐ろしい！）。というより、プロセスに人間によるいかなる判断も入れようとしなかった。それは公平さを保つための努力だと主張する。トレンド解説チームを丸ごと解雇したときと同じ理由だ。人間が関われば、目に見えるバイアス、目に見えないバイアスが生じるという。

しかしAIにもバイアスはある。AIは人間の手によって、最もクリックされるコンテンツを選ぶようプログラムされている。優先されるのはクリック数、サイト上にいる時間だ。AIはフェイクニュースを見分けることはできない。せいぜい発信源に基づいて、虚偽と推測する程度だ。記事が偽物かどうか、信頼性がどのくらい高いかを確かめられるのは、人間のファクト・チェック専門家だけだ。

デジタル空間にはルールが必要だ。フェイスブックにも、すでにルールはある。燃やされた村から裸の少女が走って逃げているベトナム戦争時の写真を児童ポルノとして削除したのは有名だ。また、そのフェイスブックの措置に批判的なノルウェー首相の投稿も削除した。人間の編集者なら、あの写真は戦争を象徴するものだと認識しただろう。ＡＩはそうは判断しなかったのだ。

実はあまり知られていないが、フェイスブックが人間の編集者を呼び戻さない、もっと大きな理由がある。人を入れるとコストが生じるということだ。ユーザーが自分でできることを、なぜやらなければならないのか、というわけだ。

混んだ映画館の中で〝火事だ！〟とウソを叫んでも、その人物は言論の自由の陰に隠れることができる。恐怖と怒り？　なおさらけっこう。フェイスブックが自分たちをメディア企業とみなそうとしないのは、それなりの理由がある。負担が大きすぎて、成長をそぎかねない。四騎士はそのようなことはしないのだ。

ユートピアかディストピアか

人間が商品であるメディアのプラットフォームは、何十億人もの共感に力を与え、それらを結びつけ深めてきた。この旧メディアから新メディア企業への価値観の変化の結果、雇用破壊と、大変革につきもののリスクが生じた。

近代文明に対する最大の脅威は人間とその活動によってもたらされるが、そこには1つの共通点がある。彼らは脅迫に耐え、真実を追求することを求められるジャーナリズム精神など持ち合わせず、メディアを自分たちの都合のいいように支配して悪用するということだ。

現在のメディアはフェイスブックとグーグルに独占されている。気がかりなのは、それら2社の「我々をメディアと呼ばないでくれ。我々はプラットフォームだ」というスタンスだ。社会的責任を回避するこの姿勢によって、権威主義者やヘイト活動家がフェイクニュースを巧みに発信できるようになった。我々は洞窟壁に絵を描いて情報を伝えていた時代に逆戻りする危険にさらされている。

第5章

グーグル——全知全能で無慈悲な神

近代科学によって解き明かされた宇宙の壮大さに重きを置く宗教なら、因習的な信仰からはまず生まれることのない崇拝と畏敬の念を引き出すことができるかもしれない。遅かれ早かれ、そのような宗教が現れるだろう。

——カール・セーガン

セーガン氏が思い描いていた宗教が現れた。それがグーグルだ。

どんな時代でもほとんどの人間が、人知の及ばない崇高な力の存在を信じてきた。恐ろしい気象災害を経験し、人間の行動に応じてそのような現象を起こす存在を頭の中でつくりあげた。

宗教はそれを正しく信じる者に、心理的な利益をもたらしてきたし、いまでももたらしている。教会、モスク、寺院に通う人は、より楽観的で互いに協力しようとする傾向が強く、それが幸せにつながる。[1] 信仰を持つ人は、不信心な人たちよりも長生きをする可能性が高い。[2]

しかし現在、宗教は死にかかっている。アメリカではこの20年で、宗教組織に所属していないという人が2500万人も増えた。信仰が失われていることを最も明確に示しているのがインターネット利用であり、アメリカ人の4分の1以上が宗教から流れてきている。[3]

情報と教育を得たことで、信仰心は逆に減っている。大学院の学位を持つ人は、最終学歴が高校卒業という人よりも宗教に頼ることが少ない。[4][5] またIQが高い人ほど神を信じない傾向がある。IQが140を超える人で、宗教から満足を得るという人は6人に1人にすぎない。[6]

ニーチェの「神は死んだ」という言葉は勝利の叫びではなく、道徳的指針が失われたことへの嘆きだった。世界的に急激に寿命が延びて豊かになっているいま、人々を家族として結びつけるものは何だろうか。よりよい人生を生きる助けとなるものは？ 私たちはどうすればより多くを学び、より多くのチャンスを見つけられるだろうか。私たちはどうすれば私たちを魅了し悩ませる疑問への答えを見つけることができるだろうか。

知ることはよきこと

知識――私たちは古代からそれに魅了されている。汝自身を知れ、とデルフォイの神託が告げている。啓蒙主義の時代、神話に疑問を呈することが許されるようになっただけでなく、それは高潔なこととされた。自由、寛容、進歩の礎であると。そして科学と哲学が盛んになった。宗教の教義に対し、「知ろうとせざるべからず」というシンプルなスローガンが突きつけられた。

何よりも、私たちは知りたいと思う。伴侶がまだ自分を愛しているか知りたい。子どもが無事であることを知りたい。子どもを持つ人は誰でも、子どもに危険が降りかかってくるのがわかる。特に病気のときには。子どもが熱を出したり、じんましんを発症したりしたとき、私たちは「私たちの大切な子どもは大丈夫か」知らなければならない。こうした反射的な恐怖は、論理的な解答を得ることによって（たいていの場合）鎮めることができる。

グーグルはすべての疑問に答えてくれる。この神を持たなかった私たちの祖先は、だいたい謎を抱えたまま生きていた。神はあなたの祈りを聞き届けてはくれるが、多くに応えてはくれなかった。もし神に話しかけられたことがあるというなら、あなただけに声が聞こえているということだ。それは心理学的に危険な状況にあることを意味する。信仰心の厚い人は常に見られていると感じることが多いが、それでも何をすればいいか（常に）わかっているわけではない。

私たちは祖先と違って、事実に安心を見いだすことができる。疑問に対してすぐに答えが与えられ、安心が保証される。一酸化炭素を探知するにはどうすればいいか。5つの答えがある。グーグルはいちばんいい答えを示し、強調までしてくれる――パニックに陥っている場合に備えて、これが知っておくべきことであると、大きな字で表示してくれる。

私たちが本能的に最優先するのは生き続けることだ。神は安全を与えてくれる存在であるが、そのために人は行いを正さなくてはならなかった。神に保護と疑問への答えを求めるために、許しを乞い、断食し、自分を棒で打ちつけた。そこまでしても、昔は北朝鮮の核がいくつあるか判断するのは難しかった。いまはただ検索フィールドに疑問を入力すればいい。

祈り

科学は神、あるいは高次の知性をさがしてきた。過去100年、生命の存在を示す電波放射の存在を調べる取り組みが、多額の資金をかけて何度も行われてきた。その1つが地球外知的生命体探査（SETI）である。カール・セーガンはこの取り組みを祈りにたとえたが、それはとても適切なたとえだった。視線を天に向け、メッセージを発信し、より知的な存在からの反応を待つ。至高の存在がそれをとらえ、理解し、答えを返してくれることを願う。

エイズ危機の真っ最中、カリフォルニア大学サンフランシスコ校の精神科医エリザベス・ターグは、1500マイル離れたところからスピリチュアル・ヒーラー（心霊治療者）を呼んだ。重度のエイズ患者10人を祈祷してもらうためだ。対照群として、祈祷はしない10人のエイズ患者を観察した。

その結果は驚くべきもので、『ウェスタン・ジャーナル・オブ・メディシン』に発表された。6カ月の観察期間で4人の患者が亡くなったが、それがすべて対照群の患者だったのだ。ターグ博士が追跡調査を行ったところ、実験群と対照群の間で、免疫機能に関わるヘルパーT細胞のレベルに有意な差が見られた。

ところがターグ博士はこの研究を発表してまもなく亡くなった。まだ40歳で、わずか4カ月前に膠芽細胞腫と診断されたばかりだった。亡くなる直前まで研究を続け、あらゆる雑多なものに囲まれていた。シャーマン、テトン族のサンダンサー、ロシアの霊能力者……。

彼女の死後、その研究が発展することはなかった。前の研究を細かく調べたところ、亡くなった対照群の4人は20人の被検者の中で最も高齢だったことがわかった。さらに精査が行われ、祈りの効果は結局のところ、受け止め方しだいというままになっている。(7)

しかしグーグルに祈れば答えが返ってくる。グーグルは誰に対しても知識を授けてくれる。生い立ちや教育レベルは関係ない。スマートフォン（消費者の88パーセントに浸透）[8]かインターネットに接続できる環境（同40パーセント）[9]があればどんな質問にも答えてもらえる。いまこの瞬間グーグルに寄せられている、驚くほど多彩な質問を見たければ、google.com/aboutへ行けばいい。そこで「みんなが検索しているトピック」をクリックすることだ。

人間は1日に35億回も、視線を上にではなく、下に落として画面を見ている。見当はずれの質問をしても批判されることはない。純然たる無知もあたたかく迎えられる。「Bretrixとは？」「熱が危険なのはどんなとき？」。あるいはただ知りたいということもある。「オースティンでいちばんおいしいタコスは？」。そして私たちは現代の神に、心の奥底にある疑問も投げかける。「なぜ彼は電話をかけ直してくれないの？」「離婚をしたほうがいいか、どうすればわかる？」。

すると摩訶不思議なことに答えが現れる。グーグルのアルゴリズムは有用な情報を大量に呼び出す。まるで神が介入したかのようだ。ささいなことでも深いことでも、私たちを悩ます問題に答え、苦しみを和らげてくれるのだ。その検索結果は、私たちにとっての祝福だ。「さあ、新たな知識を受け取ってよりよい人生を生きなさい」。

信頼

アップルは世界一革新的な企業と考えられている。[10] アマゾンは最も評判のよい(どういう意味であれ)企業。[11] フェイスブックはいちばん働きやすい企業だ。[12] しかし私たちがグーグルに置く信頼には並ぶものがない。

グーグルが現代の神と呼ばれる理由の1つは、グーグルが私たちの心の奥底にある秘密を知っているからだ。グーグルは透視能力を持ち、私たちの思考と意図の記録をつけることによって私たちはグーグルに、司祭やラビ、母親、親友、医師にさえ話さないことを告白する。昔のガールフレンドをネットストーキングする。なぜばかなことをするのか考える。不健全なフェティシズム(たとえば足だけに執着する)を持っているか調べる。何であれ私たちはグーグルに打ち明ける。その頻度でそのレベルの質問をされたら、どれほど理解のある友人であろうと引いてしまうだろう。

私たちはこのメカニズムに絶大な信頼を寄せている。グーグルへの質問の6つに1つは、これまで質問されたことのないものだ。[13] 他の機関——専門家や聖職者——で、人々にこれほど信頼され、質問を投げかけられるものがほかにあるだろうか。これだけ多くの斬新な質問をしたくなるような明晰な指導者がいるだろうか。

グーグルは検索結果について、どれがオーガニック（広告の影響を受けない）でどれが広告かを明確に示すことで、神に近い姿を維持している。広告とは切り離されているように見えるために、オーガニック検索の信頼が増幅しているのだ。その結果、グーグルの聖典――検索結果――は、多くの人にとって、これ以上ないほど正確なものになった。

グーグルは2つのやり方を採用している。オーガニック検索は中立性を維持し、有料コンテンツでは広告料を取れるようにした。これで文句を言う人は誰もいない。

質問に答えるとき、神は意図を持たないとされている。主は万能かつ公平で、すべての子どもを等しく愛している。グーグルのオーガニック検索は、あなたが誰であろうがどこにいようが関係なく、公平公正な情報を教えてくれる。オーガニックな検索結果は、検索された語についての関連性にのみ基づいている。検索エンジン最適化（SEO）は、あなたのサイトがリストの上位に出る助けにはなるが、それも関連性に基づいているのは変わりない。

消費者はオーガニック検索を信頼している。私たちはその公正さを好み、広告よりもオーガニック検索結果をクリックすることのほうが多い。神との違いは、グーグルが人々の望み、夢、不安を盗み聞きしてカネを稼ぐということだ。グーグルは、それらへの答えを提示したいという者すべて（商品を販売したい企業すべて）から、料金を取りたてている。

グーグルと「グーグル以前」との違い

アップル以前にもパーソナル・コンピュータがあり、アマゾン以前にもオンライン書店があり、フェイスブック以前にもソーシャル・ネットワークがあったように、グーグル以前にも検索エンジンはあった。アスク・ジーブスやオーバーチュアがそうだ。

一見どうということのない1つか2つの特長が同業他社との命運を分け、四騎士は世界の覇者となった。アップルIIではジョブズのデザインとウォズニアックのアーキテクチャ。アマゾンなら評価とレビュー・システム。フェイスブックなら写真。そしてグーグルのいちばんの特長といえば、上品でシンプルなホームページと、検索結果が広告の影響を受けないオーガニック検索だった。

20年たったいまとなっては、これら2つは大したことではないと思うかもしれない。しかしその当時は衝撃的だった。この2つは信頼を築くのに大きな役割を果たしたのだ。グーグルのカラフルでシンプルなホームページは、洗礼を受けたばかりの初心者に対してもこう呼びかける。「さあ、やってみなさい。知りたいことを何でも打ち込みなさい。何の仕掛けもないし、特別な技術は必要ない。私たちがすべて面倒を見る」。

そして、いちばんお金になる答えではなく、純粋にいちばんいい答えが得られるとユーザーが気づいたとき、それはまるで——聖書のたとえを続けるなら——自分たちが道、真実、そして光を見いだしているような気がした。信頼の絆が生まれ、それは1世代たっても変わることがない。こうしてグーグルは、四騎士でいちばん影響力を持つ企業となった。

この信頼はグーグルのユーザーだけでなく、同じくらい重要な企業顧客にも広がった。グーグルでは広告掲載にオークション方式を採用している。広告主が広告を出したいときは、ユーザーからの1クリックに対する価格を設定する。需要が減れば価格も下がる。そして高値をつけた者が広告主となる。

こうしてグーグルは公正であるという信頼が築かれていく。結果的に、企業顧客はグーグルのビジネスは欲得ではなく、数字で行われていると信じられる。ここでも公平で偏りのない真実によって平等が保たれているのだ。

この信頼を他のメディアと比べてみてほしい。情報発信メディアのほとんどは、意図的に何が本当で何が嘘かを示さず、論説と広告の間には大きな壁があるようなふりをする。程度の違いはあっても、金がものを言う世界だ。

もし『ヴォーグ』で定期的に取り上げてほしければ、広告を出さなければならない。『ヴォーグ』は広告主を厚遇する。ヤフーのCEOマリッサ・メイヤーは一流のカメラマンの撮影で

『ヴォーグ』誌に特集された。ほどなくしてヤフーは、ヴォーグのMETガラ（訳注：メトロポリタン美術館の衣装研究所が毎年開催する展覧会のオープニング・イベントのパーティー）のスポンサーとなった。ヤフーの株主たちは、彼らのCEOを美しく見せ、イベントで『ヴォーグ』編集長アナ・ウィンターのそばに座らせるために、300万ドル支払ったということだ。(14)

このやり方はグーグルとは対照的だ。グーグルはホームページを神聖な場にしている。そこにあるのは検索窓と、グーグル・ドゥードルのロゴ（祝日や記念日などに合わせてデザインが変わる）だけだ。広告主がどれだけ金を積んでも、グーグルのホームページの一角を買うことはできない。グーグルはインターネット時代に信頼が必要になることを予期して、それをつくりあげようとした。

神を理解するのは難しい

2016年第3四半期、グーグルの有料クリック数は42パーセント増加した。ところがそれによる収益（1クリック当たりのコスト）は11パーセント減少した。アナリストはそれを悪いことだと誤解した。価格の低下は一般的に、市場のパワー喪失の表れである。進んで価格を下げようとする企業はないのだから。しかしグーグルはその年、収益を23パーセント伸ばした。

ここで大事なのは、グーグルは広告主が払うべきコストを11パーセント下げたということだ。[15] どんな大企業であれ、競争相手が価格を11パーセント下げたら、それは大きな打撃となる。

これはグーグルの得意技で、決して自暴自棄になったわけではない。ＢＭＷが毎年のように車の性能を大きく向上させると同時に、価格を11パーセントずつ下げたらどうなるだろうか。自動車業界の他の会社は、ついていくのに苦労するだろう。そのとおりで、いまフェイスブックを除き、メディア業界の他の企業はグーグルについていくのに苦労している。

２０１６年、グーグルの献金皿には９００億ドル集まり、キャッシュフローは３６０億ドルだった。[16] Ｓ＆Ｐを大きく上回っているように見える分野の企業には累進税を課すことが、何度か議会で取り上げられている。しかしグーグルにさらなる税を課そうと言いだす人はいない。神の顔から目をそむけないと生命が脅かされるとする宗教は多い。グーグルの発展を邪魔しようとする議員には同じ神罰が下されると思われているのだろう。

他の騎士と同じように、グーグルは価格を上げるのではなく下げることが多い。ほとんどの企業は逆の方向へ向かう。時間をかけて、できるだけ高い値をつけられるようにする。

グーグルは違うやり方で、来る年も来る年も大きく成長している。そして他の騎士と同じように、その分野の利益を搾(しぼ)り取っている。皮肉なのは、グーグルのカモにされている企業自身

メディア企業の時価総額（2016年2月現在）

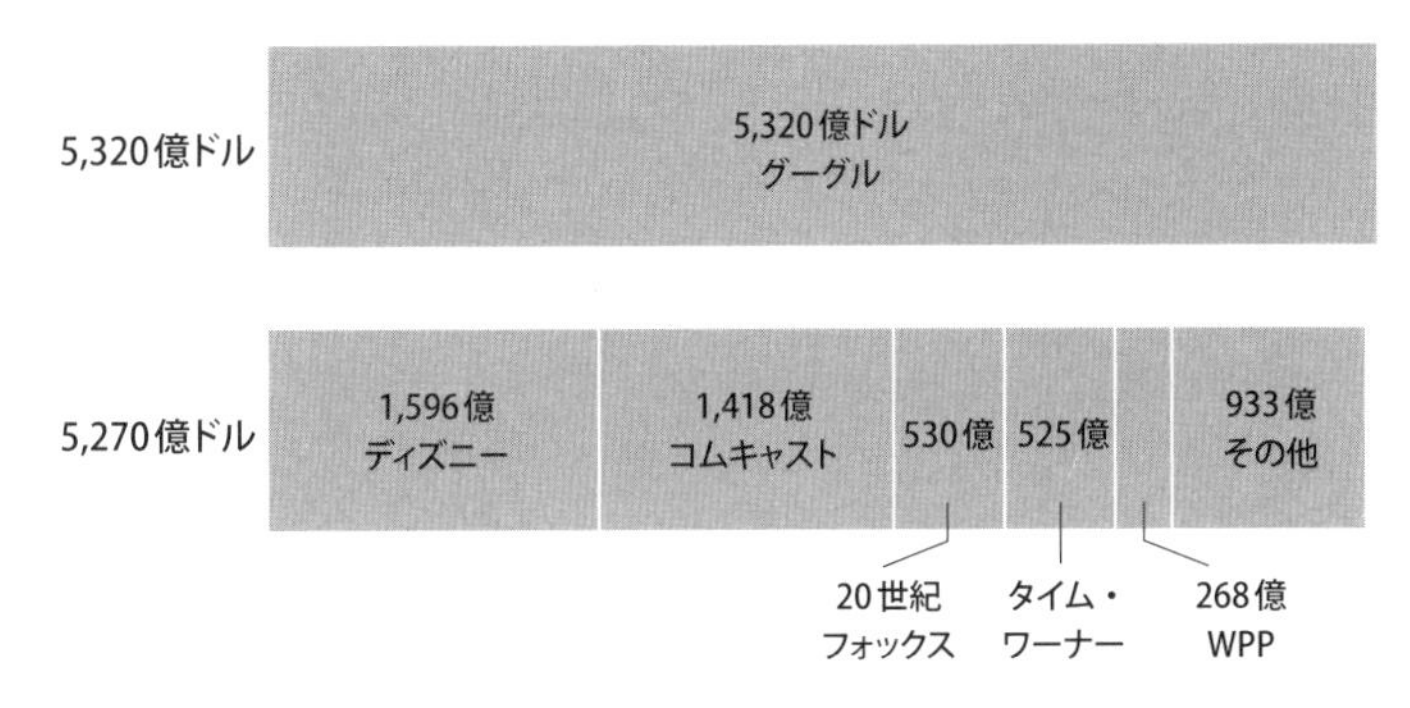

Yahoo! Finance. Accessed in February 2016. https://finance.yahoo.com/

がグーグルを招き入れ、自分たちのデータにアクセスさせていることだ。いまやグーグルの時価総額は、グーグルの次に大きなメディア企業8社の合計と同じという、とてつもない額にふくれあがっている。[17]

グーグルがどのように運営されているか説明できる人はほとんどいない。アルファベット社とは正確にはいったい何なのか。アルファベットは2015年に法人組織化され、グーグルはその子会社の1つである。グーグル・ベンチャーズ、グーグルX、グーグル・キャピタルも同様だ。[18]

アップルがどんな会社かはみんな知っている。コンピュータ・チップを使って美しいものをつくっている会社だ。アマゾンでは膨大な数の商品を低価格で買える。そして巨大な倉庫で人間（ロボット）が品物を選び、梱包し、すばやく客に届ける。フェイスブック？友だちのネットワークが広告につながっている。しかし巨大な検索エンジンを〝持っている〟持ち株会社の内部で何が起きているのか、理解できる人はほとんどいないのではないか。

マイノリティ・リポート

2002年のトム・クルーズ主演の映画『マイノリティ・リポート』の設定はこうだ。突然変異によって生まれた3人の〝プリコグ〟には未来が見え、犯罪を予測できる。警察はそれをもとに、犯罪が実際に起こる前に介入する。プリコグのうち1人は他の2人よりも未来がよく見え、ときには隠れている別の未来まで見える。彼女に見える未来像は〝マイノリティ・リポート〟として封印される。

グーグルはその有能なプリコグだ。次にあげるのは、誰かが殺人を犯す前にグーグルに質問し、(残念ながら) 犯罪が起きたあとに当局が発見した書き込みである。

「首をへし折るには」
「誰かにむかついたら、殺していいか」
「人を殺すと、だいたいどのくらいの刑になるのか」
「ジゴキシンの致死量」

「寝ている人間を殺して、殺人と疑われない方法はあるか」

グーグルのプリコグ能力が向上するにつれ、2016年のアップルのプライバシー騒動など、ささいなことに感じるようになるだろう。検索クエリを支配しているAIと、私たちの動きを含めたデータの流れ。それを効率的に利用して、犯罪、病気、株価を予測できるようになったとき、そのような事態が起こるだろう。スマートフォンに保管されていた情報で、犯罪者が捕まる可能性はすでに生じている。

私たちの爬虫類（はちゅうるい）並みの脳からあふれ出てくる数々の質問は……きわめてばかげたことがいくらでもある。しかし、そういった意図と行動を結びつけたいと思うことは、政府やハッカー、悪質な従業員にとっては抑えがたい衝動だ。

あなたの最近のグーグル検索履歴を見てほしい。誰にも知られたくないことをグーグルには打ち明けているはずだ。（神様以外）誰も自分の考えを聞く者はいないと、私たちは無邪気にも信じている。しかしはっきり言っておこう。グーグルは聞いているのだ。

神の逆鱗

これまでグーグルはこの恐ろしい事実をうまく隠し、そのアルゴリズムの予知能力を――私たちが知る限り――活用していない。同社の最初のモットー、Don't be evilも、この至高に近く慈悲深い存在というイメージを強化しようとしている。[19]

しかしグーグルは、人を追放することもある。たとえば白人至上主義者や、36パーセントを超える利子を取る企業のドメインを排除している。聖書の言葉を借りるなら「手足を縛って外の暗闇に放り出す」のだ。

しかしおそらく最大の罪は、グーグルをだまそうとすること、つまりグーグルの検索アルゴリズムを出し抜こうとすることだ。

いまは1日35億件の質問が検索されている。[20] つまり基本的に、あなたが検索するたびに、検索アルゴリズムは35億分の1分、賢くなるということだ。[21] しかし常にそううまくいくわけではない。2011年、『ニューヨーク・タイムズ』の調査がそれを明らかにした。米百貨店チェーンのJCペニーが何千何万もの偽のリンクを張って、自社のサイトがより重要であるように見せかけていることが報じられたのだ。このいかさまにより、JCペニーのサイトは検索結果のトップ近くに表示されるようになった。これは直接、売上げにつながる。『ニューヨーク・タイムズ』がこの事実を暴露すると、JCペニーはグーグルという神の逆鱗に触れ、忘却の世界——検索結果の2ページ目——へと追放された。ヨルダン川の遠くの土手に置き去りにされるに等しい[22]。

マーケティングの常識が変わった

神が偉大なのは、私たちが何をするかだけでなく、何をしたいかを知っていることだ。誰にも打ち明けたことはなくても、神はネットのモールを歩いているあなたを見ている。高級ブランドのパンプスやボーズの新しいヘッドフォンに目を留めて、それが欲しくてたまらなくなったことを、神はご存じなのだ。あなたがタトゥーを入れた女の子が大好きなこともご存じだ。神はそうした欲望を目撃し、記録している。

私たちは秘密の思いを質問として伝え、人知を超えた能力をグーグルに与えている。

従来のマーケティングでは、人々を共通する性質を持つ集団に分類した。ラテン系、田舎者、退職者、スポーツファン、サッカーママ、などなど。それらの集団に属する人は、誰もが同じと考えられた。2002年、郊外に住むリッチな独身者はみんなカジュアルなカーゴパンツをはき、モービーの音楽を聴き、アウディを運転していた。

しかしグーグルの登場で、私たちはそれぞれ違う問題、目標、欲望を持つ個人とみなされるようになった。私たちはそれぞれ違う質問をする。写真、eメールなど、私たちが提出するあらゆるデータも千差万別だ。これは神が広告事業においてより高度な予知能力を発揮する力となっている。より関連性が強く、よりあなたの心にそった——個人的な好みに合う——提案を行うことが可能になるのだ。

マーケティングの多くは、消費行動をどう変えるべきかを判断する（科学の体裁をとった）技術である。私たちにこれを買わせる。これをかっこいいと思わせる。あれをダサいと感じさせる。

グーグルは面倒なことは他に任せ、人々がネット上で「こんなものが欲しい」と指さしたものだけを与える。そればかりかグーグルは人と企業を、アドワーズ（グーグルが広告主に対して提供しているクリック課金広告サービス）を通じて結びつける。その人が自分の欲しいものを知らせる前に、まさにその欲しいものを提示できるのだ。たとえばアクロポリスのツアーについての質問や、ちょっとした好奇心で検索した「ギリシャの島々」という言葉だけで、デルタ航空の割引チケットが紹介される。

昔の神

グーグルがインターネット時代の情報の神ならば、昔の経済でそれにいちばん近いのはおそらく夕方のニュース番組であり、『ニューヨーク・タイムズ』だろう。

ニューヨーク・タイムズ社の長年のモットーである「印刷に値するニュースを掲載する」は、新聞の理想を表している。同社は毎日、何が重要なのか、私たちは何を知っておくべきなのかを判断している。

もちろんそこにも偏りはある。人間がつくる組織でそれは避けられない。しかし同社のジャーナリストは、こうした判断を行っていることを誇りにしている。自分たちは進歩的な西側の価値を守っていると考え、ポルノやプロパガンダ、ニュースに見せかけた広告など、印刷に値しないものを遠ざけている。

『ニューヨーク・タイムズ』の編集者は、私たちが住む世界についての見解を収集し、整理する。彼らが一面に載せる記事を選ぶことは、テレビやラジオのニュースで取り上げる話題を決めることであり、我々の世界の見方を決めることでもある。記事は旧世界（国家の指導者の40パーセントが、何らかの形で毎朝『ニューヨーク・タイムズ』を受け取る）と新世界（フェイスブックとツイッター）の両方で読まれる。

ジャーナリズムは単なる宣伝ではない。真実を追求する、困難で、ときに危険をともなう仕事だ。『ニューヨーク・タイムズ』ほどそれをうまくやっているメディアは、世界中さがしてもほかにない。

しかしニュース編集室で発揮されているスキルとリスクを負うという覚悟から、紙媒体は十分に価値を引き出すことができなくなっている。事実、同社の経営陣よりもグーグルとフェイスブックのほうが、『ニューヨーク・タイムズ』のジャーナリストからうまく価値を引き出している。

『ニューヨーク・タイムズ』が自社のコンテンツをフェイスブックにもグーグルにも一切掲載させなかったら、これらの若い企業の価値はどうなっていただろう。少なくともいまより1パーセントは低かったはずだ。『ニューヨーク・タイムズ』の記事はこれらのプラットフォームの信頼性を一気に高めたが、『ニューヨーク・タイムズ』自体にとっての恩恵はほとんどなかった。

滅びゆく『ニューヨーク・タイムズ』

2008年、成長していくグーグルと衰退気味の『ニューヨーク・タイムズ』の差は、いまよりも小さかった。グーグルはすでに本領を発揮し、時価総額は2000億ドルに達していた。しかしニューヨーク・タイムズ社には大きな存在意義があった[23]。

iPhoneが新発売された3年後にタブレットが登場したとき、プラットフォームとデバイスにコンテンツが必要だった。そしてニューヨーク・タイムズ社は最高のコンテンツを持っていた。『ニューヨーク・タイムズ』のコンテンツがなければ、グーグルはそれを持っていた組織――とりわけニューヨーク・タイムズ社自体――よりも不利な立場になっただろう。

ニューヨーク・タイムズ社の取りうる戦略

私は『ニューヨーク・タイムズ』のコンテンツは、デジタル時代に何十億ドルもの価値を持つ可能性があるし、そうなるべきだと感じた。私は金融を研究しているNYUスターン校の学生2人とともに、ニューヨーク・タイムズ社をあらゆる面から評価した。結論は、ニューヨーク・タイムズ社は50億ドルの価値を持ちながら、30億ドルという評価に甘んじている企業だった。

私は投資ファンドのハービンジャー・キャピタル・パートナーズを創設したフィル・ファルコーネにある提案をした。私は以前、フィルとパートナーだったことがある。私の提案は、彼のファンドが私たちに資金を提供してニューヨーク・タイムズ社の株を大量に買収し、取締役会に席を確保して改革を訴えるというものだ。

フィルは12人きょうだいの1人としてミネソタで育った。ハーバードではホッケーのスター選手で、卒業後ヘッジファンド・マネジャーとなった。内向的ながら鋼(はがね)の心臓を持っている。2006年にサブプライム・モーゲージの下落を予想し、逆張り取引を行って大金を儲けた数少ない投資家の1人だった。これでフィルと彼に投資した人々は億万長者となった。ハービンジャーのオフィスには、チェリーウッドの装飾、人工植物、トレーディングフロアを涼しく保つ床置き扇風機があった。まるでレンタルオフィスのモデルルームのようだった。

私はある考えをフィルに披露した。それは降伏と戦闘の両面作戦だ。ニューヨーク・タイムズ社株式の10パーセントを前グーグルCEOのエリック・シュミットに売って、同紙のCEOになってもらう。これは降伏だ。私はシュミットが株式の10パーセント強を購入して、確実な利益（株価上昇分）を手にすることができると考えた。当時エリックはグーグルの会長となり、CEOの座はラリー・ペイジに譲っていた。

彼は昔よりも、アメリカのジャーナリズムを救うという試練を受け入れる度量がついただろうと思っていた。株式を保有していれば大金をつかむチャンスもあるが、四騎士のどれにも及ばない（私はいまでもニューヨーク・タイムズ社がシュミットをCEOに任命していれば、同社の価値はいまよりはるかに大きかっただろうと信じている）。

私は続けて、次のステップは同社にとっての戦いであると話した。

ニューヨーク・タイムズ社はすぐに、グーグルが記事に無料でアクセスするのをやめさせるべきだ。もしグーグルや他のインターネット企業が『ニューヨーク・タイムズ』の記事を使用したいのなら、そのための代価を求める――その価格を競い合わせるのだ。

グーグル、Bing、アマゾン、ツイッター、フェイスブック。どこであろうといちばん高い価格をつけた会社のユーザーだけが、『ニューヨーク・タイムズ』の記事に自由にアクセスできるようにするのだ。

メディア・コンソーシアム構想

私の計画はこれにとどまらなかった。この戦略を、ニューヨーク・タイムズ社以外にも拡大するのだ。私は新聞社オーナーたちのコンソーシアムを構想していた。ニューヨーク・タイムズ社のザルツバーガー家、ワシントン・ポストのグラハ家、ニューハウス家、チャンドラー家、ロンドンのメディア・コングロマリットのピアソン、そしてドイツのメディア会社オーナー、アクセル・シュプリンガーなど。この集団は西洋の最も高品質で、最も差別化されたメディア・コンテンツになるだろう。

これは出版ジャーナリズムの衰退に歯止めをかけて、何十億ドルもの株主価値を得る(取り戻す)最後のチャンスだった。長くは続かなかったかもしれない。しかしマイクロソフトが運営している負け組検索エンジンBingなどにとっては、グーグルに対抗するための有力な武器になったはずだ。

当時Bing検索のシェアは13パーセントだった。『ニューヨーク・タイムズ』『エコノミスト』『デア・シュピーゲル』は象徴的なブランドだ。その差別化されたコンテンツにアクセスする独占的な権利を獲得すれば、マーケットシェアは数パーセント増加しただろう。それは数十億ドルの価値がある。

こんにち検索の分野には5000億ドルの価値がある。アマゾンは実際には倉庫つきの検索エンジンだという理由で、もっと高くつける人もいるかもしれない。これはマーケットシェア1パーセントに50億ドルの価値があるということになる。私の構想は、我々のコンテンツを利用して何十億ドルもの株主価値を築いたテック企業への抵抗を始めることだった。コンソーシアムをつくり、コンテンツをリースすれば、それは可能に思われた。

不動産バブルに陰りが見え、広告はオンラインに流れていたが、新聞事業は活力があり、不動産業が参戦していた。オーストラリアのメディア王、ルパート・マードックがウォールストリート・ジャーナルを50億ドルで買収したばかりだったが、ニューヨーク・タイムズのマルチプル（訳注：時価総額が利益や売上げの何倍かで評価する指標）評価はもっと低かった。

それに加えて、ほかにもようすを嗅ぎ回っていた買い手がいくつかあった。私は違う2つの情報源から、マイケル・ブルームバーグもニューヨーク・タイムズ社に買収のオファーを出そうとしているという話を聞いた。彼の（ニューヨーク市長としての）任期が迫っていた時期のことだ。ブルームバーグは金融情報通で、それをデジタル時代に持ち込んだ。彼はその過程で何十億、何百億ドルもの株主価値を生み出し、ニューヨークの億万長者となった。ブルームバーグにとって、ニューヨーク・タイムズは格好の事業だろうと思えた（当時はまだ彼がその後もニューヨーク市議会を牛耳り3選することは予想されていなかった）。

豊富な資産

最後に、ほかのすべてが失敗しても、ニューヨーク・タイムズ社は、売却すべき（のちにすることになる）ものをいくつも抱えていた。たとえば以下のようなものだ。

- アメリカで7番目に高いビル
- About.com
- ボストン・レッド・ソックスの17パーセント（なんてこった）

これらの資産は金融市場では新聞社の資産として扱われていたため、その価値は低く見積もられていた。だからこれらの資産を処分することが、株主にとって得になると考えた。多面的な分析を行った結果として、これらの資産がニューヨーク・タイムズ社の株式評価の足を引っ張っていることが明らかになったのだ。

私たちはさらに、株主に毎年2500万ドルも支払っている配当の中止を主張すると述べた。

会社にはイノベーションに再投資するためのキャッシュが必要だった。私の理解の範囲では、配当はニューヨーク・タイムズ社の代表アーサー・ザルツバーガーと従兄弟で副代表のマイケル・ゴールデンが、一族の集まりで殺されないようにするための自衛策にすぎない。彼らは年間300万から500万ドルを受け取っていながら、祖父の会社をだめにして、著名人とランチをしている。ほかの従兄弟たちも自分たちの分け前を欲しがっていた。

ニューヨーク・タイムズ社を買収した

フィルの会社であるハービンジャー・キャピタルと私のファイアブランド・パートナーズが手を組んで、ニューヨーク・タイムズ社の株式（約18パーセント）を6億ドルで購入した。これで私たちは筆頭株主となった。

私たちは役員の席を4つ求めることを宣言し、株主たちに同じ考えを持つ改革者を指名経営者として投票するよう呼びかけた。私たちは主要でない資産は売却し、デジタル資産を倍増させることを望んでいた。ハービンジャーは腕力（資本）で、ファイアブランドは脳だった（委任状争奪戦を行い、役員に加わって資産配分や戦略決定に意見を出し、有効利用されていない資産を活用することなどを提唱した）。

私たちの構想は、もちろん社内で抵抗にあった。経営陣との会議で私たちが構想を提示したあと、アーサー・ザルツバーガーは憤慨して言った。「きみらが提示したようなことはすべて我々も考えたんだ！」。

それでも彼らに私たちの助けが必要だという考えは変わらなかった。41番街のタイムズ社の建物（イタリアを代表する建築家レンゾ・ピアノの設計の高層ビルで、私は売却するべきだと思っていた）の外では大騒ぎになっていた。私はメディアがいかに自分勝手かを過小評価していた。私たちが戦略を発表してから24時間たたないうちに、ＮＹＵスターンの私の教室の外にはパパラッチが張りついていた。

メディアはニューヨーク・タイムズ社の発行人兼会長であるアーサー・ザルツバーガーを嬉々として叩いていた。ザルツバーガー一族の人間関係についての記事を書いているというロイターの記者が、ある晩11時に私の携帯に電話をかけてきた。彼は翌日までに何でもいいから、私とニューヨーク・タイムズ社の戦いについてのネタをもらえないとクビにされると言った。

彼はさまざまな色のペンを使って一家の詳細な家系図――従兄弟やまた従兄弟まで――をつ

くっていた。その細かさは気味が悪いレベルだった。

ザルツバーガー会長と私

アーサー・ザルツバーガーと私は、会った直後からほぼ本能的に、互いを毛嫌いしていた。私たちは世界の見方も違えば、アプローチの仕方もまったく違っていた。私の人生は世の中に自分の存在意義を見いだすという目標と、それがかなわないことへの恐怖から成り立っていた。一方、アーサーの最大の恐怖は（きっと）存在意義を失わないようにすることだった。

そして明確なのは、彼がCEOだったことだ。彼がその肩書をジャネット・ロビンソンに譲ったのはCEOの面倒な仕事――社員を解雇するとか株主向け収支報告会を開くとか――を避けるためだった。しかし大きな決定は彼が行い、CEO並みの報酬を得ていた。

ザルツバーガー一族は、他のメディア一族の多くと同じように、2つの種類の株式を発行して株主の力を抑えていた。ほとんどの会社（グーグル、フェイスブック、ケーブルビジョン）はこれを一族が支配権を維持しつつ、株式を分散させる（株を売却する）策略として行っていた。

しかしニューヨーク・タイムズ社は違った。かの一族はジャーナリズムに深く関わっている。そしてアーサーを知ったあとでは、ニューヨーク・タイムズ社の経営健全化は重要だが、そのためには奥の深いニューヨーク・タイムズ流のジャーナリズムを追求するべきなのは明らかだった。アーサーは自分が『ニューヨーク・タイムズ』を失うのではないかという恐怖で、真夜中に目を覚ますことがよくあるのではないか。

ザルツバーガー一族は、新聞社を所有する多くの一族と同様に、株式はあまり所有していない（18パーセント）。しかし役員15人のうち10人を支配していた。それはつまり私のようなアジテーターは、一族の親戚や友人をこちら側に引っ張り込まなくてはならないということだ。デジタル化と資本の配分についての考えを伝えたあと、私たちは引き続き株主と会って、どのくらいの支持を得られるか感触をさぐった。年次集会は選挙のようなもので、株主——この場合はクラスAの株主——の投票で役員を選出する。私たちが会った株主の大半が不満を持ち、ニューヨーク・タイムズの上層部は経営を誤ったと感じていた。何をもってしても、同社に変化が必要なのは明らかだった。

翌週、ニューヨーク・タイムズのCEOのジャネット・ロビンソンと取締役のビル・ケナードが妥協点を見つける話し合いのため、（私なしで）フィルに会いたいと言ってきた。つまり彼らは自分たちが株主総会で負けることはわかっていたのだ。

私は取締役として推薦している4人分の椅子をすべて要求するべきだと思っていた。しかしフィルは、多少の誠意を見せて2人で妥協するべきだと言う。これが間違いだった。私たちは複数の発言権を持つ必要があったのだ。そうしないと役員会の思慮深いコメントという名の騒音で、アーサーとジャネットに主導権を取られてしまう。

ニューヨーク・タイムズ社はすぐに同意したが、1つ条件をつけてきた。私がその2人のうちの1人にならないことだ（前述のとおり本能的に毛嫌いされている）。フィルは私が個人的に投資していることを知っていた。さらに私が期ごとに行われる著名人を呼ぶディナーで懐柔されないことも、20万ドルの役員手当（固定給とオプション）を受け取らないこともわかっていた。その代わりに私は変化を訴え続けると。それでフィルは私が役員となることを求め、彼らも同意した。

2008年4月の年次総会で、投資家ジム・コールバーグと私は役員に選ばれた。会合のあとアーサーが私と2人きりで話したいと言い、別の部屋へ連れて行かれ、私が連れてきたカメラマンは誰かと尋ねられた。私は誰も連れて行っていなかった。一度ならず、それから1時間で2回、「今度こそ」カメラマンが誰か教えろと言われた。「いいかげんにしてくれ、アーサー」と、私はしだいにいらだって答えた。「何を言っているのかわからない。もう訊かないでくれ」。アーサーが幽霊でも見たのか、招かざる客が役員室に入り込むのではと気にしすぎて幻覚を見たのかはわからない。そこにはカメラマンなどいなかったのだ。

そのため、私たちの関係の始まりには、互いへの不信と侮蔑があった。彼は私を薄汚い卑怯者で、彼の理解を超えていて、格式あるニューヨーク・タイムズ社の役員になる資格がない人間とみなしていた。私からすれば彼はビジネスセンスのない、金持ちのドラ息子だ。その後の2年で、お互いへの評価は正しかったことが明らかになる。

アーサーはニューヨーク・タイムズを呼吸して生きていた。骨の髄までニューヨーク・タイムズが染みついている。アーサーがあの建物の外にいるのを想像することすら難しい。私は以前、ドイツで行われた会議で彼を見たことがあるが、それはニューヨークの地下鉄でキリンを見たような感じだった。まったく似合わないのだ。

つぶされた新参者

予想どおりかもしれないが、私は失敗した。CEOのジャネット・ロビンソンを辞めさせて、テクノロジーとメディアの関わりを深く理解しているエリック・シュミットと交代させることはできなかった。その考えは役員室で一笑に付された。誰もCEOやアーサーと争いたくはなかったのだ。私は新参者で信用もなかったので、つぶすのは簡単だっただろう。

この数年後、ある病んだ新聞社をテック企業のCEOが引き継いだ。

2013年、アマゾンのCEOジェフ・ベゾスがワシントン・ポスト社を買収した。これは新聞社が低い数字を投資家に公開するたびに起こる大騒ぎをなくすという効果があった。その後まもなく、ニュースデスクに不可避だった厳しい予算削減の嵐が吹き荒れた。

ベゾスは財務上の安定をもたらしただけでなく、ワシントン・ポストを猛スピードでウェブへと向かわせた。3年で同社へのアクセス数は倍増し、ニューヨーク・タイムズを上回った。

そしてワシントン・ポストはコンテンツ管理システム（CMS）を開発し、他の報道機関にリースしている。『コロンビア・ジャーナリズム・レビュー』によると、このCMSは年間1億ドルを生み出す可能性がある。[24]

ワシントン・ポストとアマゾンには共通点がある。すなわち安い資本と長期的な展望に基づき、積極的かつ抜け目なく投資する自信だ。まるで18歳の少年のように。

ニューヨーク・タイムズ社の私の同僚の役員たちは、この種の大胆さには興味がなかった。彼らは私が参加するはるか前から、オンラインの課題に取り組むには、既存のオンライン企業を買収して、そのモデルをウェブに拡大するほうが簡単だという結論を出していた。

About.com

2005年、ニューヨーク・タイムズ社はAbout.comを買収した。植物の剪定（せんてい）から前立腺治療まで、あらゆる専門的な情報を読者に提供するサイトを、何百も集めたものだ。[25]

これは〝コンテンツ工場〟として知られていた。コンテンツ工場の成功の秘訣は、最大の目標を実現するサイトをつくることだ。具体的には、グーグル用に最適化され、グーグルの検索結果の最初のページに現れなければならない。そしてアクセスを誘導することで広告を売れる、ユーザー作成型コンテンツを活用する必要がある。

ニューヨーク・タイムズ社がイノベーターでないと決めつけるのはフェアではない。同社はイノベーターであり、目を引くグラフィックや動画を備える、優れたサイトになった。

しかしニューヨーク・タイムズのオンライン上の成長のほとんどは、About.comを通じたもので、グーグルでのクリックを増やすためにつくられた平凡なコンテンツにたよっていた。アフリカにはサイの尻に1日中乗ってダニを食べている鳥がいる。それと同じで、ニューヨーク・タイムズは四騎士の1つである巨人の背中に乗っていたのだ。

ニューヨーク・タイムズの人間はそんなことを疑ってもいなかったが、グーグルの検索アルゴリズムによって生きるはかない存在だった。サイがしっぽを振れば、鳥は叩き落とされてしまう。

Aboutを売却、もしくは独立させよ

ニューヨーク・タイムズ社はAbout.comに4億ドル払ったが、About.comはグーグル検索から何十億ものクリックを得たので、そのときは悪い取引ではなかったように思えた。私が役員になったころ、About.comの時価総額は10億ドルまで増加していた。About.comは優良株だったのだ。

私はそれを売却するか、株式公開して独立させるよう働きかけた。当然ながら、Aboutの社

員は、それがすばらしいアイデアだと思った。彼らはアナログの会社を支えることにうんざりしていて、インターネット企業として尊敬を得たいと思っていた。

この時点で、私は大きな失策を犯した。私はAbout.comの上級管理職が同席していた会議で、同社を売却するか株式公開するべきだと提案した。これは無責任な発言だった。7歳の男の子たちでいっぱいの部屋で、チケットが手に入るかどうかもわからないのにこう叫んだようなものだった。「モンスター・ジャム（訳注：アメリカで大人気のアクロバティックなモーターショー）に行かないか！」。

しかしジャネットとアーサーは、オンライン事業を手放すことを望まなかった。彼らはAbout.comを、アナログな服装を飾るデジタルのイヤリングのように使っていた。ニューヨーク・タイムズには収益をあげて確実に成長していくためのデジタル戦略がある。About.comは投資家と役員たち（私を除く）にそう信じ込ませるための道具にすぎなかった。自分たちは未来に目をつぶっているのではなく受け入れているのだと、自分に言い聞かせていたのだ。

デジタルによる収益は会社全体の収益の12パーセントにすぎなかった。About.comを売却すればその数字はより小さくなり、我々は単なる新聞社であることが明らかになってしまう。

グーグルを遮断せよ

同時に私は、ニューヨーク・タイムズのコンテンツにグーグルがアクセスするのを止めさせるべきだと進言した。グーグルの検索エンジンがすでにニューヨーク・タイムズ社の株主価値を低下させていることを、私は知っていた。このまま放置すれば、私たちはゆっくりと着実に窒息させられてしまう。他の人はみんな、グーグルはインターネット時代の電気であり、グーグルとの関係は共生的だと信じていた。我々がコンテンツを提供する代わりにグーグルからアクセスを得るのだと。

私はある役員会議の光景をとりわけよく覚えている。『ニューヨーク・タイムズ』の記者がアフガニスタンで誘拐され、のちにイギリス特殊部隊に救出された。その作戦の間に、1人の勇敢な兵士が殺された。部隊の指揮官がアーサーに感動的な手紙を書き、それほど重い代償をなぜ払う価値があるのか——なぜジャーナリズムが重要なのかを訴えた。

アーサーは途中で何度か言葉を切って、考える時間を与えながら、その手紙の全文を役員の前で読んだ。ジャーナリズム、敬意、立場、地理的要因、犠牲者を悼(いた)むセレモニー。そのときの彼は、スーダンの森林地帯で草とアカシアを餌としているキリンだった。アーサーが本領発揮していた瞬間だ。

私がジャーナリズムの重要性とそのために払われた犠牲について感動しているときにも、グーグルのプログラムはニューヨーク・タイムズ社のサーバーからコンテンツをせっせと集めていた。ニューヨーク・タイムズの重役たちは、そんなことなどおかまいなしに、アメリカで

7番目に高いビルの17階で食事をしていたのだ。

グーグルは我々のコンテンツに無料でアクセスできるだけでなく、ユーザー向けにそのコンテンツを切りきざむことができた。たとえば誰かがパリのホテルをさがしていると、グーグルは『ニューヨーク・タイムズ』の、パリへの旅行記事にリンクする。

しかしそのページの上には、フォーシーズンズ・ホテルに関するグーグル自体の広告が表示される。この方法でニューヨーク・タイムズへのアクセスを促すことができる。その訪問者を広告主に売り、広告主がバナー広告を買ってくれる。いいことのように思えるが、それは単なる強がりというものだ。

ここが問題なのだが、そうした検索が行われている間に、グーグルは新聞の読者がいま欲しているもの、近い将来に欲しくなりそうなものがわかるようになっていく。ニューヨーク・タイムズ社よりもわかっているかもしれない。つまり、グーグルはそうした『ニューヨーク・タイムズ』の読者に正確に狙いを定めることが可能で、広告からより多く（10倍も）稼げるということだ。

ニューヨーク・タイムズ社は10セントを1ドルで買っているようなものだった。『ニューヨーク・タイムズ』は自前のサイトで自前の広告を出すべきだったのだ。なんとばかばかしいことをしていたのだろうか。

新聞社の販売チームは凡庸で、ビジネスモデルは滅びかけていた。まだ価値を保っていたものといえば、1つはコンテンツ、そしてそのコンテンツを生み出すプロフェッショナルたちだった。

それなのにコンテンツを貴重品扱いせず、あらゆるところにばらまいてアクセスを稼ぐという決定をしたのだ。これはエルメスが同社のホームページへのアクセスを増やすため、バーキンをウォルマートの通販サイトを通して売ろうとするようなものだ。

『ニューヨーク・タイムズ』は近代ビジネス史上、最大級の間違いを犯したのだ。ぜいたく品のブランドを下水道に流すことで広めて、下水道の所有者には自分の店よりも安い値をつけることを許容したのだ。


私は固い意志を持ち、データも万全、そして最大の株主の代表者でもあった。いつの日か、1人の教授がいかにして老舗新聞社と、ついでにジャーナリズムを救ったかを研究するケース・スタディが生まれるのではないかとまで妄想していた。私は役員たちにグーグルのコンテンツ自動取得プログラムを閉め出して、特別なコンテンツからなる世界的なコンソーシアムをつくる必要があると、ていねいに説明した。

その後の議論は、そこまでまじめなものではなかった。そこにいたのはほとんどが中年の血統のよい大物ばかりで、テクノロジーのことはほとんど知らなかった。CEOのジャネット・ロビンソンの名誉のために言っておくと、彼女はその提案をまじめに受け取って、上層部で検討すると答えた。

神と寝た代償

数週間後、ニューヨーク・タイムズは検索エンジンを閉め出すべきではないという内容が書かれた文書が役員たちに届けられた。About.comへのアクセスはグーグルにたよっているので、グーグルを怒らせるリスクを負うことはできないという理由だった。グーグルを拒めば、向こうはアルゴリズムを変更し、About.comを検索結果の煉獄(れんごく)(2ページ目以降)へと追いやるかもしれない。

これはひとことで言えば、巨大コングロマリットが抱える問題――そしてイノベーションのジレンマだ。

いくつかのものを足したはずなのに、結果が合計より少なくなってしまうことはよくある。それはニューヨーク・タイムズとAbout.comの両方に言える。ある意味、我々とグーグルは互いを利用していたのだ。グーグルは我々のコンテンツを利用して、自社の広告のために何十億というクリックを集める。我々は彼らの検索アルゴリズムを利用して、About.comにアクセスさせる。

しかしグーグルのほうがはるかに大きな力を持っている。グーグルはインターネットの重要な土地を領主のように支配している。ニューヨーク・タイムズ社はその土地の小作人だった。ニューヨーク・タイムズ社の運命ははじめから決められていたのだ。

しばらく時間はかかったが、2011年2月、グーグルはようやく、About.comを含めたコンテンツ工場のレベルの低さに嫌気がさし、それらをはたき落とした。検索の巨人グーグルが、「(低品質なコンテンツが検索結果上位に表示されにくくするための、いわゆる) パンダ・アップデート」を実施したのだ。その結果、About.comの多くのページが忘却の彼方 (検索結果のうしろのほう) へと飛ばされた。ほんのひとひねりで、グーグルはニューヨーク・タイムズのオンライン収益の多くを他のサイトに振り替えた。About.comの価値は大幅に低下した。グーグルは長期的な会社の価値に基づいてビジネスの決定を行っていて、私たちの反応など恐れてはいないように見えた。このアップデートが行われる前、About.comの時価総額は10億ドルだったが、翌日には半分以下になった。

1年後、ニューヨーク・タイムズはAbout.comを3億ドルで手放した。これは買値の25パーセント足らずだ。あえて言うなら、グーグルにとってAbout.comの親会社であるニューヨーク・タイムズ社を〝怒らせる〟ことは問題ではなかった。それよりも、株主にとって長期的にいちばんいいことをするほうがはるかに大切だったのだ。

神であるグーグルは助言をし、影響を与え、必要とあらば支配する。しかしギリシャ神話が繰り返し教えてくれるとおり、神と寝ることはよい結末をもたらさない。

私がニューヨーク・タイムズ社にいたことは、成功とは言えなかった（かなり控え目な表現）。私の提案はほとんど役に立たなかった。同社は主要でない資産を売却し、２００９年には配当を中止する決定をした。しかし２０１３年９月には配当を復活した。役員会が一族に支配されていることの表れだ。

世界的金融不況で広告料が激減して株価が下落したとき、フィル・ファルコーネは損失を食い止めるため株を売却することにした。私が役員でいた理由は、彼が株を持っていたからにすぎない。そのためその数が減ると、私は２人の役員から去るよう告げられた。アーサー・ザルツバーガーからのボイスメールで電話をするよう連絡があり、その後、私は辞任した。

私は６億ドルという他人の金を３億５０００万ドルに減らしてしまった。役員はその報酬の一部としてオプションを与えられていた。私の金額は１万ドルから１万５０００ドルくらいだった。いくつかの書類に署名をすればよかったのだが、私はもらわないことにした。それに値することはしていないからだ。

新たな神

本物の神の力ははるかに大きい。すべてを知り、全能で、不死である。この3つのうち、グーグルが満たすのは1つ目だけだ——ある程度ではあるが。

アップルがぜいたく品ブランドに転身することである程度の永遠性を手に入れたとすれば、グーグルは逆を行って公益企業となった。どこにでも備わり、しだいにあるのが当たり前の空気のような存在になりつつある。コカ・コーラやゼロックスのように、ブランド名が一般動詞のように使われることを心配する企業となっているのだ。

市場での立場が強すぎて、グーグルは常に国内外で独占禁止法違反の訴訟を起こされるリスクにさらされている。EUは特に敵意を持っているらしく、2015年以降グーグルに対し4件の起訴を行っている。欧州委員会は広告の競争で不公正な扱いを受けたとして起訴した。(26) EUの検索の90パーセントを占め、本部がEUにはないグーグルは、市場の秩序維持を担う人々にとって最適(かつ正当)なターゲットである。

グーグルは最近の異議申し立て書で堂々と返答した。「我々の技術改革と製品の向上によって欧州の消費者の選択肢が増え、競争が促されていると信じている」[27]。

そのため圧倒的な市場優位性を誇りながら――四騎士で最大――グーグルは他にはない弱みを持つ。グーグルが四騎士の中で最もおとなしく、スポットライトを避けているように見えるのは、おそらくそれが理由である。

プロ野球のスター選手だったテッド・ウィリアムズは現役最後のバッターボックスに立ったあと、観衆に挨拶しなかった。これに対して、ジョン・アップダイクが言ったセリフは有名だ。「神はカーテンコールに応じない」。最近のグーグルも帽子を取って挨拶するのではなく、帽子を下げたままにしているように見える。

ドント・ビー・イーヴル

1998年9月、スタンフォード大学の学生であるセルゲイ・ブリンとラリー・ペイジが、検索エンジンと呼ばれる新しいウェブ・ツールを開発した。これを使えば、キーワードをさがしてインターネット上を自由に飛び回れる。グーグルの類まれな能力は、その日からそこに存在した。

しかし決定的な一手は、エリック・シュミットをCEOとして雇ったことだ。彼は科学者からビジネスマンに転身し、サンマイクロシステムズとノベルでキャリアを積んだ。その2社はどちらもマイクロソフトと戦い、そして敗れた。シュミットは次こそは勝つと心に誓っていた。

シュミットは偉大なビジネス指導者にとって不可欠なもの――大いなる対抗心――を持っていた。ビル・ゲイツは彼のモビーディック（白鯨）となり、シュミットはその執念をビジネス戦略にぶつけた。グーグルはモビーディックを追う捕鯨船ピークォド号となったのだ。

グーグルが登場する以前、マイクロソフトが無敵であったことを、いまとなっては忘れがちだ。実際、同社は騎士の元祖だった。何百という会社が戦いを挑んだが――テック業界の歴史の中でも特に独創的な製品を持っていたネットスケープでさえ――滅びた。こんにちマイクロソフトはよみがえりつつあり、巨象も踊るところを見せつけている。

グーグルの（お金を生む）製品は1つしかないかもしれないが、それは世界を変える力を持つ。同社のやってきたことはすべて正しかった。

風変わりな名前にシンプルなホームページ。検索は公平で広告主の意向に左右されない。他の市場に移行することには関心がなさそうな上、創業者たちは感じがいい。

それが毎日使っているユーザーにとっては魅力的に映り、ライバル企業にとっては脅威とは思えなかった。グーグルは「ドント・ビー・イーヴル（Don't be evil.）」というキャッチフレーズと社員が自分のブースの中で飼い犬と眠る写真で、そのイメージを強めている。しかし、やがてすべてが手遅れになった。

グーグルが抱えるリスク

しかしグーグルは、裏ではビジネス史上でも特に意欲的な戦略を進めている。それは世界中のすべての情報を整理することだ。特に現在ウェブ上に存在する、あるいはウェブから移動できる、あらゆる有用な情報を捕獲して管理することだ。同社はそれにひたむきに取り組み、ついにそれを実現した。

まずすでにウェブ上にある情報から始め、それを管理する門番になった。その後、すべての場所（グーグルマップ）、天文（グーグルスカイ）、地理（グーグルアース、グーグルオーシャン）の情報を集めた。その後はすでに絶版になっている書籍コンテンツと、報道データを集め始めた（グーグル・ライブラリ・プロジェクト）。

人目につかないところで行われるという検索の性質を使って、グーグルは世界中のすべての情報をこっそり集めている。食い物にされる側は気づかないまま手遅れになってしまった。その結果、グーグルによる知識の支配が完成し、他企業の参入はきわめて困難になった（マイクロソフトのBingのシェアの低さを見よ）。そのため、この状況はこの先何年も続く可能性がある。

地球上のすべての企業が、デジタル世界の中枢に位置するグーグルの立場を羨望している。しかし現実はそれほど気楽なものではない。会社がいずれ古くなることは別にしても、国会と司法省が検索エンジンを公共事業として規制するようになるかもしれないからだ。

グーグルは基本的には1つしか芸のない仔馬のようなものであることを忘れてはいけない。検索（YouTubeも検索エンジンだ）のほかに何があるのか。アンドロイドもグーグルのものだが、それはｉＰｈｏｎｅに対抗するためだけのものだ。ＯＳで最大の力を持っているのは他の企業である。自動走行車やドローンなどは、顧客や従業員を元気づけるための飼料にすぎない。いまのところ、それらのグーグルへの貢献度は、衰退しつつあるインターネット・エクスプローラーのマイクロソフトへの貢献度より低い。

グーグルとマイクロソフトの相異点はほかにもある。アメリカのビジネス界ではマイクロソフトの社員は態度が最悪という評判だった。彼らは傲慢でうぬぼれていた。自分たちの成功は自らの天才的才能によると信じ込んでいたのだ。これはハイテク業界の古典的な誤解だ。成功の真の要因は、運やタイミングにすぎない。

マイクロソフトが株式公開し、長年勤めてきた社員のストックオプションの権利が確定すると、その能力を世界で発揮しようと何千人もの社員が辞めていった。その結果、うまくいった人もいればいかない人もいた。

マイクロソフトが勢いのある若い企業を次々と粉砕し続けていたころ、ＳＥＣ（証券取引委員会）と司法省が調査にやってきた。マイクロソフトは突然、悪の帝国となった。そこで働いているのが恥ずかしい会社になったのだ。

その結果、マイクロソフトでは年配の優秀な社員が去り、優秀な若者は働きたがらなくなって、多くの知的人材を失うことになった。おもしろい製品のアイデアがあっても、それを実現するのが難しくなったのだ。脳にはやる気があっても、手足が動かないようなものだった。ビル・ゲイツまで会社を去って世界を救う活動を始めた。

グーグルはマイクロソフトではない――いまのところは。この検索エンジンの会社には、いま史上最高のＩＱの持ち主が集まる。グーグルの社員たちは、自分が誰よりも賢いと思っている。そして本当に誰よりも賢いのだ。同社は社員に、働いている時間の10分の1を新しいアイデアをひねり出すことに使うよう求めている。６万人の天才たちなら、もっとおもしろいものを生み出してくれると期待できるのではないか。

しかし最終的には、そんなことは問題ではないかもしれない。インターネットはどこにも行かないし、グーグルは発展を続ける可能性が高い。そのスピードも上がるだろう。私たちの知識欲が満たされることはない。そして誰もがうつむいてスマホを見つめ、グーグルに祈りを捧げる。

第6章 四騎士は「ペテン師」から成り上がった

盗みは、成長スピードが速いテック企業のコア・コンピタンスである。そんなことを信じたくはないという人は多いだろう。アメリカ文化において起業家は特別な高い地位を与えられているのだから。彼らは高い志を持ち、大企業という巨大風車に無謀な戦いを挑む一匹狼だ。彼らは人類に火という新しいテクノロジーをもたらす、Tシャツを着たプロメテウス（訳注：ギリシャ神話で天界から火を盗んで人類に与え、ゼウスに罰せられた）とみなされている。しかし現実はそれほどロマンチックなものではない。

当然ながら、四騎士も最初から世界を支配する巨大な怪物だったわけではない。四騎士もまた、どこかの家のガレージや寮の部屋でアイデアを思いついたところから始まった。あとから振り返れば彼らのたどった道は当然の成り行きで、それ以外なかっただろうとさえ思える。しかしほとんどの場合、いきあたりばったりの行動と反応を続けているだけだ。

プロのアスリートと同じで、私たちは成功したわずかな人にばかり注目し、マイナーリーグを抜け出せなかった何千人もの選手は無視しがちだ。いま大きな力と資金を持っている企業には、ガレージから出発したまとまりのない新興企業の面影はない。特に時間がたつと、その会社のPR部門が創業時のエピソードを書き換えてしまう。このような変質は、創業者がどれほど当時の若いエネルギーを維持しようとしても起こる。

変化を避けることはできない。それは市場が常に変化していて、会社がそれに適応できなければつぶれてしまうからというだけではない。失うものがない若い企業のうちは、裏切り、剽窃、あからさまな過ちを犯したとしても、追及されないかもしれない。しかし守るべき名声、市場、資産を持つに至ると、それが許されなくなるからだ。

言うまでもなく、司法省が企業に目をつけるのは大きくなってからである。勝者となって社史が書き換えられるとき、そうした悪行は○○からアイデアのヒントを得てとか、○○をベンチマークとした結果、といったオブラートに包んだ表現に変わる。

騎士たちの罪は次の2つのタイプのペテンのどちらかに入る。1つ目は他の会社の知的財産を拝借——盗むという意味であることが多い——する行為。悪質なのはそれを本来とは別の目的に使って利益をあげ、稼いだところでその知的財産を保護する点だ。2つ目は他の誰かが築いた資産を使って、それを開発した人にはできないやり方で利益をあげることだ。

1つ目のペテンは2つのことを示唆している。自分たちで革新的なアイデアを思いつかなくても、未来の騎士になれる可能性があること。そして自分たちに同じことを仕掛けようとする相手には、弁護士を立てて対抗すれば被害者にはならないことだ。

2つ目のペテンからわかることは、いわゆる先行者利益が必ずしも利益にはならないということだ。ある業界のパイオニアが、うしろから撃たれることはよくある。四騎士たちもまた後発組だ(フェイスブックの前にはマイスペースが、アップルの前には最初のPCを開発した企業が、グーグルの前には初期の検索エンジンが、アマゾンの前には最初のオンライン小売業があった)。彼らは先行者の死骸をあさって情報を集め、間違いから学び、資産を買いあげ、顧客を奪って成長した。

ペテン1　盗みと保護

それまで考えられなかったスピードで価値を生み出して発展した大企業は、ある種のペテンや知的財産の盗用を犯していることがよくある。四騎士もまた例外ではない。

ほとんどの騎士は他の会社や政府をだまして助成金を引き出したり、価値を転換して自分たちのほうへ力を引き寄せる（これから数年間で、テスラがソーラーカーと電気自動車開発への政府助成金をどう獲得するかに注目）。そうした会社がやがて巨大な騎士になると、突然、そのような行為に憤慨して自分たちの利益を守ろうとする。


このような状況は、国境をまたぐとより顕著になる。地政学的な見地では、騎士がいるのはアメリカ合衆国1つだけだ。アメリカの歴史は、盗みと保護というペテンが四騎士だけの特徴ではないことを示している。

独立直後のアメリカはまとまりのない新興国だった。チャンスは山ほどあったが、それを活かす力はほとんどなかった。ヨーロッパは比較的平和な時期で産業のイノベーション（産業革命）が花開いており、アメリカの製造業者はとても太刀打ちできなかった。特に重要だった繊維工業は、進歩的な機織り機（その設計はフランスから盗んだ）とその関連技術を使っていたイギリスの織物業者に支配されていた。イギリスはこの産業を守るために、装置やその設計図、それをつくり操作する職人までも、外国に出すことを禁止した。

そこでアメリカはそれを盗んだ。財務長官アレクサンダー・ハミルトンは、イギリスがそのような技術流出を禁じていることを認識していた。にもかかわらず、ヨーロッパの工業技術を

「適正な条件と費用で」調達することを求める報告書を出した[1]。

財務省は母国の移民法に違反してもアメリカに来たいというヨーロッパの職人に報償を出した。アメリカは1793年に特許法を改変し、特許権保護の対象をアメリカ市民に限定した。これは知的財産を所有するイギリス人から、この窃盗行為に対抗するあらゆる法的手段を奪うためだった。


こうしたペテンの種からアメリカの工業が芽を出し、すくすくと伸びていった。アメリカの産業革命発祥の地として知られるマサチューセッツ州ローウェルは、フランシス・カボット・ローウェルの会社とそれに続く多くの企業によって築かれた。ローウェルは顧客を装ってイギリスの繊維工場を視察し（本当のことだがそれだけではない）、設計やレイアウトをまるごと記憶した。

ローウェルはアメリカに戻ると初の工場を設立し、国内初のＩＰＯ（新規株式公開）を行った[2]（現在のテック業界にもつながることだ）。

さらに、窃盗から数十億ドル規模の新しい産業も生まれた。それがコンサルティングだ。アメリカには世界屈指のコンサルティング会社が存在する。窃盗は私たちのＤＮＡに埋め込まれているのだ。

現在のアメリカは産業界の巨人であり、守るべき高度な技術と市場を持つ。そしてブロードウェーでは財務長官アレクサンダー・ハミルトンの偉業を讃えるミュージカルが流行している。しかしわが国の法律は、知的財産に対する彼の無神経な姿勢を否定している。

いまやアメリカは特許と商標の保護を積極的に訴えている。中国がアメリカの技術を盗むことを政治家が批判している状況で、国内の企業も悪いことはできない。世界的な大企業を目指す中国は、独自のフランシス・ローウェルを送り込もうとしている。あるいはサイバースペースを通して、繁栄に結びつくあらゆる情報を得ようとしている。同時に、何十年も世界の特許を盗み続けて、中国もようやく知的財産の重要性を理解したのか、特許法の熱心な擁護者になりつつある。

テクノロジー史上で最も有名な〝窃盗〟はおそらく、マウスで動くグラフィカルなデスクトップ・コンピュータという構想だろう。ゼロックスで実現できなかったそれを、スティーブ・ジョブズがマッキントッシュで完成させた[3]。

ローウェルとその時代に生きた人々は、人口が増加し続ける若いアメリカの力と巨額の資金でイギリスの技術を改良・強化した。これと同じように、ジョブズはゼロックスのグラフィカル・ユーザー・インターフェース（GUI）には、大成功を収めたアップルⅡさえも超えるセンセーションを市場に巻き起こす力があると理解していた。

GUIによって、アップルが目指す「ふつうの人々のためのコンピュータ」[4]を生み出すことができた。これはゼロックスが目指すものではなく、そして（組織的、戦略的、理念的に）できることでもなかった。

そこでアップルは新しい技術をほかの場所で発展させた。そしてある意味では上手な〝マーケティング〟を行った。

アップルが現在の主導的地位を築く基礎となった技術に関して、その多くを買ったり、あるいはライセンスを受けたりしたことは事実である。ゼロックスのGUIしかり、シナプティクスのタッチスクリーンしかり、P.A.Semiの省電力チップしかり。

重要なのは、若い企業は〝盗んで〟大きくなるということだけでなく、ほかの人には見えない価値を見抜き、ほかの人には引き出せない価値を引き出すことができるということだ。そして彼らは、必要ならばどんな手を使ってでもそれをやりとげる。

ペテン2　盗んだのではなく、ただ借りただけ

四騎士のもう1つのずるいやり方は、情報をどこかから借りて、それを相手に返すときにお金を取ることだ。そのよい例がグーグルである。

グーグルの創設はウェブの構造と検索の性質についての数学的な見識に基づくものだ。しかし騎士にまで成長したのは、情報を無料で配る一方で大きな利益をあげることができるという、創設者（とエリック・シュミット）のすばらしいアイデアのおかげだ。

当時グーグルの幹部だったマリッサ・メイヤーは、白人で年配の男ばかりの連邦議員の前でこう述べた。情報にアクセスする、切り取る、質問する、検索するといった行為を可能にすることは、新聞や雑誌にとっての当然の義務である。もちろんグーグルにはその権利がある。[5]

グーグル・ニュースが提供する記事は「政治的立場やイデオロギーとは関係なく分類され、ユーザーはどんな話題についても幅広い意見から選ぶことができます[6]」。1000の花が世界のあちこちで咲く――彼女が言わんとしていたのは、我々がこの国のイノベーションのDNAを失わなければ、スラム地区の子どもたちも読書レポートの宿題を終わらせられるということらしい。これはPBS（公共放送サービス）が助成金の延長を求めるとき、『セサミストリート』のビッグバードを出してくるのと同じだ。ビッグバードを殺したいと思う人はいないだろう。

事実、メイヤーはグーグルが「記事に興味を持った読者をその新聞のサイトに送り込むという貴重なサービスを無料で行う」と確約した。[7] 彼女は『ニューヨーク・タイムズ』と『シカゴ・トリビューン』がグーグルに感謝していないことに、がっかりしているようだった。新聞社が感謝していないのはおそらく、グーグルの「貴重な無料サービス」がアメリカのメディアにおける広告の基盤をあっというまに骨抜きにするからだ。収益はすべて、グーグルに流れ込むようになる。

心配ご無用。メイヤーは議員たちに告げた。グーグルには貴重で、有料のサービスもある。アクセスを獲得するのにグーグルにたよっているニュース・パブリッシャーは、グーグル・アドセンス（コンテンツ連動型広告配信サービス）に登録できる。これは「ニュース・パブリッシャーが自社のコンテンツで収益を生むのを助ける」ものだ。[8]

現実はご存じのとおり。２０１６年の選挙では、情報はあなたの「政治的見解やイデオロギー」をミリ秒の単位で判断するアルゴリズムによって偏ったものになった。[9]

メイヤーがこの発言をしたあとに何が起こったか。グーグル以前は〝収益を生む助け〟など必要なかったニュース・パブリッシャーが、驚くべきスピードで消滅していった。同時にグーグルは恐ろしい勢いで情報を飲み込んでいった。私たちについて、私たちの趣味について、私たちの世界について。より多くの「貴重で無料のサービス」をもたらすために、その情報をアルゴリズムで好き勝手に処理する。

フェイスブックとグーグルはどちらも、以前は情報を他の業務に提供しない（たとえばフェイスブックからインスタグラムへ、グーグルからGmailやYouTubeに）と言っていた。

しかしどちらもその言葉を裏切り、プライバシーポリシーをひっそりと変更した。自分の位置や検索の動きやアクティビティについての情報を他に提供してほしくないときは、その旨のリクエストをして第三者への情報提供を停止しなければならなくなっていた。

より正確なターゲティングにデータが使われているという以外に、他の目的に使っているという証拠はない。気持ち悪さと関連づけは、デジタル・マーケティングの世界では強く結びついている。これまでの行動を見ると、消費者は多少の気持ち悪さを許容するだけの価値はあると判断していると思われる。

情報の値段

「情報はタダになりたがっている」。これはハッカーの信条だ。この言葉とともに、インターネットの第2の黄金時代が幕を開けた。

この言葉の本来の意味を、ここで検討しておく価値がある。もともとは『ホール・アース・カタログ』（訳注：ヒッピー向けの雑誌）の創刊者であるスチュアート・ブランドが、1984年のハッカーズ・カンファレンスで発言した言葉だ。彼は次のように説明した。

一方で、情報は高価になりたがっている。それは大きな価値があるからだ。適正な場所の適正な情報は、あなたの人生を変える。もう一方で、情報は無料になりたがっている。それを入手するためのコストがどんどん安くなっているからだ。そのためこれら2つを互いに戦わせている。[10]

情報は他のすべてのものと同じように、魅力的で、唯一無二で、高い値がつく——本当に高い値がつく——ものになりたいと心底思っている。情報は高価にもなりたがっているのだ。グーグルとフェイスブック以外で、アメリカで最も成功しているメディア企業はブルームバーグ（訳注：経済・金融情報を扱うアメリカの大手総合情報サービス会社）である。CEOのマイケル・ブルームバーグはペテンにひっかかって情報を無料で出すようなことはしなかった。ほかの人が持っている情報と独自のデータを融合し、解釈を加え、そして——ここに工夫がある——希少なものにした。それはブルームバーグ・ターミナル（端末）という形の独自の垂直流通網（店舗）を通して高値で配信された。

あなたが自分のポートフォリオに影響しそうなビジネスニュースを見たいなら、ブルームバーグと契約してオフィスにターミナルを設置するしかない。それではじめて、画面に延々とニュースと金融データが流れ続ける。

ブランドの話の「情報は高価になりたがっている」の部分は、無料コンテンツを求めている企業の手によってぬぐい去られてしまった。まるでレーニン時代にトロツキーが写真から消されたように。実のところ、ブランドが関心を持っていたのはそれら2つの間の引っ張り合いだった。彼はそこにイノベーションが起こると予見していたのだ。

「引っ張り合い」を利用する

グーグルとフェイスブックは、そのバランスがどういうものなのかよく知っていた。同社は情報流通のコストが下がり続けていることをうまく活用した。以前は高価だった情報の世界にユーザーを近づけ、新たな門番となることで何十億ドルもの価値を引き出したのだ。

フェイスブックも低下している情報のコストと、引き続き高く保たれている価値の間の引っ張り合いを利用してきた。そのトリッキーな動きは、グーグルよりもドラマチックだ。

フェイスブックはユーザーにコンテンツをつくらせ、そのコンテンツを広告主に販売し、広告主はそれをつくったユーザーに向かって宣伝する。赤ん坊の写真や政治的な不満を〝盗む〟のではなく、個人ではできないテクノロジーとイノベーションを使って何十億ドルもの金を得るのである。それは世界レベルの〝借入〟だ。

フェイスブックの基礎は第2のタイプのペテンにある。これはフェイスブックという世界最大の消費者ブランドの販売代理店同士の会議で、何千回も繰り返されてきた。「大きなコミュニティをつくって、そこの所有者になる」ことだ。

何百ものブランドがフェイスブックに何千万ドルも何億ドルも投資する。フェイスブックはそれらを統合して巨大なコミュニティをつくった。そして消費者に自分たちのブランドを〝好きに〟なるよう仕向けることで、フェイスブックに法外な数の無料広告を出させたのだ。そしてブランドが高価な家を建てて、そこに引っ越してこようとすると、フェイスブックは大声で止める。「冗談でしょう。ここにいるファンはあんたたちのファンじゃない。ここに住みたいなら家賃を払ってもらわないと」。

ブランドコンテンツへのオーガニックリーチ（あるファンのフィードで受け取ったブランドからの投稿の割合）は、100パーセントから1桁に落ち込む。ブランドがそのコミュニティからのリーチを増やしたければ、フェイスブックに——有料の——広告を出さなければならなくなる。

これは家を建てて仕上げの最中に、郡の検査官が現れるようなものだ。検査官はカギを替えてあなたにこう告げる。「この家は私たちから賃貸しなければなりません」。

数多くの大企業が、フェイスブックのオーナーになるつもりが、ふたを開けてみたらフェイスブックの間借り人になっていた。

ナイキは有料でフェイスブックのコミュニティをつくったが、いまやナイキの投稿を見るのはそのコミュニティの2パーセント未満だ。その数を増やすには、フェイスブックに広告を出すしかない[11]。ナイキがそれを気に入らないなら、会員20億人を抱える別のソーシャル・ネットワークに移る……いや、そんなものはない。自分よりスペックの高い相手とデートしているときと同じで、ブランドはひどいことをされても黙って従うしかないのだ。

偉大なるペテンは犠牲者を欺く

アマゾンがどこに向かっているかは、かなりはっきりしている。①小売業、メディア分野で世界的に優位に立つ。②すべての製品の配送を自社の飛行機、ドローン、自動走行車に切り替える（UPS、フェデックス、DHLよ、さようなら）。

もちろん同社にブレーキをかけようとする力は常に存在している。しかし革新的な文化と無限の資本によって、アマゾンは今後も進み続けるだろう。彼らに抵抗できる国があると思う人はいるだろうか（自国のネット通信販売企業アリババを保護している中国は別として）。

映画『スティング』でポール・ニューマンのセリフにあったように、偉大なるペテン師とは、相手がだまされたことに気づかないようにするものだ。事実、映画ではカモが最後の瞬間まで大金をつかめると信じていた。

新聞社はいまだに、本当に何が起こったか知らないまま、たまたまそうなったと感じている。実際はグーグルに押しつぶされたのだ。完膚なきまでに。

そしてグーグルとは関係のないところでは、自らの愚行によって衰退の道を選んだ。イーベイを銀の皿に盛って差し出されていたのに買わなかった。まだ新興企業だったクレイグズリスト（訳注：求人広告や売買に関するクラシファイド広告のサイト）を買収しなかった。有能な人材をウェブ分野に異動させず紙媒体に縛った——新聞社がサイバースペースで与えられたチャンスの半分で正しい選択をしていれば、その大半はいまでも生き延びていただろう。

四騎士はどこも多かれ少なかれ犠牲者の目を欺いている。ブランド企業はフェイスブックのコミュニティに資金を投入して、あとになってそれが自分たちのものではないと気づく。販売者は新たな顧客を多数獲得できると信じてアマゾンに加わるが、あとになってアマゾン自体と競争していることに気づく。ゼロックスでさえ、スティーブ・ジョブズに同社の技術を教えるだけで、アップルという世界最先端のテック企業の儲けの分け前（10万株）にあずかれると考えた。[12] これらの傷は自業自得と言える。

法よりもイノベーション

野心的な騎士たちは常に、古い競争ではありえないようなやり方で市場に打って出ようとする。

たとえばウーバーは多くの（おそらくはすべての）市場であからさまに法律違反をしている。ドイツではあのような業務形態は禁じられている。フランスでは罰金を科せられる（がウーバーはその罰金を払っている）[13]。そしてアメリカのさまざまな地域で、ウーバーは業務停止命令が出されている[14]。

それでも投資家——政府を含めて——は、列をなして同社に何十億ドルも差し出す。それはなぜなのか。結局、法律が先に譲歩することになると同社が感じているからだ。ウーバーの存在は必然だ。そして彼らはおそらく正しい。法律があって革新者がいる。金を生むのは革新者だ。

ウーバーは従来タクシーやハイヤーに適用されてきた規則を免れているだけではない。個別のドライバーをつなぐアプリという体裁になっているため、労働法の規定も免れている。それを信じている人はいないが。それなのにウーバーと契約する運転者や乗客——私を含めて——が恐ろしいスピードで増え続けているのは、基本的なサービスとシンプルなアプリがとても優れているからだ。甘やかされて保護されたタクシーのモデルよりもはるかにいい。

規則が完全でなければ、消費者は好ましいサービスを使うために、法の抜け道をさがす。ウーバーはそれをよく知っている。また長期的に見れば、議会がウォール・ストリートと消費者の両方を敵に回すとは思えない。

アマゾンも5億人の消費者と手を組み、アルゴリズムを使って、ブランドがかつてため込んでいた利益を減らした。そのたくわえは味方の消費者に分配される。小売店が資金を投入して、利益率の高いプライベート・ブランドを増やすのは新しい話ではない。ただこれほどうまくやれる企業を、これまで見たことがなかっただけだ。

アメリカが世界の指導者の電話を盗聴していることにアメリカの同盟国が憤慨したが、互いにスパイし合っていることは彼らも知っていた。彼らが腹を立てたのは、我々アメリカが彼らよりうまくやっていたからだ。

アマゾンと消費者、そしてアルゴリズムの同盟は、消費者にとてつもない利益をもたらした。その結果アマゾンは急激に成長して、従業員や投資家に何百億ドルという株主利益をもたらした。私たちは消費者として、味方につけるには最強の相手から大いに恩恵を受けた。市民、給与所得者、ライバルとしては軽く扱われているが、いい女とは別れられないという状態だ。

司法制度は現実が見えないわけではない。悪事が発覚したとき、四騎士のように金があるのはいいことだ。フェイスブックはワッツアップの買収の承認を目指しているとき、2つの会社が短期的にデータを共有することはできないと、EUの監督機関に確約した。

この確約によってプライバシーに関する監督機関の懸念は和らいだ。しかしフェイスブックは、データがいかにすばやく共有できるか知っていた。それで嘘をつかれたと感じたEUはフェイスブックに1億1000万ユーロの罰金を科した。これは15分ごとに100ドル払わなければならないパーキングメーターにお金を入れなかったために、10ドルの駐車違反切符を切られるのと同じだ。ここでの賢明な判断は、法律違反をすることなのだ。

第7章

脳・心・性器を標的にする四騎士

ベン・ホロウィッツ（実業家）、ピーター・ティール（起業家で投資家）、エリック・シュミット（グーグルの元CEO）、サリム・イスマイル（ヤフーの元バイスプレジデント）。彼らは、それぞれベストセラーとなった著作の中でこう述べている。ビジネスで大きな成功を収めるには、低コストでの大規模化が必要だ。それはクラウド・コンピューティング、バーチャル化、そして競争を通じて生産性を10倍に高めるネットワーク効果に力を入れることで実現できる[1]。

しかしこのような説明には、テクノロジーとは関係ないもっと深い次元の視点が欠けている。進化心理学の見地からすると、成功するビジネスはどれも、体の3つの部位のどれかに訴えかけるものだ。

その3つとは脳、心、性器である。これらはそれぞれ人間の生き残り戦略の違う面を支えている。会社の指導者は、自分たちがどの領域にいるか――どの器官を刺激しているか――を知り、それに沿って戦略を練る必要がある。

脳

脳はものごとを計算する合理的なものだ。脳はコストと利益を重視し、よいことと悪いことを瞬時に天秤にかける。

市場において、脳は価格を比較して大急ぎでブレーキを操作する。ハギーズの紙おむつがパンパースより50セント安ければ、過去の使用経験――どちらが吸収力が高いか――を含めた複雑な費用便益分析を行って、どちらを選ぶべきか弾き出す。

売る側からすると、これは利益を減らされる行為だ。ビジネスにおいて、脳は盛り上がりに水を差す憎むべきものであり、最大の敵である。常にすべての人をだませるわけではないというリンカーンの言葉は正しかった。すでに消滅している会社の多くがそれをやろうとして後悔する羽目になった。

私たちは脳のおかげで、あまりばかげた意思決定を行わずにすんでいる。少なくとも何度か失敗したあとには。

その脳をターゲットにして人間の合理的な部分に訴えかけて成功を収めている企業は、少数ながら存在する。たとえばウォルマートでは、何百万人という消費者が選択肢を検討して買い物をする。同社の「より多く、より安く」という価値提案は、長い間、効力を保っていた。私たちの祖先が狩りをするとき、たとえ危険が大きくても、シマリスではなくバイソンを追うことを選んだのもそのためだった。

ウォルマートは世界で最も効率的で、他に類のない規模のサプライチェーンを築いている。そのため一般消費財メーカーの弱みを握っている。業者にプレッシャーをかけて、ウォルマートはコストを下げ、その分を消費者に還元し、マーケットシェアを拡大する。ウォルマートはいまやアメリカ小売業の約11パーセントを支配している。[2] 利幅は薄いが、膨大な量からとてつもない利益が生じる。

ウォルマートの顧客は脳をよく働かせる。見栄を張るために金を使う富裕な人々よりも働かせているのは間違いない。

脳をめぐる戦いにおいては、勝者は大きな株主価値を生み出す。しかしそこでは勝者がすべてをさらっていく。脳がいったん合理的な選択をしたら、それが決定版となり、一途にそれを愛して浮気はしない。脳をめぐる競争の代表選手はウォルマート、アマゾン、さらに（価格で争う）中国も入る。

ほとんどの企業は低コストの世界のリーダーではないし、リーダーになることもできない。低コストの世界で長期的に成功するためには、ある程度の規模が求められる。ここは選ばれし者たちのための特別なクラブなのだ。

では、そもそもロジスティクスの王でもなく、そうなることを望んでもいない企業はどうするのか。そのときは目をもっと下に向けよう。冷徹で厳格な計算をする脳ではなく、もっと寛容な心をターゲットにするのだ。

心

心は巨大な市場である。買い物も含めて、私たちの行動のほとんどは感情によって動かされるからだ。冷静な脳に費用便益分析をさせるよりも、心をターゲットにするほうが簡単で楽しい。「これを買うべきだろうか？」という問いかけへの脳の答えはたいてい「ノー」だからだ。

心は、地上で最も大きな力によって動かされている。それは愛だ。私たちは他者を愛し、慈しみ、世話をするとき、気分がよくなる。そのほうが長生きもできる。世界的な長寿地域の1つ、日本の沖縄の健康長寿を調べた研究がある。それによると沖縄の老人は豆を多く食べ、酒を毎日（よいニュース）ほどほどに（がっかり）飲んでいた。[3]さらに彼らは毎日運動し、積極的に人と関わり合う。[4]そして何より、多くの人を愛して面倒を見る。[5]ジョンズ・ホプキンス大学長寿健康研究センターでの最近の研究によると、他人の世話をする人は、そうでない人より死亡率が18パーセント低い。[6]愛は人を長生きさせる。これはダーウィン的な現象だ。人類は消滅を避けるために、他者を世話する必要がある。

心は合理的ではないかもしれない。しかし心をターゲットにするのは、まともで抜け目ないきわめて合理的な戦略だ。実際に第二次世界大戦後の消費者マーケティングの多く、というよりほとんどは、心をターゲットにしていた。ブランド、スローガン、CMソングは、ほとんどの消費者にとって何より大切なもの――自分が愛する者――を思い出させるようにつくられていた。

CMクリエイターは、もっぱら心に狙いを定めている。だから食品会社のJMスマッカーは、子どもへの愛情とピーナツバターの選択を直接結びつけてこう訴える。「子どもによいものを知っているママはジフ（訳注：ピーナツバターのブランド）を選ぶ」。

愛は季節行事のセールでもカギとなる。クリスマスをはじめ巨額の売上げが期待されるすべての行事。給料3カ月分のダイヤモンドの指輪は〝永遠の輝き〟だ（人口の50パーセントにとっての輝きだが）。

マーケターにとって、消費者の心を引き寄せるための紐の1本1本が利益に変換される。その中には美容、愛国心、友情、男らしさ、献身、そして何よりも愛がある。

これらには本来、値段はつけられない。しかしマーケターは値をつける。それが市場での痛みを和らげるクッションとなる。たとえ競争相手がロジスティクスや価値で優位に立っても関係ない。不合理な顧客の心とつながっている限り、つぶれることはなく、成長する可能性もある。

これは浅薄な話に思えるかもしれないが、実際に浅薄なのである。これが情熱の本質だ——そして心は脳の意思決定をくつがえすことができる、数少ない力の1つである。

デジタル時代は、その透明性とイノベーションで、心をターゲットにしたビジネスに宣戦布告をした。検索エンジンとユーザーレビューによって、ある程度の透明性が加わり、購入の意思決定からかなり感情が排除された。

グーグルとアマゾンはブランド時代の終焉を予告している。消費者は神（グーグル）や、そ

消費財のトップブランドの業績（2014～15年）

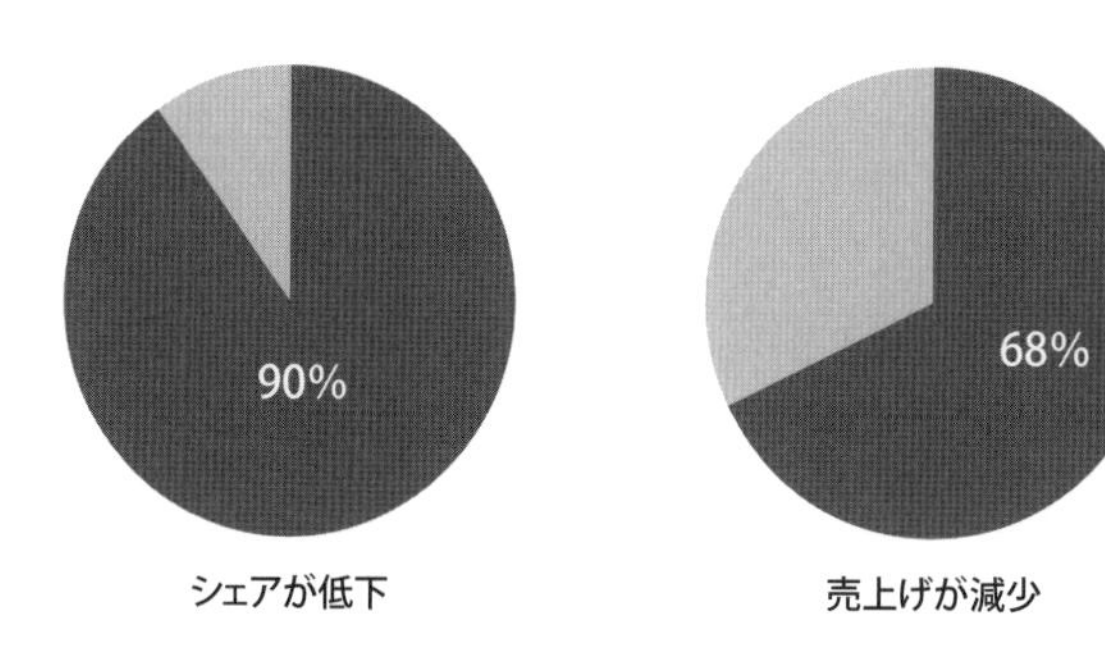

"A Tough Road to Growth: The 2015 Mid-Year Review: How the Top 100 CPG Brands Performed." Catalina Marketing.

の従兄弟（アマゾン）の啓示を受けると、心に流されにくくなる。賢い消費者はデュラセルではなくアマゾン・ブランドの電池（インターネット通販での電池の売上げの第3位）を買うべきなのだ。

世界的に消費者市場最大と思われる一般消費財（CPG）分野は、心をつかんで売ることによって成り立っている。2015年には、90パーセントのCPGブランドがシェアを失い、3分の2の会社が減収となった。

規模が小さなブランドはどうすればいいのか。死ぬか、そうでなければ、さらに不合理な、さらに下にある器官を狙うかだ。

性器

心に訴えかけるビジネスがしだいに難しくなる一方

で、性器に訴えるブランドは繁盛している。この器官は子孫をつくるという切実な本能と欲望を刺激する。生存本能を除いて、セックスほど我々に強く訴えるものはない。マーケターにとっては運のいいことに、セックスや求愛儀式は脳の発する警告を凌駕する。スポーツカーを買おうとしている男性は、16歳であろうと50歳であろうと脳が麻痺している状態なのだ。

セックスの相手をさがしているとき、私たちは脳の判断力を奪うものをさがす。たとえば酒を飲む。ドラッグを使う。明かりは脳の働きを活発にするツールなので、電気を消して音楽をかける。

自由に相手をさがしている男女についての研究で、実際にセックスに至った人の71パーセントが、そのとき酒を飲んでいたという調査結果がある。[7] そういう人々は意図的に化学物質を使って脳のスイッチをオフにする。「軽はずみにならざるをえない」状況をつくりだすのだ。[8] 翌朝「いったい自分は何を考えていたんだ」と言う人がいるが、そういうときは本当に何も考えていなかっただけだ。酔っているときスマホを取り出して、近所のバーのウォッカの値段を比較する人はいない。

アルコールと若さの追求が組み合わされると、私たちはホルモンと欲望に溺れることになる。あとさきは考えない。ラグジュアリー・ブランドは何百年も前からそれを理解していた。そうした企業は知識も愛も無視して、求愛儀式とセックスという快楽にビジネスを直接結びつけようとする。

男は人類の誕生直後、洞穴に住んでいた時代から、世界中にタネをばらまこうとするよう生まれついている。彼らは力と富を見せびらかし、自分がよい稼ぎ手であるというシグナルを女（場合によっては他の男）に送る。自分との間の子どもは生き残る可能性が高いのだと。あなたが高級時計のパネライをつけていれば、スウォッチをつけている男よりパートナー候補の女にアピールできる。自分と子どもをつくったほうが子どもが生き残る可能性は高いぞ、というわけだ。

これに対して女の進化上の役割は、できるだけ多くの求愛者を惹きつけ、最も見込みのある――いちばん強く、速く、頭のいい――パートナーを選ぶことだ。そのためなら、20ドルの履きやすいペタンコ靴ではなく、1085ドルの人間工学的にはありえないクリスチャン・ルブタンのハイヒールに足を押し込めてみせる。

こうした意思決定（と呼ぶなら）によって、消費者と供給者は共生的な関係に陥る。出費という行為自体が好み、富、特権、欲望を伝えるため、消費者はどんどん金を出す。

企業も当然同じところを目指しているのだが、逆の方向から、消費者にコミュニケーションのツールを提供している。企業は自社の製品が、求愛ブランド――クジャクの羽と同等――だと知っている。そこに高い利鞘（りざや）と利益が生まれ、それが脳をいらだたせ、心を嫉妬させる。クリスチャン・ディオールであれ、ルイ・ヴィトン、ティファニー、テスラであれ、ぜいたく品に合理性は通用しない。だからビジネスとしては最高なのだ。

２０１６年、高級化粧品メーカーのエスティ・ローダーは、世界最大の広告の会社ＷＰＰより時価総額が高かった。[9] カルティエとヴァンクリーフ＆アーペルのオーナーは、Ｔモバイル（訳注：欧州や北米で移動体通信を提供するドイツの企業）よりも価値がある。[10] ＬＶＭＨはゴールドマン・サックスよりも高い評価を受けている。[11]

四騎士はどこを攻めてくるのか

体――脳と心と性器――とビジネスの関係を知ることは、四騎士の破格の成功を理解する上で非常に有効だ。

グーグル

グーグルを考えてみよう。同社は脳に話しかけ、それを補足し、長期記憶をほぼ無限のレベルにまで増幅させる。それを可能にするのは、ペタバイト（訳注：テラバイトの１０００倍）規模の世界中の情報へのアクセスである。

しかしそれだけでなく同じくらい重要なことがある。グーグルが私たちの脳の複雑で無二の検索〝エンジン〟（そして脳のニューロンをすばらしいスピードで伝わっていく能力）の代わりをしているということだ。

そうした驚くべき生理的な能力に加え、グーグルは総当たり式の超高速の処理能力と、高速ブロードバンド・ネットワーキングを備えている。グーグルを使えば世界中のサーバーをかけめぐって、いままさに必要な情報を見つけることができる。それはもちろん、グーグルがなくても可能なことだ。しかし同じものを見つけるためにはおそらく何週間もの時間をかけて、かび臭い図書館をいくつも回らなければならないだろう。グーグルを使えば、それが1秒もかからずにできる。

グーグルは、次から次へと質問されるのを待っている。疲れることもなく、時差ぼけになることもない。さらに私たちがさがしているものを見つけるだけではなく、それと関連する、私たちが興味を持ちそうなことを、何千、何万も見つけてくる。

最後に、そして結局のところ何より重要なのは、私たちがグーグル検索の結果を信頼している、ということだ。場合によっては途切れがちになる自分自身の記憶よりも信頼している。グーグルのアルゴリズムの仕組みはわからない。しかし自分のキャリアや人生さえ賭けるくらいに信頼しているのだ。

グーグルは私たちが共有する人工脳の神経中枢となった。グーグルは、ウォルマートが実店舗による小売りを、アマゾンがオンラインでの小売業を支配しているように、知識業界を支配している。

それで何か害があるわけではない。グーグルが私たちに請求するのは、たいてい1セント、5セント、10セントという小さな額だ。それはラグジュアリー企業とは真逆である。金持ちでも貧乏でも、頭の回転が速くても遅くても、誰でもどこでも使える。

グーグルがどれほど大きくなり、どれほどの力を手にしているかが気にならないのは、私たちのグーグル経験がささやかで親密で個人的なものだからだ。たしかに小銭が積もり積もって何百億ドルもの収益となり、株主価値は何千億ドルにもなった。それでも私たちが怒りを感じることはない――質問に答えてくれて、私たちの脳が前より賢くなったと思わせてくれているうちは。

それこそが勝者であり、株主は脳による勝者総取りの経済から生じた利益を得る。グーグルは消費者に最高の回答を、これまでのどの組織よりもすばやく安く与えてくれる。脳はグーグルを愛さずにいられない。

アマゾン

グーグルが脳の代わりだとすれば、アマゾンは脳と、ものをつかむ指――より多くのものを手に入れようとする狩猟・採集者としての本能――とをつなぐものだ。

人類の歴史の始まりから、よりよい道具を持つということは、より長生きできることを意味した。大昔から私たちは、より多くのものを持つほどより大きな安心と成功を手にしていると感じる。敵に襲われる危険が少なく、友人や隣人より優れていると感じる。そしてほとんどの人はそれで満足できる。

世間ではスターバックスの成功は「依存症の人間にカフェインを提供しただけ」と片付けられる。しかし依存症において買い物がヘロイン級とすれば、カフェインはニコレット程度である。

フェイスブック

それに対して、フェイスブックは心に訴えかける。タイド（洗濯洗剤）のブランドが母性本能に訴えるのとは違い、フェイスブックはあなたと友人や家族とを結びつけるのだ。フェイスブックは世界を結合する組織だ。私たちの行動データと広告料の組み合わせが、グーグルと肩を並べる怪物を支える。

しかしグーグルと違って、フェイスブックで重要なのは感情だ。人間は社会的な生き物である。1人では生きられない。家族や友人と引き離されると、うつ状態や精神疾患を患ったり、早死にしたりすることが、研究で明らかにされている。

フェイスブックのうまいところは、自分のアイデンティティを確立するためのもう1つの場所を与えるだけでなく、自らの存在感を高めるためのツールも提供していることだ。それによって他者と知り合うチャンスも増える。

人が形成する集団が決まった大きさであることは昔から知られていた。人間の歴史には、ローマの軍隊から中世の村……そしてフェイスブック上の友だちの数まで、いくつもの数字が出てくる。これらの数字は、とても人間的な事情から生まれている。私たちはだいたい1人の伴侶を持ち、親友は――よくジョークになるのは――棺(ひつぎ)を担ぐ人数である6人。チームとして効率的に働ける人数は12人。見て誰かわかる人の数は1500人。

フェイスブックの見えない力は、それらの集団のつながりを深めるだけではない。フェイスブックはより強力なマルチメディアのコミュニケーション手段を提供することで、より多くの人々へとつながりを拡大する。それで私たちはもっと幸せになる。他者に受け入れられ、愛されていると感じるのだ。

アップル

アップルも最初は頭に訴えるもので、テクノロジー分野の用語で語られる会社だった。売りは効率的であること。広告にはこう書かれていたものだ。「フォードが1903年の大半を費やして取り組んだ同じ小さな問題を、いまアップルは数分で処理できる」。マックは発想を変える(シンク・ディファレント)助けとなった。

しかしやがてアップルは、狙いを体のもっと下に移した。その存在感を放つラグジュアリー・ブランドは、性的な魅力を手に入れたいという私たちの気持ちに訴える。アップルは生殖本能にアピールすることで、他者と比べて法外な利益を得て、史上最高に利益率の高い企業となった。

私がコンピュータ・メーカーのゲートウェイの取締役会にいたとき、利益率はたった6パーセントだった。アップルのコンピュータは、性能が低いものでも28パーセントだった。私たちゲートウェイが脳にこだわる（ゲートウェイでは魅力的に見えない）一方で、デルはすでに（合理的な）規模の競争で勝利を収めていた。私たちはどっちつかずのあいまいな状況を変えられず、二束三文で売却される羽目になった。ほんの数年前、株価は75ドルを記録していたが、エイサーには1株1・85ドルで売却された。

アップル・ブランドの製品を熱望する気持ちを生み出したことで、アップルはカルトのような存在になった。このカルトに属する人々は、論理――人間工学的にスマートなデザイン、優れたオペレーティング・システム、ウィルスやハッカーによる攻撃への抵抗などに基づいてアップル製品を買う――を超えた誇りを持っている。アップル製品を販売する若者たちと同じように、彼らは自分たちを〝天才〟、哲人、アップル十字軍の歩兵とみなし、違う考え方をして世界を変えようとしている。何よりもそれで自分がかっこよくなると思っている。

しかしその信者でない人々には、本当のことが見える。それは性欲に近いものの正当化である。

アンドロイド・ユーザーは自分が合理的だと思うことで、嫉妬心を抑える。同じようなものが99ドルで買えるのに749ドル出してiPhoneを買うのはまったく合理的でない。おそらく彼らは正しい。まともな決定を行うあなたは、次世代のiPhoneが発売されるのを待って店の前でひと晩を明かすようなことはしない。

アップルのマーケティングとプロモーションは、伝統的なセクシー路線ではない。そのメッセージは、アップル製品を持てば異性（ときには同性）の目にもっと魅力的に映るということではない。

これはどのラグジュアリー・ブランドにも共通することだが、アップルはあなたのほうがライバルよりも優れて見えますよ、というメッセージを伝えているのだ。エレガントで頭がよく、金持ちで情熱的だ。あなたは完璧だ。クールできちんとしていて、ポケットの中で音楽を聴き、プロ並みだが実はスマホで写した旅先の写真をスワイプしていく。きっと現世で最高の人生を送れるだろう。少なくともビジネス界のイエス・キリスト、成功の頂点、信念を持つ天才、セクシーでワイルドなスティーブ・ジョブズに近づける。

ビジネスの成長と生物

いまや、すでに四騎士が人間の体の器官すべてを支配しているように見える。では残っているものは何か。そしてもし大きなビジネスチャンスがほかにないとすれば、四騎士とどう戦うべきなのだろうか。

まず後者から考えてみよう。現在の四騎士はあまりに巨大で資金力があり、圧倒的に優位に見える。そのため直接対決を仕掛けるのは不可能に思えるだろう。おそらくそれは正しいが、歴史を振り返るとほかの戦略が見つかる。これらの企業も立ち上がったばかりのころには、同じように圧倒的に優位な立場の巨大企業が存在した。そしてそれらの企業に勝ったのだ。

たとえばアップルが起業したときには、立ち向かうべき強大な競争相手が何社かあった。IBMは世界屈指の企業で、職場の電子機器の世界に君臨していた（「ビッグ・ブルー（訳注：IBMの愛称）を買ってクビになったやつはいない」と言われたものだ）。ヒューレット・パッカードは同じくらい巨大で、史上最高にうまく経営されている企業と言われていた。同社は専門家向きのハンドヘルド型とデスクトップ型の計算機ビジネスを支配していた。そしてデジタル・イクイップメントはミニコンピュータでこれらの会社と互角に渡り合っていた。2人のむさくるしいハッカーがガレージで始めたアップルが、これらの怪物になぜ向かっていけたのだろうか。

それは怖いもの知らずの大胆さ、優れたデザイン、そして運が重なった結果である。最初の2つはもっともだと思えるが、3番目については驚く人がいるかもしれない。

スティーブ・ジョブズはウォズニアックのすばらしいアーキテクチャと自分のエレガントなデザインを備えたアップルⅡが、ワールドクラスの製品であると知っていた。そして企業がこのコンピュータを買うことはないことも。なにしろ、そこそこの性能のマシンなら、もっと安く、まとまった数を納期どおりに購入できるのだ。

そこでジョブズはターゲットを個人消費者に切り替えた。そこでは好き放題にやれた。競争相手は、ふつうの人には信頼も理解も得られないホビー・マシンばかりをつくる企業だった。一方でIBMは独占禁止法で起訴されていて、パーソナル・コンピュータには手を出さなかった。DECは消費者向けコンピュータという考えを受け入れなかった。HPは――ウォズニアックがアップルの製品化をビル・ヒューレットに持ちかけていたのに――エンジニアやプロ向けの製品に集中することに決めていた。創設から3年たたないうちに、ジョブズとアップルはパーソナル・コンピュータ市場を牛耳っていた。

するとおもしろいことが起こった。個人のアップル・ユーザーが自分のコンピュータをこっそり職場に持ち込むようになったのだ。それからまもなく、そのような反乱が全盛期を迎えた。何千人もの従業員が会社のIT部署が課したルールに反して、アップル・コンピュータを使うようになったのだ。

これがアップルの〝クール〟の始まりだ。ユーザーは自分が一匹狼やゲリラとして、情報システム部門の大物と戦っているような気になった。ＩＢＭがとうとうＰＣを発売し、他のパーソナル・コンピュータ企業は打ちのめされた。しかしアップルは恐竜の肢にじゃれる小さな哺乳動物のように生き残り……やがて勝利を収めたのだ。

グーグルもシンプルなホームページで、小さく、かわいく、素直であるふりをして同じことをした。他の検索エンジンすべてを粉砕したあとでさえそれは変わらない。

実を言えば、グーグルはヤフーが検索機能を小さなエンジンにアウトソーシングしたところから始まった。そのエンジンには自分たちを脅かす可能性があり、実際にそうなったのだが。グーグルはヤフーの１００倍もの価値を持つようになった。ヤフーはその脅威に気づかなかったのだ。

フェイスブックは性的なコンテンツ（少なくとも、その恐れがあるもの）に侵略されない、善良で安全な代替品になることで、優勢だったマイスペースに勝利した。フェイスブックのルーツがアイビーリーグの大学であるということも、高級感と安全性を感じさせる要因だった。登録には.eduつきのメールアドレスが必要だった。ユーザーの本人確認と共有を義務づけることで、フェイスブックにはほかとは違う上品なムードが生まれた。

ツイッターの投稿にはフェイスブックよりも攻撃的な反応がつきやすい。それは現実の生活と同じで、匿名だとひどいことも言いやすいからだ。

アマゾンは書店と競争するそぶりは見せず、なくなってほしくないとさえ主張している。これはニシキヘビが申しわけないと思いながら、小さな哺乳類を絞め殺して丸ごと飲み込むようなものだ。

またアマゾンはラスト・ワンマイル・デリバリーに何十億ドルも投資しているが、その目的はUPS、DHL、フェデックスに取って代わることではなく、それを〝補う〟ことだと、ベゾスは主張している。そう、ジェフとアマゾンは手を貸すためにここにいる。

こうした戦略――反乱、偽の謙遜、安全性、簡潔さ、それに加えて割引――が、いつか四騎士をひきずりおろす要因にはなりえないと信じる理由はない。

巨大企業には巨大企業の課題がある。最高レベルの人材が、もっと報われる新興企業へと流出する。施設が古くなる。帝国が大きくなりすぎて、すべての部位を連動させることができない。嫉妬深く神経質な政府の調査によって注意を乱される。大規模化のためのプロセスが導入されると、企業の勢いが衰え始める。ガイドラインに従うことが適切な判断をすることより重要と考えるようになるからだ。

ベゾスは、アマゾンは常に1日目(ベンチャー企業)であり、2日目(大企業病になること)はないと主張している。[12] アマゾンがいずれ失速することなど考えられないかもしれない。しかしやがてはそうなる。ビジネスは生物に似ている。死亡率は100パーセントだ。四騎士でも事情は同じで、いつかは死ぬ運命だ。問題は「もし」ではなく「いつ」であり、誰が手を下すかということだ。

第8章

四騎士が共有する「覇権の8遺伝子」

いつか第五の騎士となる企業、すなわち時価総額1兆ドルを達成し、世界の一角を支配するだけの市場優位性を備えた企業が現れるだろう。現在の四騎士のどれかに取って代わる企業が生まれる可能性はもっと高い。そんなエリート集団に加わりそうな企業を特定することはできるだろうか。

歴史は繰り返さないが韻を踏む——これはマーク・トウェインが言ったとされる言葉だ。四騎士に共通する8つの要素がある。①商品の差別化、②ビジョンへの投資、③世界展開、④好感度、⑤垂直統合、⑥AI、⑦キャリアの箔づけになる、⑧地の利。これらの要素からあるアルゴリズム、1兆ドル企業になるためのルールが生じる。私の会社L2では、これをよりよい資本配分のためのTアルゴリズム（Trillion algorithm）と呼んでいる。

これら8つの要素について説明していこう。

①商品の差別化

小売業の世界で株主価値を築くための大きな強みといえば、以前は場所だった。人々が近所の店よりも遠くの店に出かける機会はあまりなかった。やがて強みは流通になった。鉄道の発達により、消費者は大量生産されて価格が下がったさまざまな製品を選ぶ機会を得た。そこから信頼できるブランドが生まれた。

その後は製品の時代が来る。それは特に自動車と家電で顕著で、主に第二次世界大戦の平和の配当であるイノベーションによって育まれたものだ。人々は前より高性能の車、洗濯機、テレビ、上質な服を手に入れられるようになった。第二次世界大戦時に革のボマージャケット、シリー・パティ（粘土のおもちゃ）、レーダー、電子レンジ、ジェットエンジン、トランジスタ、そしてコンピュータが発明された。

そこから金融の時代へと向かう。企業グループが安い資本を使って他社を巻き込みながら、ＩＴＴなどの巨大コングロマリットを築いた。

このあと、80年代から90年代の偉大なるブランドの時代がやってくる。この時代の株主価値の構築のカギとなるのは、ごくふつうの製品――靴、ビール、石鹸――のまわりに、人々が憧れるような、目に見えない価値を築き上げることだった。

製品の時代

第2章で論じたように、私たちはふたたび製品の時代にいる。新しいテクノロジーとプラットフォーム――フェイスブックやアマゾンのユーザーレビュー――により、消費者は幅広い製品について、短時間で細かく評価できるようになった。これは以前なら店に行かなければできなかったことだ。これほど細かい評価がいまほど楽にできる時代はかつてない。

その結果、すでに人気のある製品ばかりが売れるという状況は減っている。製品がよければ、数多くの雑多なものの中から発見されるチャンスが増えているのだ。以前はものがよくても、マーケティングなしでは気づかれることが少なかった。

さらにいまでは、物質にデジタルの〝脳〟を入れることができるようになった。おかげでカスタム可能なアプリをすばやくダウンロードして製品をアップグレードするという、イノベーションの新たな波が訪れた。

昔は、マットレスはただのマットレスにすぎなかった。やがてiPadなどのテクノロジーが出現した。そのテクノロジーによって、あなたやパートナーにとっていちばんいい固さに自動的に調節されるようにプログラムされたマットレスが現れた。

また、最高のマットレスをネットで注文することもできる。湿っぽい倉庫のようなマットレス販売店に行かなくても、自宅まで届けて箱から出すところまでやってもらえる。

私が車の調整をするときは、車をディーラーに持っていかなければならない。しかし隣人はテスラのオペレーティング・システムにワイヤレス通信で送信してもらえばすむ。調速機をはずして最高速度を140キロから150キロにする指示を、離れたところから受けることができるのだ。

固定電話を誰が使っていたかすら忘れてしまうほど、時代は進んでしまった。

この世のほぼすべての製品、日常化した製品やサービスでさえ、新たな価値を生み出している。安いセンサー、チップ、インターネット、ネットワーク、ディスプレイ、検索、ソーシャルサービスなどが大活躍だ。こんにち、供給、製造、流通チェーンのつながりのほぼすべてで、新しい差別化の手段がある。突如、テクノロジーと保護された知的所有権で発展する製品がヒットするようになった。

バリューチェーン全体で商品を差別化

ここで言う製品の差別化とは、形あるものに限るという考えにとらわれるべきではない。差別化は消費者がそれを見つける場所、買い方、製品そのもの、配達法など、さまざまなところで起こりうる。
ためしにあなたが扱っている製品やサービスについて、もとの材料から製造、小売り、使用、処分まで、バリューチェーンをまとめてみよう。どこに技術的な工夫をすると価値が高まるか（プロセス・経験から苦痛を取り除けるかなど）を考えてみるといい。もし改善の余地がある段階が目に留まったら、そこで新しい会社を始める。消費者経験を充足させるという段階に技術と数十億ドルを注ぎ込んでいるアマゾンは、世界一価値のある企業となる可能性がある。

アマゾン登場以前は、高級なウィリアムズ・ソノマのキッチン用品を注文すると、届くのは1週間後だった。その上、送料が34ドル95セントもかかった。それがいまでは送料無料で2日以内には到着する。サプライチェーンでいちばん顧客に近い部分でありながら、テクノロジーとは縁の薄い部分が、ビジネス史上最も価値あるものになったのだ。

面倒を減らす

新しいアイデアを考えているとき、起業家は何を付け加えればいいか——顧客におもしろい体験をさせられるか——ばかり考える。何かを減らして面倒を取り除こうと考えることはまれだ。しかし過去10年間で大きな価値を生み出したのは、何かを減らす工夫だったと私は思う。

生物である私たちは、主に自分を幸せにしてくれるものを見つけ出す。愛する人たちと過ごす時間、体や心への刺激、そうした感情を高めたり鎮めたりする物質、いつでも好きな番組が見られる動画配信サイト、しゃれた文言が書かれた教会の看板。

インターネット時代の競争上の強みは「より多く、より安く」から生じると思いたくなるかもしれない。たしかにアマゾンはその強みを十分に活用している。しかしアップルはどうだろうか。それはずっと高級ブランドだった。たしかにライバル会社のものより製品は優れている。しかしアップルがつけている価格ほど段違いに優れているわけではない。

私は、アマゾンは商品に実際の店舗と同じくらいの値段をつけても、市場を支配できると思っている。それはなぜか。価格が同じであろうと、何度かコンピュータのキーを叩くだけで本や家具を買えるほうが、はるかに楽だからだ。

そうでなければ車で地元のモールへ行き、駐車スペースをさがして、そこから半マイルほど歩いて店に入って何千とある興味ない商品に圧倒され、買ったものを車で運んでまた運転して帰らなければならない。アマゾンはそれらの面倒をすべて取り除く。あなたが買ったものを、自分で運転するときのガソリン代より安く家まで運んでくれるのだ。

たしかに技術革命で爆発的に増えた価値は、新しい機能や能力によってもたらされた。しかしもっと大きな助けとなったのは、日常生活から面倒な手続きと時間のかかる作業を取り除いたことだ。

面倒はあらゆるところにある。たとえば輸送にも面倒なことはたくさんある。ウーバーはそこにチャンスがあると見て、GPS、メール、オンラインでの支払いなどを導入した。車を呼ぶときの不便や不安を取り除いたのだ。そのおかげで「車はいまどこ?」といらだったり、降りる前に財布をさがしてバッグの中をかきまわしたりする必要がなくなった。最近、ウーバー方式に慣れすぎて、お金を払わずにタクシーを降りようとした人も多いのではないだろうか。

支払いは面倒な作業だ。それがいまなくなりつつあるということは、重要な事実である。ホテルのチェックアウトが10年前になくなったように、10年後にはチェックインも過去のものになるだろう。ヨーロッパの一部の高級ホテルでは、すでに食事のあと請求書にサインをする必要はなくなっている。ホテル側が客の素性を認識して勘定をつける。面倒が減って満足度が高まる。

四騎士にはそれぞれ優れた製品がある。すでに誰もが知っていることだが、グーグルは本当にすばらしい検索エンジンを持っている。アップルのiPhoneは他より優れている。フェイスブックの整理されたフィィード、〝ネットワーク効果〟(誰もが参加している)、そして絶えず導入される新しい機能。それらが組み合わされて、フェイスブックはどんどん便利になっていく。アマゾンはショッピングの体験と期待の形を変えた。1クリックで注文すると2日以内に製品が届く（いずれドローンやUPSが以前使っていたトラックで、数時間で届くようになるかもしれない）。

これらは実体のあるイノベーションであり、製品の差別化の核心である。それができたのは、安い資本と技術イノベーションのおかげだ。

〝製品〟はいまルネサンス期にある。そしてそれはTアルゴリズムの第一の要素である。もしあなたの会社の製品がうまく差別化されていなければ、広告という手段に訴えるしかない。しかしそれは効果が減りつつある上に、いまだ高額である。

②ビジョンへの投資

四騎士の高い競争力の第二の要素は、安い資本を集める力である。それには理解しやすい大胆なビジョンが必要だ。第2章で、アマゾンにとってビジョンへの投資がどのような役割を果たしているかを論じたが、これは四騎士の3社に共通している。

グーグルのビジョンは「地球上の情報を整理する」である。シンプルで説得力があり、株を買いたくなる。グーグルはかつて存在したどのメディア企業よりも、エンジニアに投資できる資金を持っている。そのため自動走行車など、より多くの〝もの〟づくりを計画できる。

フェイスブックのビジョンは、「世界をつなぐ」ことである。それがいかに重要で、驚くべきことか考えてみよう。フェイスブックはいまやウォルマートよりも価値があり、時価総額は4000億ドルを超えている。[1] グーグルと同じように大胆な策を次々と打ち出し、長い育児休暇を認め、社員の通勤用のバスを走らせ、自社ビルの屋上を公園にしている。さらには卵子凍結のための費用まで出しているのだ。子どもをつくる時期を気にせずに実際の人類への貢献——世界をつなぐこと——に集中できるようにするためだ。

2016年の感謝祭の時期、アマゾンはプレゼント用商品のオーガニック検索結果で、最大のシェアを占めた。[2] アマゾンはグーグルにとって最大の顧客だ。検索を自社に有利に導くサーチエンジン最適化（SEO）は、コアスキルなのだろうか。たしかにアマゾンはこのスキルをきわめてうまく使っている。しかしそれも、何千万ドルものキャッシュを注ぎ込まなければ意味をなさない。

商品をさがすとき、最初にグーグルを使う人は6人に1人。[3] グーグルは世界第2位のショーウィンドウだ（第1位はアマゾン）。最初にアマゾンを使う人は55パーセントに上る。これらは急激に成長しているオンライン・コマースというチャンネルで、世界に向かって見せているショーウィンドウなのである。

誰でもそのウィンドウの一角を購入し、グーグル検索のトップに上ることができる。誰かが「スター・ウォーズ　アクションフィギュア」と打ち込むと、有料登録で最高値をつけていた小売店がいちばん上に出てくる。

そしてアマゾンがそれを他の組織ではできない規模で行えるのは、安い資本を持っているからだ。同社は他とは違ったルールで動いており、そしてまったく違うカードを使っている。J・クルーの会長、ミッキー・ドレクスラーはこう指摘している。「金を儲けるつもりのない大企業と競争するのは無理だ」。

ビジョンへの投資の強みが競争上の強みを生む。その理由は、じっくりと資産（投資）を増やして、より多くのイノベーション（ばかげているように見えても世界を変えるかもしれない）により多くの資金を注ぎ込めるからだ。

もちろん、最終的には自分の大きなビジョンについて、目に見える進歩を株主に示す必要がある。しかし光の速さで成長し、市場から革新者の称号をもらえれば、過大なほどの評価という報酬が与えられる。

それに、安い資本で実現した自己達成的予言（「我々はナンバーワンだ」）もある。現在のデジタル時代における天才とは、次のようなＣＥＯのことだ。ビジョンを雄弁に語るストーリーテリングの才能を持ち、マーケットの予想を把握する。それと同時に、自分の周囲を、ビジョンに対して毎日少しずつ進歩させられる人々で固めることができる。

③世界展開

Tアルゴリズムの3番目の要素は、世界に打って出る能力だ。本当の意味で大きな意義のある会社になるには、国境を越えて世界中の人にアピールする製品が必要だ。

投資家が望むのは大きいだけでなく多様な市場である。世界のあらゆる場所で成功できれば言うことはない。それを実現すれば、投資家はふたたび安く資本を投入してくれるだろう。もし世界的に売れそうな商品があれば、ターゲットとなる消費者が70億人もいることになる。これが1つの国だけだと、中国でも14億人、アメリカやEUだと3～5億人にしかならない。

世界を支配する必要はない。むしろ必要なのは、あなたが持っている製品やサービスが〝デジタル的〟であり、ふつうの文化摩擦のルールは当てはまらないと証明することだ。

アメリカ以外の国で収益を増やしたことは、ウーバーの評価を（収益の何倍も）高めた。アメリカ以外の国で稼いだ最初の1ドルによって、同社の価値は数十億ドルも増したのだ。

もし第五の騎士になりたければ、あなたの会社の製品にパスポートを持たせる、つまり世界

アメリカ以外の国で上げた収益の割合（2016年）

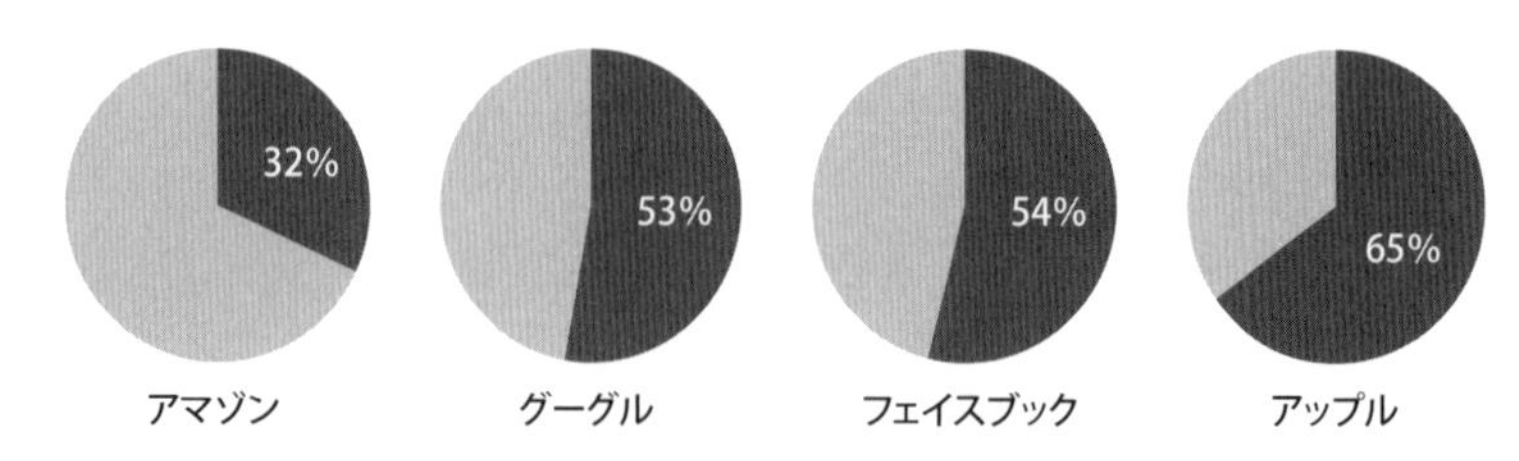

"Facebook Users in the World." Internet World Stats.
"Facebook's Average Revenue Per User as of 4th Quarter 2016, by Region (in U.S. Dollars)." Statista.
Millward, Steven. "Asia Is Now Facebook's Biggest Region." Tech in Asia.
Thomas, Daniel. "Amazon Steps Up European Expansion Plans." *The Financial Times.*

中に売り込む必要がある。それも創業から5年以内にだ。

　四騎士も最初から世界に打って出ていただろうか。グーグルを除いて、答えはノーだ。しかしまさに四騎士の存在が、その後のルールを変えたのだ。

　四騎士の中で最もグローバルで成功したのはアップルだ。アップルのブランドはほぼすべての国で受け入れられている。グーグルもうまくいっている――成熟した市場で強い――が、中国からは閉め出されている。フェイスブックはユーザーの3分の2がアメリカ以外の場所にいるが[4]、収益の半分はアメリカで計上されている[5]。ユーザーの数で言うと最大の市場はアジアであり[6]、それはつまり今後も手堅い成長が見込めるということではある。アマゾンはアメリカよりヨーロッパでのほうが成長スピードが速い[7]が、アジアではまだそこまで大きくない。

④ 好感度

印象は大切だ

ビジネスの世界に規制はつきものだ。企業の成長には、政府、独自の監視集団、そしてメディアが大きな影響を与えている。

そのため、大きく成功するためには企業がよき存在、よき市民であり、国や国民、従業員、製品を調達するサプライチェーンに関わる人々に配慮しているとみなされる必要がある。そうすれば、悪い評判から身を守る防護壁を築くことができる。それを実現したシリコンバレーのマーケター、トム・ヘイズは「マイナスのニュースが出たとき、よい会社に悪いことが起こったと見てもらいたい」と述べた。

イメージはとても重要だ。外からどう見えるかが会社の現実である。そうなると好感度が高く、かわいげのある存在になることが重要になってくる。これがTアルゴリズムの第四の要素である。

ビル・ゲイツとスティーブ・バルマーは、好感度も低くかわいげもなかった。事実、彼らが去ったあと、部屋のムードはぱっと明るくなった。そのためマイクロソフトがある程度の影響力を持つようになると、ヨーロッパ中の地区検事長や取締官が突然、この魔物を追いかけ始めた。それが知事公邸や国会への近道だと考えたのだ。

企業の好感度が低いほど、筋の通らない理由で反トラスト、反プライバシー保護の取り締まり対象に選ばれやすくなり、すばやく行政介入が行われる。私たちはこのプロセスはもっと慎重に精査され、ある種の公正、あるいは法に基づいて行われていると思い込んでいるが、実は違う。法律は結果を左右するが、企業を法廷に引っ張り出すか否かは主観が左右する。そしてその見解は往々にしてその企業が善良か否か、あるいはしおらしく見えるか否かに基づいている。

覚えている人もいると思うが、インテルが連邦捜査局に追及されていたとき、マイクロソフトも追及されていた。どちらも理由は独占的な行為だった。インテルのCEO、アンドリュー・グローブは、アメリカ産業界で最も恐れられていた人物の1人だった。しかし連邦捜査局の調査が入ったとき、彼はビジネス史上最大の懺悔(ざんげ)を行った。彼はSECに慈悲を乞い……許された。一方で彼よりはるかにおとなしかったビル・ゲイツは、連邦捜査局に対して断固たる態度でのぞんだ。そして……10年後、神の恩寵を失ったと見られるようになった。

四騎士は「かわいげ」がある

グーグルはマイクロソフトに比べれば、大いにかわいげがある。そしてグーグルのセルゲイ・ブリンとラリー・ペイジは、ビル・ゲイツとスティーブ・バルマーよりも好感度が高い。移民でハンサムで、物語性がある。

そしてマリッサ・メイヤー（グーグルの元副社長）には惹かれずにいられない。ウィスコンシン州出身のブロンドのエンジニア、のちに『ヴォーグ』の誌面を飾るほどの人物。グーグルによる新聞壊滅（おっと、将来の、という意味で）についての上院での公聴会に、メイヤーが送り込まれたのは偶然ではない。「グーグルが新聞の広告ビジネスをつぶしたら、ジャーナリズムはどう生き残れるというのか」といった厳しい質問に、メイヤーはこう答えた。「いまはまだ時期尚早です[8]」。それは新聞にとって、試合終了を宣言されたのと同じだ。白髪の上院議員たちは彼女の発言を信じ込んだ。

「私は簡単に納得しない人間だ。アップルは好きじゃない」と手を挙げて言える保険セールスマンあがりの議員（下院議員でいちばん多い前職[9]）がいるだろうか。アップルはアメリカのビジネス史上最大の税逃れ企業だが[10]、アップルはかっこいい。誰だってイケてる子と友だちになりたい。

それはアマゾンも同じだ。昔ながらのどんくさい小売りに比べて、eコマースはかっこよくてイケてる。2017年3月、アマゾンはすべての州で売上税を払うことを決定した。[11] 同社はいまやウォルマートよりも時価総額が高いが、2014年まで5つの州でしか州の売上税を払っていなかった。一方、補助金の恩恵は10億ドルを超えている。アマゾンに10億ドルもの政府補助金が必要だったのだろうか。あまり多くの利益をあげないよう注意深く操作することで、アマゾンは時価総額5000億ドルに近づきつつある。しかしアマゾンは、法人税をほとんど払っていない。

フェイスブックはどうだろう。フェイスブックの仲間だと思われたくない人はいない。年寄りのCEOたちも、パーカーを着たマーク・ザッカーバーグと同じ舞台に立ちたいと思っている。彼がチャーミングでないとか、話が下手だとかは問題ではない。彼はスキニー・ジーンズのようなもので、それを試そうとする人は誰でも若く見えるのだ。

シェリル・サンドバーグ（訳注：フェイスブックのCOO。著者『LEAN IN——女性、仕事、リーダーへの意欲』〈2013年〉はベストセラーになっている）も重要だ。彼女はとても好感度が高く、現代の成功した女性の典型とみなされている。「さあ、みんな、一歩踏み出して（リーン・イン）！」。

フェイスブックがマイクロソフトほど詮索されないのは、人々に好かれているからだ。つい最近、フェイスブックは「メディア会社ではなくてプラットフォームだ」と主張して、フェイクニュースに関する責任を逃れようとした。言論の自由の陰に隠れて、フェイスブックは知らず知らずのうちに、未曾有の規模で真実を殺しているのかもしれない。人気者は得なのである。

⑤垂直統合

Tアルゴリズムの第五の要素は、ものを買うときの消費者体験すべてを垂直統合でコントロールできることだ。四騎士はすべて流通をコントロールしている。製品を自社生産していなくても、その調達、営業、販売、サポートを行う。

リーバイスには流通をコントロールする仕組みがなかった。1995年から2005年で、時価総額が70億ドルから40億ドルに減少したのはこのためだ。大衆百貨店の中を歩いていると、リーバイスのジーンズが積み上げられているのをよく見かけた。これは夢のある経験ではない。

カルティエは店内での経験へのこだわりに賭けて、ロレックスのブランド価値に追いつきつつある。ことによると超えているかもしれない。どこでどのように時計を買うかは、とても重要なことなのだ。

広告への投資の利益率は低下している。だから成功するブランドは統合を推し進め、自前の店舗を持ち、ショッパー・マーケティング（訳注：買物客をターゲットとするマーケティング）を行う。P&Gはいずれ食料品の小売店を買収するだろうと、私は信じている。彼らは流通網を開発する必要があるが、アマゾンを頼ることはできない。アマゾンは友に見せかけた敵なのだ。

グーグルは購買時点を支配している。2000年、グーグルは急成長していた。そのため、当時最大の検索エンジンだったヤフーが、グーグルの検索をヤフーのホームページで提供する権利を購入した。それはすでに過去のことだ。

フェイスブックはアマゾンと同様に、明らかに垂直的だ。どちらも商品を生産していないが、どちらも材料調達と製造以外、ユーザー体験全体をコントロールしている。

アップルの最大のイノベーションはiPhoneと考えられているが、同社を5000億ドル企業への軌道に乗せたのは、直営店をつくって流通とブランドについての支配権をもぎとったことだ。当時その決定には、ほとんど、あるいはまったく意味はないと思われていた。

時価総額5000億ドルを目指すなら、企業は垂直的でなければならない。それは言うは易く行うは難しだ。流通機構を構築するのは高くつくため、ほとんどのブランドは他社のものを使用する。もしあなたが若者向けの服飾デザイナーなら、世界の12の重要地区以外に、自社店舗を建てることはないだろう。そこまでの資金はない。その代わりに自社の製品をメイシーズやノードストロームを通して販売する。ナイキでさえも、自社の直営店をつくるより大手アパレルチェーンのフットロッカーを通して販売したほうがはるかに効率がいい。

四騎士はすべて垂直的だ。流通の大半をコントロールせずに上を目指す姿勢を維持できるブランドはほとんどない。サムスンがAT&T、ベライゾン、ベスト・バイの店舗に頼り続けていたら、あそこまで人気が高まることはなかっただろう。

15年前、アップル・コンピュータを修理してもらうのに、どんなところへ行っていたか覚えているだろうか。そこには、女の子にキスしたこともなさそうな、ファンタジー・アドベンチャー・ゲームのプロのような店員がいた。彼が立っているカウンターの前にはむき出しの基盤が山をなし、その横には雑誌『マックワールド』が積み上げられていた。

変化の必要性を感じたアップルは店員に青いシャツを着せ、〝ジーニアス〟という肩書を与えて、アップル製品を生き返らせる場所に配置した。アップル製品が特別でエレガントであることを強調するためだ。いまアップルストアは、意図的に美しくつくられている。アップルストアに行くと、アップルとその製品を購入する人々は〝いいものをわかってる〟ことを実感できるのだ。

⑥ＡＩ

Ｔアルゴリズムの6番目の要素は、データへのアクセスとその活用能力である。1兆ドル企業は人間がインプットしたデータを学習し、それをアルゴリズム的に記録するテクノロジーを持たなければならない。提案を向上させるためのアルゴリズムに送り込める山ほどのデータだ。そのテクノロジーは、数学的最適化によってほんの一瞬で顧客の個人的なニーズを予測する。それに加えてユーザーがそのプラットフォームを使うたびに結果が向上し、他のユーザーや将来の顧客のためにもなる。

マーケティングの歴史

マーケティングの歴史は、顧客のターゲティングに関する、3つの大きな変化で分析することができる。第一の時代はデモグラフィック・ターゲティングである。これは都市部に住む45歳白人男性は、理論的には行動も匂いも話し方も同じなので、全員が同じ製品を好むという考え方だ。これがほとんどの広告の基本となっていた。

その後は長くソーシャル・ターゲティングの時代が続く。かつてフェイスブックはこの考え方を基本にしていた。年齢、居住地、職業などは関係ない。2人の人間がフェイスブックに登場する同じブランドを〝気に入った〟なら、その2人は似ているのだ。だからターゲティングする集団として同一に分類されるべきだ。フェイスブックは広告主にそう信じさせようとした。

しかし、それはまったくのでたらめということが明らかになった。それはただフェイスブックのブランドのページの〝気に入った〟ものが同じなだけで、すべての人が同じ製品やサービスを望むわけではない。ソーシャル・ターゲティングは失敗だった。

新しいマーケティングは行動ターゲティングである。そしてこれはうまくいっている。

将来の購買行動を予測するのにいちばんいい材料は、あなたの現在の行動だ。もし私がティファニーのウェブサイトに行き、婚約指輪を検索し、どこかの店で指輪を買う予約をしていたら、私はもうすぐ結婚する可能性が高い。もしアウディのサイトで長い時間を費やし、A4という車種について調べている人がいたら、3万ドルから4万ドルの4ドア高級セダンを買うことを検討している。

人工知能のおかげで、これまで想像もできなかったレベルと規模で、ある人の行動を追跡できるようになっている。私がウェブでアウディの広告を山ほど目にするようになったら、それは偶然ではない。メディアの水面下では、行動とある特性を結びつける激しい戦いが起こっている。

自分だけが得意な分野で戦う

しかし先はまだ長い。私はミュンヘンからバンコク行きの飛行機の中でこれを書いている。ミュンヘンでは大いに有意義なＤＬＤ（デジタル・ライフ・デザイン）会議で講演を行った。ＤＬＤは最先端を走る人間たちのダボス会議だ。イノベーション分野の信者たちがミュンヘンに巡礼の旅をして、現代の使徒――カラニック（ウーバー創業者）、ヘイスティングス（ネットフリックス創業者）、ザッカーバーグ、シュミットなど――の足元にひざまずく。

当然ながら、私は彼らのような偉大な人物と肩を並べることはできない。そこで私は講演により多くの人を集め、より多くの視聴者をYouTubeで獲得するために、ある戦略を立てた。私はかつらをつけてダンスを踊った（これは冗談ではない）。正々堂々と戦うことはしない。これはすべての優れた戦略の基本だ。

ここで私の言いたいことは「あなたが得意なことで、ほかの人にまねできないくらい難しいことをするべきだ」ということだ。

講演では、私はまず何か聴衆の気を引くことを言う。たとえばアップルが世界最大の脱税企業でいられるのは、議員が彼らを大学キャンパスの女王のように扱うからだ、とか。女王様が少しでも自分を見てくれるだけで、彼らはうっとりとして、理不尽なことをされても気にしなくなる。

また、ウーバーは社会にとって恐ろしいビジネスを推し進めている、とか。4000人のウーバーの従業員とそこに投資する人々で800億ドルを分けることになるが、ウーバーで働く160万人のドライバーの賃金は、ワーキングプアのレベルにまで激減する。

かつて私たちは何千、何万もの中産階級や上流階級になりうる仕事を生み出す企業を賞賛してきた。しかしいまの時代のヒーローになっているのは、ひと握りの領主と何万人もの農奴を生み出している企業だ、などがその例だ。

DLDのようなイベントに出席するCEOたちは、私の主張に反応できない。もししてしまったら、マーケットが反応して大騒ぎになる可能性があるからだ。それに加えて、非公開の情報をうっかりしゃべってしまったら、深刻な法的トラブルになるかもしれない。

だから私は好き勝手にショーを進めることができる。ほかの講演者は入念にリハーサルを行い、内容をチェックされる。そのため投資家向けプレスリリースに書かれていないような話題を入れられない。そんな話には新鮮さがない。だからみんな私の話を聞きに来るのだ。私は自由に真実を話すことができるし、少なくとも真実を追求することができる(しょっちゅう間違っているが)。

データが最強の武器である

しかしCEOたちは私の話を聞いてほほ笑む。その笑みはポーカーでエースを握っている人間の余裕の笑みだ。そのエースとはデータである。

過去10年、世界で最重要な企業はデータのプロ──捕獲、分析、使用のプロ──になった。ビッグデータとAIの力によって、標本と統計の時代は終わりを告げようとしている。いまでは世界中のすべての店について、すべての客の買い物パターンを追跡し、分析できる。さらには、その分析結果をほぼ即座に割引、在庫の変更、店のレイアウトなどに反映させられる。しかも1年365日24時間休みなしだ。さらにいいのは、瞬間ごとに自動的に反応する技術を組み込めることだ。私の好きなAI使用法はネットフリックスのシリーズ番組の次回エピソードの自動再生だ。これは他のプラットフォームでもまねされている。

その結果、かつては不可能だったレベルで、顧客(実のところは人間の性質そのもの)についての理解が進むことになった。そして小規模な地域企業には基本的に対抗不可能な、競争上の優位性がもたらされた。四騎士は魔法使いになったのだ。

要素だ。

四騎士はデータをどう使っているか

データを活用し、製品をリアルタイムでアップデートする技術は、第五の騎士のカギとなる要素だ。

消費者が何を好むかについてのデータを、どこよりも多く集めることができるのはグーグルである。グーグルはあなたのこれまでの足取りだけでなく、これから向かおうとするところまで見通せる。殺人課の刑事が犯罪現場に到着し、そこに容疑者がいたら――だいたい配偶者――まず容疑者の検索履歴で、あやしい検索語を調べる（たとえば「夫を毒殺する方法」）。当局が洗剤を買おうとする客の意図を理解するためにグーグルを使うことはないだろう。しかし爆弾をつくるために肥料をさがしている組織が浮かび上がるかもしれない。

グーグルは膨大な量の行動データを管理している。しかし個々のユーザーは我々が知る限り、匿名で分類される。自分の名前と写真が、自分がグーグルの検索窓に打ち込んだものすべてのリストと一緒に並べられていると思ったら、たいていの人は気分が悪くなるだろう。それにはもっともな理由がある。

ここで少し、あなたの写真と名前が、グーグルの検索窓に打ち込んだことすべての上に出てくることを想像してみよう。あなたは間違いなく、ほかの人には知ってほしくないばかげたたわごとを書いているはずだ。だからグーグルはこのデータを集めても、この年齢層の人々、この特性を持つ集団、平均的な人々は、こうしたことをグーグル検索しているとしか言えない。

それでもグーグルは大量のデータを持っていて、特定の個人にではなくても、特定の集団とつながることができる。もし自分が見つけられることはないと思っていても、これだけは覚えておいたほうがいい。グーグルはかつて、定期的に記録を消していると主張していた。その話はどうなっただろうか。

フェイスブックは特定の活動と、特定の個人に結びついている。フェイスブックを毎日積極的に利用している人は10億人いる。人々はフェイスブックで大いに生活を語り、行動、欲望、友人、つながり、恐怖、買いたいものを記録する。

その結果、グーグルとは違って、フェイスブックは特定の個人のデータを追跡できる。これはある特定のユーザーに商品を売り込むときの大きな力となる。

私が香港にファミリー層向けのホテルを持っていたら、フェイスブックに行ってこう依頼するだろう。所得が一定レベルを超え、少なくとも年に2回は香港を訪れる家族をターゲットにした広告をつくってくれ。フェイスブックはその条件に合った消費者を、以前ならとても想像できなかった規模で特定し提示してくれる。それはデータと個人を結びつけることができるからである。私たちがそれを気持ち悪いと感じないのは、その情報を自分たちで公開しているからだ。

アマゾンは3億5000万人分のクレジットカードと客のプロフィールを保管している。地上のほかのどんな企業よりも、アマゾンはあなたが好きなものを知っている。個人と買い物パターン、そして行動を結びつけることができるからだ。

アップルも負けていない。アップルは10億人分のクレジットカード情報を持ち、あなたがどのメディアをよく使っているかを知っている。アップルペイを使っていれば、それ以上のことを知っている。アップルもまた、購買データを個人に結びつけることができる。そのような独自のデータセットは、情報時代における金鉱であり油田である。

同じくらい重要なのは、これらの企業は消費者の行動パターンを明らかにして提案を向上させるために、ソフトウェアとＡＩを活用するスキルを持つということだ。アマゾンは何がいちばんうまくいくかを調べるために、ｅメールで膨大な数のマーケティングテストを行う。グーグルは誰よりも速くあなたが何をしようとしているかを察する。フェイスブックはあなたの行動や人間関係を明らかにする可能性が高い。

こうしてかつてないほど人間の才能やデータを集積する目的は何か。それは商品をもっとたくさん売るということだ。

⑦キャリアの箔づけになる

Tアルゴリズムの第7の要素は、トップクラスの人材を集める力である。そのためには求職者にとってキャリアの箔づけになる仕事であるとみなされる必要がある。

テクノロジーに強い人材の争奪戦は過熱している。最高レベルの従業員を惹きつける能力は、四騎士すべてにとって最優先の問題だ。若い消費者だけでなく、社員候補の人材の間でもよい評判を築くことが、成功するためには重要だ。

実際のところ、現在そして将来の従業員の間のブランドとしての価値は、どのくらいの顧客を持っているかよりも重要だ。それはなぜか。最高のプレーヤーがそろっているチームには安い資本が集まり、イノベーションが進み、上昇スパイラルがさく裂し、競争をリードすることができるからだ。

あなたがもし卒業生代表を務めたなら、知性、根性、そしてEQというジェット噴射器を背負っている。飛び方を覚える前のアイアンマンのようなものだ。勢いや駆動力は大いにあるが、あまり進歩はない。あなたは正しい方向を示し、キャリアに箔をつける、適切なプラットフォームを見つける必要がある。

四騎士ならそれができると考えられている。才能のある25歳の社会人が30歳までに、役割、報酬、名声、チャンスの面で、四騎士以上に先へ進める場所は少ない。だから4社のいずれかで働くための競争は熾烈をきわめる。

陸軍士官学校では、第1日目の夕食時に、士官候補生たちを立たせて、子どものころに何か大きなことをやりとげたか尋ねるのが恒例である。卒業生代表だったとか、スポーツで記録を打ち立てたとか、イーグルスカウト（訳注：ボーイスカウトの最高位）に選ばれたとか、ナショナル・メリット・スカラーシップ（訳注：優秀者奨学金）を獲得したとか。そして候補生たちが周囲を見回すと、全員がそうしたことをやりとげているのを知って驚愕する。

四騎士でも同じことが起こる。すばらしい実績は応募の最低ラインなのだ。グーグルが応募者に変わったテストを課すのはよく知られているが、その中には答えがないおかしな質問もある。このプロセスはメッセージである。これを乗り越えられたら、きみはエリートの仲間入りができる。同世代で最も輝かしいメンバーの一員なのだと。

このプロセスが実際にうまくいっているという証拠はないが、そんなことは問題ではない。四騎士のどこかで職を得るということは、テクノロジーの秘密結社へのチケットを手に入れたということだ。あなたのキャリアはまっすぐ上へと向かうことになる。

⑧地の利

場所は重要である。過去10年の間に時価総額が何百億ドルも増加した企業は、ほぼ例外なく世界的な技術系あるいは工学系の大学に自転車で通える距離にある。国家的企業であるカナダのＲＩＭ（ブラックベリーの旧社名）、そしてフィンランドのノキアも、それぞれ最高峰の大学のそばにある。トップレベルのエンジニアを育てる大学との太いパイプラインを築く力が、Ｔアルゴリズムの８つ目の要素である。

四騎士のうち３社――アップル、フェイスブック、グーグル――は、世界レベルの工学系大学であるスタンフォード（大学ランキング２位）と良好な関係にある。さらにカリフォルニア大学バークリー校（同３位）からも自転車で通える距離にある。[12] アマゾンに近いワシントン大学（同23位）も同等のレベルであると考える人が多いだろう。

キャリアの箔づけ企業となるためには、原材料を持たなければならない。かつては炭鉱のそばに発電所を建てていたが、現代は一流の工学、経営、教養の学位を持つ人材が集まる場所に企業をつくるのだ。

テクノロジー――ソフトウェア――は世界を支配しようとしている。いまはソフトウェアのプログラミングができるだけでは十分ではない。企業、あるいは消費者にとっての価値を上げる力と技術の両方を追求するセンスを持つ人材が必要だ。そのような仕事ができるトップレベルのエンジニアとマネジャーの多くは、トップレベルの大学出身だ。

さらに今後50年、世界のGDPの成長は都市部で起きる。都市には最高の人材が集まるだけでなく、都市が最高の人材を生み出す。競争とチャンスがあふれる場所で働くことは、トップ・プロテニスプレーヤーとラリーをするようなものだ——あなたのプレーもどんどんよくなる。

イギリスやフランスを含め、多くの国で国家のGDPの50パーセントは都市部で生まれている。大企業の75パーセントは、いわゆる巨大都市圏にある。今後25年間、この傾向はさらに進む可能性が高い。

それは企業が優秀な若者を捕まえる必要があるからで、逆ではない。近年のアイコン経営者たちはアーバンキャンパスを開き、子持ちの大人よりも、ひげ、タトゥー、そして工学の学位を持った若者を優先するようになっている。

†

Tアルゴリズムの適用は簡単にできる。私はナイキに1兆ドル企業を目指すなら、以下の3つを実行するべきだと告げた。

・消費者への直販の比率を、10年で40パーセントにまで増やす（2016年は10パーセント未満）
・もっとデータを活用し、それを製品の特長として組み入れていく
・本社をポートランドからほかへ移す

私が学んだのは、アルゴリズムによる分析は簡単だが、相手に自分の主張（「本社をポートランドからほかへ移す」）を聞かせるほうが難しいということだ。

第9章

NEXT GAFA——第五の騎士は誰なのか

ここでは騎士の特徴のチェックリストであるTアルゴリズムを、第五の騎士になりそうな可能性を持つたくさんの新興企業に当てはめてみよう。これらの企業が優れているのはどこで、足りないのは何なのか。そして第五の騎士になるには何を必要とするのだろうか。

ここで紹介する企業リストは包括的なものを目指すのではなく、むしろ幅広く思考を刺激することを目的としている。偉大な企業は技術の進歩、マーケットの変化、人口構成の変化などによって、まるで降って湧いたように現れるのだ。

四騎士にはすべてに共通するものがある。一方で、デジタル時代にはっきりとした役割を担い、それぞれ違った道筋で頭角を現した。

フェイスブックとグーグルは25年前には存在しなかった分野を支配している。他の2社、アマゾンとアップルはすでに確立していた分野の企業だ。

アマゾンが安い資本を集めて無茶なほどの効率的運営を行い競争を勝ち抜く一方、アップルは製品のイノベーションを進め、高級品として業界の主導権を握っている。まったく新しい数十億ドルの製品カテゴリーと、世界の誰もが憧れる偉大なブランドを生み出した。フェイスブックは創業者が32歳になるまでにユーザー10億人を達成し、アップルは1世代でいまのような世界的企業を築いた。

デジタル時代を形づくる次の企業――第五の騎士――が、デジタル時代を担う業界や大学中退者が率いる鳴り物入りのユニコーン（訳注：時価総額10億ドルを超える新興企業）であると思い込むべきではない。また次の騎士はアメリカで生まれると思い込むべきでもない。ただし成功へ至る道の途中でアメリカの市場で優位に立つ必要はある。

さらに私たちは、四騎士が今後何十年も絶対にいまの地位にとどまると思い込むべきでもない。

1950年代と1960年代にはIBMがエレクトロニクスの世界を支配していたのだ。それがハードウェアで乗り遅れた。IBMは巧妙なリーダーシップを発揮して、コンサルティング企業に移行した。

ヒューレット・パッカードが世界最大のテック企業だったのは、ほんの10年前のことだ。それがリーダーに恵まれず転落し、やがて崩壊した。

マイクロソフトはビジネスの世界全体、特にテクノロジー業界を震えあがらせ、1990年代には同社を止めるすべはないと思われていた。同社はいまでも巨大企業であり続けているが、世界を支配する宿命を背負った手のつけられない怪物だと思っている人はいない。

それでも現在の四騎士は、これまで説明したように一定の優位性がある。それは製品、市場、株価評価、社員募集、マネジメント（前の巨人たちがなぜつまずいたのか根気強く研究している）など、あらゆる分野に及ぶ。

そのため現在の力を（人間の）1世代か2世代のうちに失う可能性は低いと思われている（そんなことあるわけない）。どの企業もいまの地位を保つために戦っている。主導権を簡単に放棄しようとはしない。互いにぶつかり合っても、競争が過激になる前に譲り合っているように見える。いまのところ彼らは、殺し合うよりも共存することに満足しているらしい。

では今後のライバルを見ていこう。

アリババ

2016年4月、ある生粋のネット通販企業がウォルマートを抜いて、世界最大の小売会社となった。それはいつか起こることだったが、意外なのは怪物ウォルマートを蹴落としたのがアマゾンではなかったことだ。

それはジャック・マー率いる中国の強大な企業、アリババだった。[1] 念のために言っておくと、他の小売店にマーケットを提供する場でもあるアリババのビジネスモデルには数多くの事業が含まれる。eコマースとショッピング、オンラインオークション、送金、クラウド・データ・サービスなどだ。ウォルマートを上回ったのは、アリババを通じて販売された〝流通総額〟(4850億ドル)である。アリババ自体の収益は、そのごく一部――2016年度で150億ドル――にすぎない。

しかし規模は重要であり、アリババほどの量の取引を扱う企業はほかにない。それは中国の小売全体の63パーセントを占める。中国経由で送られる小包の54パーセントがアリババの事業に由来するほどだ。[2][3] アリババの2016年のアクティブ・バイヤーはほぼ5億人(4億4300万人)に達した。モバイルの月間アクティブ・ユーザー(MAU)は、同年12月には4億9300万人だった。[4]

アリババの対前年比成長率（2014〜16年）

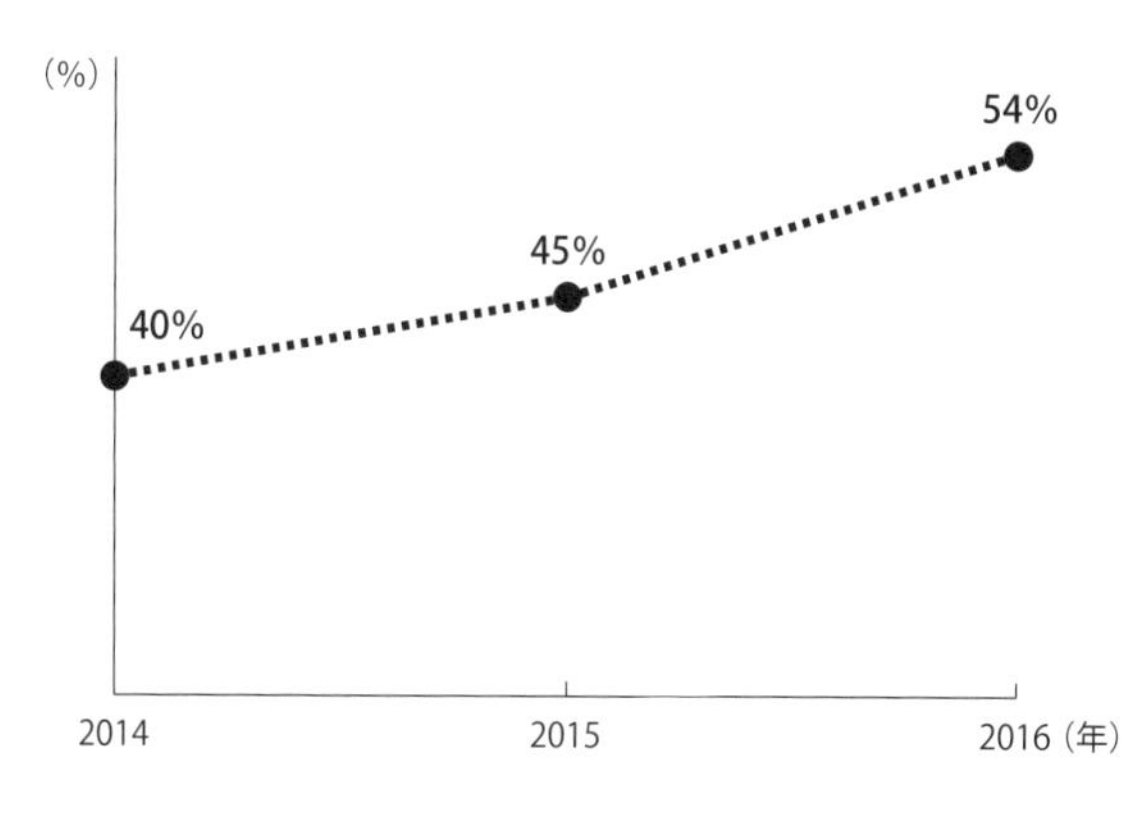

Alibaba Group, FY16-Q3 for the Period Ending December 31, 2016 (filed January 24, 2017), p. 2, from Alibaba Group website.

四騎士たちと同じように、アリババは中国の小売業の状況をつくり変えた。もともとパートナーがいない若者たちが集まる習慣があった11月11日（独身の日）に大がかりなセールをしかけ、世界最大のショッピングの日にしてしまった。同社の流通総額は2016年の「独身の日」だけで174億ドルに達し、その82パーセントはモバイル機器からの注文だった。[5]

アリババの成功要因

アリババが成功したのは、本書で説明した要素すべてを満たしているからだ。中国は何百万という小さな製造業者がひしめく広大な市場だ。アリババはそんな国に生まれ、そしてすぐ世界に打って出ると、地上のほぼすべての国に広がった。

アリババはビッグデータとAIの使用に精通し自由に操れる。そして市場での評価は高く、時価総額は驚くほど高い。そのため、活用できる資本が唸るほどある。

アリババは急成長したので、基本的に業界に競争はない。アマゾンと同じように、戦うよりは協力したい相手である。中国にある西洋の多くのブランドが直販サイトを閉鎖して（アメリカやヨーロッパでは考えられない）、アリババの電子商取引サイトTモールでの販売に専念している。

投資家も同社の将来性に気づいている。２０１４年、同社は新規株式公開（ＩＰＯ）で２５０億ドルを調達し（いまでもアメリカ史上最大）、時価総額は２０００億ドルに迫った。[6]それ以来、株価は市場を下回っている。私がこれを書いている時点で（２０１７年初頭）、アリババの時価総額が公開から15パーセント下落する一方で、アマゾンは同じ期間で１００パーセント以上の上昇となっている。[7]

アリババの課題

規模が大きいのはともかくとして、アリババが四騎士と同じレベルの世界的企業を目指すためには重大な課題がある。当然のことだが、自国の市場以外に、もっと実質的な意味で拡張していく必要がある。特に重要なのはアメリカで実際の商業拠点を確立することだ。いまはアメリカ企業への投資しかしていない。アリババのビジネスの80パーセントは中国市場で行われているが、年ごとに不安定になっているように思える。[8]

そのため、アリババが世界を支配するための道筋には、多くの苦労があるだろう。

第一に、中国発の消費者ブランドは歴史的に前例がない。世界でなじみのある消費者ブランドといえば、アメリカ、ヨーロッパ、最近では日本や韓国の企業があるが、中国発のものはない。中国企業は（合法でも違法でも）労働搾取、偽造品、特許侵害、政府介入といった問題を抱えている。これらは将来性のあるブランドを支援する西洋の価値とは相容れない。

また、アリババを利用する小規模な小売業者には問題があるものが多いという、以前からの評判も足を引っ張っている。

最終的にアリババは、アップルやウィーチャット（WeChat）の成功からイメージ改善という面で恩恵を受けるかもしれない。アップルは中国メーカーの品質への懸念を払拭し、ウィーチャットはファン層を世界に広げた。しかし究極のブランド力――リーダーシップ、高級感、セックスアピールを備えた憧れのブランド――に、アリババはまだ手が届いていない(9)。

アリババはビジョンへの資本が不足し、投資家向けのストーリーテリングに苦労している。アリババの不可解なガバナンスが共感を生みにくいのだ。それに比べると、四騎士のストーリーテリング、ビジョンの売り込み、そして株主を味方にするうまさには定評がある。コングロマリットとしてのアリババには、好調を続けているという以外、語るべきストーリーがない。すでに述べたように、現代の騎士になるには、それでは足りないのだ。

アリババの長期的な成功にとって重大な障害となるのは、中国政府とのしがらみである。政府はアリババをさまざまなところで支えている。最も重要なのはアリババのライバルとなるアメリカ企業に対して、中国での経営が大幅に制限されていることだろう。[10] 西洋の投資家はある程度の政府介入は受け入れるが、不正に思えることや、その結果として起こる市場のゆがみは気に入らない。

この関係はアリババが成長途上の間は大いに大切だったのは間違いない。しかし世界中にいる株主たちが同社の超巨大パトロンである政府の協力を得られないなら、投資家は納得できないだろう。中国は外国人による同国の資産の所有を制限しているため、外国人投資家はアリババの株を直接所有することはできない。そのためアリババの利益に対して権利を持つ弱小企業（変動持分事業体）の株を所有することになる。しかもその契約上の権利を執行できるのは中国の裁判所だけだ。[11] さらに悪いのは、アリババが中国政府の支援を当てにできなくなる徴候があることだ。２０１５年以降、同社に対する批判的な記事が中国メディアや政府機関から出ている。[12][13]

箔づけに関しては、アリババで働いたことが中国や他の発展途上国ではかなりの価値があるのは間違いない。しかし西洋では、それほど評価されない。逆に悪印象を与えてしまう可能性がある。それはつまり、アリババが西洋の市場に参入するとき、優秀な人材を集めるのに苦労することを意味する。その結果、知的資本のレベルが標準以下になる可能性があるのだ。

親ブランドの印象が最悪

アリババと中国政府の関係には、アメリカやヨーロッパの政府を含め、多くの外国の組織が懸念を表明している。アリババは地政学的な色眼鏡で見られているのだ。

問題となるのは政治的なことばかりではない。ジャック・マーは、アメリカの証券取引委員会がアリババの複雑で多角的な構造に関するさまざまな調査を行っていると認めた。マーは「アリババのビジネスモデルはアメリカとは違うので、1日か2日で理解できるというものではない」と述べた[14]。これでは励みにならない。

最後に、アリババの世界進出にとって重大な問題がある。データ機密性への不安が障害になり、Tアルゴリズムのもう1つの要素、AIの活用が制限される可能性が高い。

要するに親ブランドの〝中国〟が「クールではなくて腐敗している」という好ましくないイメージを醸し出しているのだ。高校の〝不良〟も時代遅れだとモテないのである。

歴史を振り返れば、自動車の大企業に戦いを挑んで敗れた起業家の骨があちこちに散らばっている。そういう人々の映画もつくられている（『タッカー』とか）。

テスラもまた難題に直面している。しかし、私たちが知る限り自動車の新興企業としては最も多くをなしとげ、電気自動車のマーケットリーダーとしての地位を固めつつあるようだ。テスラの自動車はシリコンバレーの住人にはまだぜいたく品だ。しかしデザイン、デジタル制御の新機軸、そしてインフラへの巨額の投資（有名なのはリノ郊外に建てた巨大な電池工場）の組み合わせはすばらしい。エジソンのような先見の明のあるリーダーについては言うまでもない。テスラは特殊なニッチを飛び出して、マス・マーケットの企業になる可能性を持っている。

テスラ

テスラの大量生産車第1号のモデルSは業界の賞という賞を総なめにした。『モーター・トレンド』の〝今年最高の車〟、『コンシューマー・リポーツ』の史上最高点、『カー・アンド・ドライバー』の〝今世紀最高の車〟、『トップ・ギア』の〝史上最も重要な車〟などだ。[15] 2015年には、ライバルの2倍の価格で販売されたにもかかわらず全米でいちばん売れたプラグイン電気自動車となった[16]。

テスラを自動車の巨人に育て上げる可能性があるのは、近々発売されるモデル3である。価格は3万5000ドル。発表から1週間たたないうちに32万5000件の予約（払い戻し可能のデポジット1000ドルが必要）が入った[17]。借入コストゼロで1年分の資本として3億2500万ドルを集められる企業はほとんどない。

それでも現在のテスラがいつか現れる第五の騎士になるには、いくつかの不安要素がある。同社はこれまでの自動車製造会社にはなかった問題に直面することになるだろう。広範囲にわたる充電所の設置（電池の備蓄が問題である）、世界的な流通網の確立、いくつもの政府助成金と電気自動車への期待に応えること、自動車業界を動かす規制への対応などが求められる。

しかし（いまのところ）障害となるのは結局、巨大企業を維持するためのインフラかもしれない。それは構築するのに時間も金もかかるアナログな堀だ。

テスラの強み

テスラはTアルゴリズムに照らすと、現在、どの会社よりもうまくやっている。

テスラを我々の騎士の基準に当てはめてみよう。品質と技術革新に関しては、同社の製品は比類なきものだ。電気自動車というだけではない。いくつもの面で、他より優れた自動車である。大きくて評判のよいタッチスクリーン式のダッシュボード、無線によるソフトウェアアップデート（ビッグデータ／ＡＩ）、業界の先端を行くオートパイロット・モード、そして顧客が好むデザイン（考え抜かれたドアハンドル）。

テスラは他の企業がこれまでやっていない方法で顧客体験をコントロールしている。これには将来も大胆で金のかかる変化がどうしても必要になる。

従来の自動車会社は垂直統合ができていない。資本を減らす戦略を追求して販売店を独立制にしたせいで、旧態依然とした場所になっている。販売店に行くと１９８５年にタイムトリップした気分になる。本社とは関係なく確立された販売店ネットワーク、工場を出荷したあとの変更や強化が難しいこと、在庫をなるべく置かないという業界の方針。これらにより、自動車メーカーと消費者の間に巨大な溝ができてしまった。

テスラが自動車業界にもたらした革命的な変化は、電気エンジンなどではない。それならどの会社もつくっている。テスラの革新の本質は、顧客との近さである。メーカー直販、定期的な無線によるライブ配信されたＣＥＯイーロンマスクによる製品発表、メーカー直販、定期的な無線によるアップデート。テスラは顧客と、数年間にわたる深い関係を築く。重要なのは販売店との関係ではないことだ。

自動車メーカーの株価売上高倍率（2017年4月28日現在）

Yahoo! Finance. https://finance.yahoo.com/

テスラが急成長をとげたあとも、質の高いカスタマー・サポートを維持できれば、リピート率も高いまま固定されるだろう。テスラは安い資本にアクセスしやすくなり、その資金でさらに顧客体験を向上させれば、繰り返し購入してもらえる。

テスラの株価売上高倍率は7に近い。一方、フォードとGMは0・5を下回っている。2017年4月、テスラの時価総額はGMを超えた。2016年の販売台数は、テスラが8万台に対してフォードは670万台である。

テスラは2010年に株式公開して以降、定期的に株を売り出している。直近ではモデル3の生産のために15億ドルを集めた。これまで黒字を出したことがないにもかかわらず、である。[18]

そのようなことが起こるのは、投資家がCEOのイーロン・マスクのビジョンに反応するからだ。彼はロケットを宇宙に飛ばし、自動車業界に革命を起こし、電力業界を改革すると発言する。それだけでなく、夜間と週末に極超音速電車を走らせるとも。時間をさかのぼってトーマス・エジソンのアイデアに金を出せるなら、あなたはどうするだろうか。そのチャンスがここにある。

テスラを購入した人はその理由について熱く語り、製品の特性より同社の〝ミッション〟に共感したことを強調する。[19]

しかしテスラは進歩的なおじさんが好むエコ・ブランドではない。テスラは高級ブランドである。この組み合わせは強力だ。電気自動車は丸っこいフォルムのイメージがあるが、テスラはスポーツカーのように見える。「自分は10万ドルのものを買える。趣味がいい。しかも環境に配慮している」と周囲に吹聴できるブランドはほかにない。別の言い方をすれば、「こんなにイケてるぼくとセックスするべきだよ」。つまりテスラはアップルよりも、顧客の下半身を（やさしく）直撃する力があるということだ。

テスラを自動車だけの会社と思ってはいけない。すでに電気の獲得、貯蔵、輸送の専門技術の開発に着手している。グーグルやアップルの自動走行車がまだ試験場で走っているとき、テスラは何万台も道路で走らせていた。これらは個人の自動車を超えるテクノロジーとスキルだ。まだできたばかりの他の輸送関連の市場、代替エネルギー世代、デジタル時代の他の電力使用で主導権を握れる可能性がある。

テスラの課題

それでもテスラが確固たる地位を得るための競争には、2つの大きな障害がある。

第一に、まだ世界展開をしていない。事業のほとんどはアメリカで行われている。第二に、テスラには膨大な数の顧客がいるわけではないので、個人の行動に関する大規模なデータを持っていない。しかし同社の車はデータ収集ができるので、いまの課題は規模と実施方法であり、基本的な能力には問題はない。

ウーバー

これを書いている時点で、ウーバーには運転スタッフ（ドライバー・パートナーと呼ばれる）が200万人もいる。これはデルタ、ユナイテッド、フェデックス、UPSの従業員の合計よりも多い。[20] ウーバーの運転スタッフはひと月に5万人以上増えている。[21] サービスは81カ国の581の都市で展開している。[22] そしてそれらの市場（のほとんど）で成功している。

ロサンゼルスでは、タクシーによる輸送は30パーセントにすぎない。[23] ニューヨークではタクシーとウーバーの1日の利用回数はそれほど変わらない（32万7000と24万9000）。[24] 世界中の都市部の住人にとって、ウーバーは当たり前の輸送手段になった。以前は地元ドライバーとタクシーだらけだった空間を支配する、新しいブランドになっている。

超クールになる可能性

このところ私はどの都市を訪れるときも、最初と最後にウーバーにお金を使っている。ある都市、あるいは国に入って出るたびに100ドル使うことを想像してほしい。それがグローバルなビジネスマン（とても魅力のある層）のウーバーとのつき合い方である……ウーバーが私たちにつき合っているのかもしれないが。

私はフランスのカンヌで飛行機を降りる。カンヌ・ライオンズ国際クリエイティビティ・フェスティバルで講演（「多少はましな広告とは何か」）をする予定だ。スマホにはウーバーのアプリが入っている。ウーバーX、ウーバー・ブラック、そしてウーバー・コプター。指が反射的にウーバー・コプターのボタンを押す――誰だってこれが何か知りたいだろう？　10秒後電話がかかってくる。「手荷物受取所でお会いします」。

彼らは私をメルセデスのバンに乗せ、500メートルほど離れたヘリポートへ向かう。私はプロペラつきの芝刈り機のようなものに乗り込む。操縦席にはうちの新聞配達人がハロウィーンにパイロットのコスプレをしているような若者が座っている……そして120ユーロ（タクシーより20ユーロ高い）で、コートダジュール上空を飛び、宿泊予定のホテルから300メートルのところに着陸する。その瞬間、私はジェームズ・ボンド気分を味わう。ルックス、スキル、秘密兵器、セックスアピール、アストン・マーティン、それに殺しのライセンスはないけれど。でも気分だけは……。

これは超クールというだけでなく、実現可能なことだ。ウーバーにはビジョンへの投資を集める実力がある。そこに創造力が加わる上に、平凡な顧客体験を守り続けようとする風潮はない。たとえば全員をヘリコプターで空港から高級ホテルへ運ぶとか、バレンタインデーに子ネコを届けるとか、ばかげているように思えることもできるだろう。

いくつかの強みと課題

しかしウーバーは垂直統合されていない。車はドライバーが所有していて、他の会社のドライバーとして働くことも多い。車を所有しないことが急速な規模拡大の助けにもなったが、アナログな深い堀を築けていないということなので、弱みにもなっている。

想像どおりかもしれないが、ウーバーは相当なビッグデータ活用スキルを持っている。あなたがどこにいて、どこへ行くか、どこに行きそうかを知っていて、それをあなたの個人情報と結びつける。アプリはすでに移動履歴に基づいてあなたの目的地を自動入力している。使えば使うほど価値が上がるのだ。

ウーバーは箔づけになる企業とはあまり思われていない。それはウーバーの本社で働いている人がほとんど知られていないことも原因だろう。

ウーバーの社員はわずか数千人で、彼らは専門的な教養の持ち主たちだ。ウーバーには領主（8000人の社員）と農奴（平均時給7・75ドルで働く200万人のドライバー）がいる。8000人の社員で700億ドルを山分けし、200万ドルがドライバーの時給となる。[25]

つまりウーバーは世界中の働き手に、小声で、しかし明瞭にこう告げているのだ。「感謝している。しかし人間扱いはしない」。

ウーバーの市場価値は700億ドルとなっているが、配車サービスに本当にこれだけの価値があるのだろうか。それは疑わしい。

しかしウーバーは単なる配車サービスではなくなっている。ウーバーにとってのタクシー（人の輸送）は、アマゾンにとっての本のようなものだ。それが本業であり、かなりいい業績をあげている。しかしそれはほんの一部だ。本当に価値があるのは、巨大なドライバーのネットワークである（まもなく自動走行車のネットワークになるだろう）。

カリフォルニアではウーバー・フレッシュという食品宅配サービス、マンハッタンでは自転車による宅配便のウーバー・ラッシュが試験的に行われている。ワシントンDCではネット注文による食品雑貨の宅配サービス、ウーバー・エッセンシャルが始まっている。[26]

同社はグローバル・ビジネスのための毛細血管系（ラスト・ワンマイル事業）を構築してい

るように見える。ウーバーは世界中でビジネスの〝臓器〟に、商業の〝血液〟を届けるのだ。

企業や個人にとって原子（物体）を移動することは、いまでも大きな問題なので、ウーバーはスター・トレックの転送装置に近い。違いは安全で安いことだ（ただし少し遅い）。

まだ認識はされていないが、私たちはウーバーとアマゾンのセレブなデスマッチを見ている可能性がある。彼らはラスト・ワンマイル事業の支配権を奪いあっている。同時にフェデックス、UPS、DHLは業界の混乱に巻き込まれようとしている。

最大の課題

ウーバーはTアルゴリズムのほぼすべての条件を満たしている。差別化された製品、ビジョンへの投資、世界展開、ビッグデータを扱うスキル。

そうなるとウーバーの障害は1つだけだ。しかしその1つは、1兆ドル企業になるには重大な障害となる。それは好感度である。ウーバーはこの要素について、2つの面から難題に直面している。

1つ目は、創業者でCEOのカラニックがゲス野郎であること。少なくともそのように見られていることだ。それが原因で消費者が同社のアプリを削除したくなるような事件が何度か起きている。実際に削除した人も多い。

同社が48時間で時価総額を100億ドル減らしそうになった原因は、多数の人がアプリを削除したことではなく、代わりのものが見つかったことだ。ウーバーは垂直的な事業ではなく、リフト社（訳注：ウーバーのライバルのライドシェア会社）はウーバーと同じドライバーの多くに接近できた。

天に唾しているのはCEOばかりではない。2014年、ウーバーの上級副社長は、探偵を雇って同社の利益にならない記事を書いたジャーナリストのスキャンダルを掘り起こすと発言した。それもジャーナリストのいる前で。ウーバーの経営陣は車に乗っている人（マスコミの人間も含め）をリアルタイムで追跡できる技術を、おもしろ半分に、あるいはほかの個人的な理由で使っているという記事がいくつも出ている。[27]フランスでは、ウーバーはエスコートサービス（訳注：売春を暗に意味する）をたのむのに最適と言わんばかりの広告キャンペーンを打った。[28]これは性差別的という表現も上品すぎる内容だった。2016年、ウーバーは追跡能力の濫用についてニューヨーク司法長官の調査を受け、2万ドルの罰金を支払った。[29]

ウーバーの好感度にいちばん打撃を与えたのは、2017年2月にウーバーのプログラマーだったスーザン・ファウラーが、同社の性差別を告発したことだ。[30]中間管理職から経営幹部まで、訴えの無視に始まり、言語道断というレベルの行為が行われていたケースが何十件も発覚した。

まとまりのない新興企業なら、こうしたことが見逃される可能性はある。しかし業界の大企業はもっと洗練されなければならない。首脳陣が処罰されるべき案件なのはたしかで、実際に数カ月後ではあったが、処分が下された。

２０１７年６月、外部協議会からカラニックの権限を見直すべしという進言があった。にもかかわらず、取締役会は当初カラニックを解雇せず、彼が無期限の休職に入ると発表した。休職までの流れで取締役会の判断能力の低さが露呈し、状況はさらに悪化した。投資家からの圧力により、カラニックは次の週に辞任した。彼は間違いなく時代の先を読む才能に恵まれた人物であり、世界を変えるものをつくりあげた。しかし企業が新たな段階に入れば、新しい目標と危機管理スキルを持ったＣＥＯが必要になる。

ウーバーはいまやフォルクスワーゲン、ポルシェ、アウディよりも時価総額が高く、何千もの世帯や投資家がそのリーダーシップにたよっている。これはもうカラニックの問題ではない。会社は彼のリハビリがうまくいくかどうか、あるいは彼が復帰できるかどうかを考えるべきではない。

この騒動はウーバーにとって打撃となるだろうか。なると思うが、影響はしばらくしてから、世間が思っている以外のところに出る。消費者は社会的責任について大きなことを言いながら、社員を搾取したり有害物質を排出したりする工場でつくられた商品を買っている。ウーバーにはすばらしい製品があり、収益の増加は今後も加速するだろう。打撃となるのは経営陣の混乱により優秀な人材を惹きつけ、維持する能力を失ったことだ。

善なる存在だと思わせられるか

広告や上層部の騒動以外にも、ウーバーの好感度を下げるリスクはある。それはもっとビジネスの根幹に関わる部分だ。

ウーバーが新たな風雲児であるのは間違いない。シリコンバレー発のかつての風雲児たちを も攪乱している。ウーバーにとって不運なのは、同社が攪乱させている市場はとても規制が厳しいということだ。ウーバーの利益は、従来のタクシーと同じ規制を受けないことから生じている。同社は運転したい人を誰でも雇ってかまわないし、好きなように価格を設定してもいいと信じ、市場もその考えを支持してきた。しかし、ほとんどの市場でタクシーの競争にはそのような自由がない。

さらにウーバーは、リフトのような乗合自動車事業のライバルを相手にフェアに戦っているわけではない。ウーバーの従業員がライバル会社に予約とキャンセルを繰り返し、組織的に妨害したという事例がいくつか報告されている。[31] まるで実世界でのＤｏＳ攻撃（訳注：サーバーやネットワークに意図的に負荷をかけたり脆弱性を突いたりすること）ではないか。

もっと一般的なレベルでも、ウーバーのビジネスモデルは雇用関係の土台を壊し、不安定で低賃金な仕事を生み出していると批判されている。同社の主張は一貫している。彼らは配車サービスという事業を行っているのではなく、ドライバーが自ら所有する車を料金を取ってシェアするためのアプリを提供しているというのだ。[32] これではドライバーの保険や手当て、安全や保障などについて、ウーバーがどのような義務を負っているのか不安になる。

2017年2月、トランプ大統領の移民入国禁止令に反対し、JFK空港でタクシーのストライキが起きた。このときウーバーは、タクシーのストライキで空港に足止めされていた人たちにツイッターでウーバーを使うよう勧め、スト破りに手を貸そうとした。ユーザーはこれに猛反発し、#DeleteUber（ウーバーを削除しよう）運動が起きた。この際、20万人のウーバー・ユーザーがアカウントを削除したと推定されている。

その話が本当でも嘘でも関係ない。それがきっかけで、ウーバーの積極的なファンであったユーザーも、その経営手法に不安を感じるようになった。[33]

世間はいまだウーバーが私たちのためになる企業なのか否か見極めようとしている。ウーバーはデジタル経済の未来がどのようなものなのかを垣間見せてくれているのかもしれない。とてつもないアプリがすばらしい消費者体験を提供し、熱狂的な投資家たちがそれを支える

——しかしそこには何百万という低賃金労働者と、巨額の利益を分け合うひと握りの人々がいる。何千人かの領主と何百万人もの農奴だ。

ウォルマート

ウォルマートはデジタル時代のナンバーワン小売業を争う競争で、初期のリードをアマゾンに許したかもしれない。しかしまだ競争から降りてはいない。28カ国に1万2000の店舗を持ち、2015年には世界中のどの企業よりも高い収益をあげた。それは今世紀に入ってから毎年のことだ。[34]

ウォルマートの強み

世界がネットへと移行すると、ウォルマートは恐竜のように見え始めた。しかしeコマースが長期にわたって好調を維持するためには、店舗をはじめとする現実のインフラに根づいている必要があるというのが企業の認識である。

そうするとウォルマートは、やはり無視できない存在だ。厳格な在庫管理と効率的な配送システムを運営してきた何十年もの経験がある。1万2000軒の店舗は1万2000軒の倉庫、1万2000軒のサービスセンター、1万2000軒のショールームにもなりうる。それに加えて、一部には実際にウォルマートの駐車場にRV車を停めて住む顧客もいる。ウォルマートは、とても興味深い市場優位性を持っている。[35]

2016年末、ウォルマートはジェット・ドットコムを30億ドルで買収した。ジェット・ドットコムには実用的なビジネスモデルはなく（収支を合わせるには200億ドルの収益が必要だった）、契約したときには週に500万ドルの広告費を使っていた。

しかしジェット・ドットコムは、騎士のスキルの1つを持っていた。それがストーリーテリングである。

アマゾンが買収したクイッツィの創業者が語っていたように、大胆な価格づけによって、ジェット・ドットコム創業者マーク・ロリーが救世主になる可能性がある。私は、ジェット・ドットコムは中年の危機全開のウォルマートが購入した30億ドルの植毛技術だと思っている。しかし公平を期するために言うと、ジェット・ドットコムはeコマースについて、自らのやり方を取り戻したように見える。ロリーは経営の効率化、価格透明化、店舗受け取りによる省力化を推し進めている。[36] やがて結果が出るだろう。

ウォルマートの課題

しかしウォルマートの若づくりは手始めにすぎない。ウォルマートは巨額の資本を入手できるが、安い資本ではない。アマゾンと違い、ウォルマートの株は利益を基準に取引されているからだ。小売企業としてはこちらのほうがふつうだ。ウォルマートがアマゾンに対抗するため設備投資を増額して、利益が減少する見込みだと発表した翌日、メイシーズと同等の時価総額が減少した。

それに加えて、ウォルマートの好感度はそれほど高くない。世界最大の雇用主だが、全米のどの企業よりも最低賃金で働く労働者を抱えている。一方、ウォルトン一族の何人もが世界長者番付に名を連ねている。彼らはアメリカの世帯の下位40パーセントすべてを足したよりも多くの資産を所有している。

最後に、スマホやブロードバンドを所有していないのはどんな世帯か。ウォルマートで買い物する人たちだ。レイト・アダプター（後期追随者）という言葉は、ウォルマートの買物客に当てはまる。デジタル・プログラミングや新製品は、この集団内にはなかなか普及しない。

マイクロソフト

マイクロソフトはもう、ＰＣ時代を完全に支配していた猛獣ではない。しかしウィンドウズはいまだデスクトップ・コンピュータの90パーセントで使われている（その半分はポンコツのウィンドウズ７だが[37]）。マイクロソフト・オフィスはいまでも世界中で標準装備のツールであり、SQLサーバー（データベース管理システム）やビジュアル・スタジオのような業務用製品もどこででも見られる。

ウィンドウズ・フォンでの手ひどい失敗がなければ、マイクロソフトはすでに第五の騎士になっていて、地上で最も力を持つ企業であった可能性が高い。

さらにクラウドサービスのアジュールにもわずかながら成長が見込める。これらに加え、若い新CEOが、マイクロソフトの歴史に新たな命を吹き込んでいる。かつてのような箔づけになる会社ではないが、企業向けに専念していることで、消費者市場ほどイノベーションや競争が激しくない市場にいられる。消費者向け市場で火花を散らしている四騎士とは対照的だ。

リンクトインの大いなる可能性

そしてもう一つ、成長しそうな分野がある。それはリンクトインだ。

これは職探しのためのフェイスブックと言えるが、フェイスブックと比べると現実的で大きな利点がある。フェイスブックの収益のソースは、広告費だけだ。しかしリンクトインには3つの違った収益源がある。サイトでの広告料、リクルーターから求職者へのアクセスを容易にするための料金、ユーザーに求職活動やビジネス開発の貴重な情報を発信する定額サービス料金。それらがバランスを取っている。

そのような定額サービスによる収益によってリンクトインは、フェイスブックだけでなく、

リンクトインの収入源（2015年）

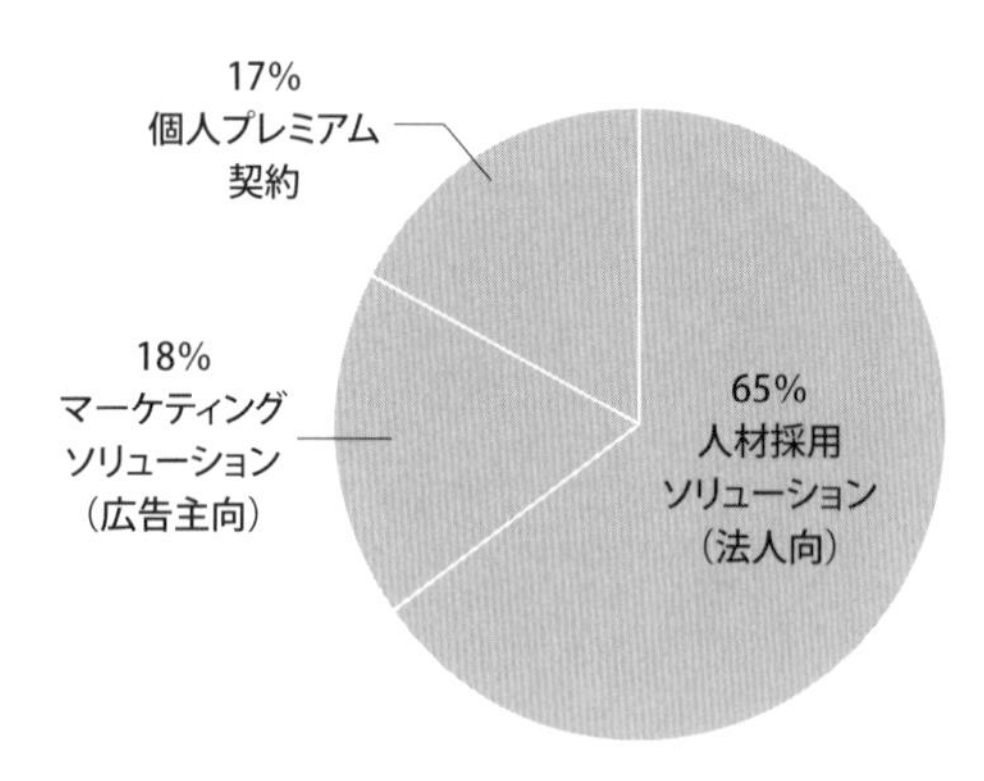

LinkedIn Corporate Communications Team. "LinkedIn Announces Fourth Quarter and Full Year 2015 Results." LinkedIn.

他の大手ソーシャル・メディア企業と違うユニークな存在となっている。

リンクトインにはもう1つ、競争に関して他社がうらやむべき状況がある。本当の意味でのライバルがいないことだ。ある特定の職業のためのニッチなサイトがあり、フェイスブック自体が競争相手になる可能性もある。しかしリンクトインのように雇用とビジネスネットワークを幅広くカバーする企業はほかにない。

フェイスブックの代わりにインスタグラムを、インスタグラムの代わりにウィーチャットを、ウィーチャットの代わりにツイッターを使うことはできる。しかしB2B（企業間）の世界で自分の履歴書を投稿するプラットフォームはリンクトインだけだ。リンクトインに腹を立てたり、クールじゃないと思っても、代わりになるものがあるか？　どこにもない。リンクトインは他に類を見ないものだ。いまのところ近くに敵はいない。

リンクトインはその事業の性質から、顧客の層もうらやむべきものだ。4億6700万人がリンクトインに登録しているが、そこらへんにいる4億6700万人ではない[38]。自分のキャリアを誇示する頭の回転が速い大学卒業生と、世界中のビジネスリーダーたちだ。いまや彼らの3人に1人がリンクトインにプロフィールを公開している[39]。

つまり「リンクトインにはどんな人がいる？」という問いに対する答えは「有能な人」である。ベビーブーマーのCEOでリンクトインに登録していない人はごくわずかだ。そういう人はおそらく登録したら求職者に悩まされると心配しているか、いまだにモトローラレーザー（訳注：2003年に発売）の使い方を覚えようとしているのだろう。リンクトインの会員はグローバルで包括的だ（ところでB2Bの広告市場はB2Cの2倍もある。したがってリンクトインがアクセス可能な市場はB2Cのソーシャル・プラットフォームすべてを合わせたよりも大きい）。

リンクトインの課題

リンクトインにとってのトレードオフはむしろ、ビジネスに特化しているだけに限界があるということだ。リンクトインの成功の要因は、比較的狭い市場で、比較的狭いサービスに専念していることにある。世界の専門職のためのガイドをつくるのは大きな事業だが、騎士の地位を目指す企業にとっては手始めでしかない。

今後リンクトインがどのようなプラットフォームをつくるかはマイクロソフトしだいだ。アウトルックや他のアプリとの統合もありうる。そして言うまでもなくウィンドウズや長年低迷している同社のモバイル機器との統合や連携もあるだろう。

しかしこれはチャンスである一方、リンクトインは独自にこの分野を支配する勢力になるという野心を捨てなければならないかもしれない。今後はマイクロソフトの収益を増やせるかどうかで評価されるからだ。そして過去20年の間、それはすべてを犠牲にして、ウィンドウズとオフィスの存在を維持することを意味していた。

そうなるとリンクトインが騎士の地位を目指す上での問題は、すべての条件を最低限満たしてはいるが、決定的な強みがないということだ。

製品は優れているがフェイスブックほどではない。ビジョンへの安い資本を得ることはできるが、アマゾンほど安くは得られない。そしていまの親会社は復活をとげたが、それ以前に10年以上低迷していた。

全体としてリンクトインは陸上の十種競技の金メダリストのようなものだ。どの種目でもよい成績をあげるが個々の種目では金メダルが獲れない。ひとことで言うなら器用貧乏なのである。

エアビーアンドビー（Airbnb）

エアビーアンドビーはホテル業界のウーバーであり、次の騎士の候補として名乗りをあげようとしていると言いたくなる。しかしウーバーと比較すると、エアビーアンドビーの競争上の強み、そしてTアルゴリズムの使い方に関しては、はっきりとした違いがある。

どちらも世界展開をしていて安い資本を入手できるが、取り扱うものはかなり違っている。NYUスターン校の経営学教授であるソーニャ・マルシアーノ（戦略に関してまさに旬の学者）はこう指摘している。強みを確かなものにするには、実際の、あるいは見た目に大きな違いがあるところで差別化のポイントを見つけることだ。

もしあなたが十種競技の選手なら、大切なのは成績で最も差異が大きな種目を見つけ、そこで主導権を取ることだ。ウーバーの商品はすばらしいが、ウーバーとリフト、カーブ（タクシー用配車アプリ）、ディディチューシン（中国最大の配車サービス）の違いが（どのプラットフォームを通じてサービスをたのんだか知らない状態で）わかるだろうか。

この分野はタクシーやハイヤーのサービスを何倍も発展させたものだが、それぞれの企業はしだいに似てきている。しばらくこの状況は続くと思われる。ウーバーのCEOのイキがった大学生のようなバカなふるまいで、人々は誰に言われなくてもリフトでも同じだと気づき始めている。

エアビーアンドビーのプラットフォームは、仲介者の信頼性という意味でより大きな重要性を帯びる。それが売っているものにはそれぞれ大きな違い――マリーナに係留している居住可能なハウスボートからサウスケンジントンのタウンハウスまで――があるからだ。

悪評高いユナイテッド・エアラインでも、いまのウーバーより差別化されている。たとえ自分たちの不手際を理由に乗客を飛行機からひきずりおろすことを許容するような会社でも関係ない。サンフランシスコからデンバーに行かなくてはいけない状況なら、ユナイテッド・エアラインを使わざるをえない。なぜならほかに選択肢がないからだ。このように、ユナイテッド・エアラインのフライトは高度に差別化されているのだ。

さらにエアビーアンドビーにはもう1つ、製品を守るための堀がある。それは製品の流動性だ。流動性とは十分な数の供給者とそのサービスを成立させる顧客がいること、と言い換えられる。

エアビーアンドビーとウーバー、どちらもこの条件は満たしている。しかしエアビーアンドビーが手に入れた流動性はもっと強烈で、まねるのが難しい。ウーバーが都市で事業を行うには、数多くのドライバーと、車を呼ぼうとしている客が必要だ。ウーバーの保有キャッシュは都市機能を強化する力となる――十分な資本を持つ他の配車サービス企業も同じである。

しかしエアビーアンドビーに必要なのは、1つの都市でのある程度の供給と、世界の他の場所での需要（知名度）だった。たとえばアムステルダムには世界中から人が訪れる。ウーバーなら、アムステルダムという1つの市場で勝利するだけでいい。一方、エアビーアンドビーは事業を大陸全体に、そして世界全体に広げていく必要があった。そしてそれを実現した。

エアビーアンドビーとウーバーの時価総額は（これを書いている時点で）それぞれ250億ドルと700億ドルである。しかし2018年末には、エアビーアンドビーの時価総額はウーバーを上回ると私は思っている。一方のウーバーは製品の差別化がされていないという噂が広がり、価値が大幅に目減りするだろう。地方の事業所の業績はさんざんになるはずだ（2016年は収益が50億ドルに対して損失が30億ドル）。

エアビーアンドビーは〝シェアリング〟業界で第五の騎士にいちばん近い企業だろう。彼らの弱みは垂直統合されていないことだ（アパートを所有しているわけではない）。それはつまり、エアビーアンドビーは四騎士と同じレベルで顧客経験をコントロールすることができないことを意味している。

そうなるとエアビーアンドビーは、登録物件に対する管理を強化するために、安い資本の一部を割り当てることを真剣に吟味するのは間違いない。エアビーアンドビーはいずれ、不動産や固定的施設（ワイヤレス、ドッキングステーション、町ごとの管理人など）を保有するようになるかもしれない。

IBM

グーグル以前、マイクロソフト以前、この本の読者の一部はまだ生まれてさえいなかったころ、テクノロジー業界を牛耳っていた企業があった。ビッグ・ブルーことＩＢＭこそがテクノロジーだった。ＩＢＭは企業社会アメリカの事実上のスタンダードだった。インテルやマイクロソフトが参入してからも、パーソナル・コンピュータ時代の最初の四半世紀を支配していた。

しかしここでＩＢＭの名を出したのは、過去に思いをめぐらすためではない。ＩＢＭの収益は全盛期のころからじわじわと下がり続けているが（２０１７年第１四半期まで19四半期連続の減少）、それでも２０１６年の収益は８００億ドルである。そして年ごとに、過去の遺物のコンピュータ・ハードウェアから利益率の高いコンサルティング・サービスへと移行している。[40]

IBMの営業チームはいまでも高すぎるほどの評価を受けていて、フォーチュン500企業のどのCTOとも会うことができる。同社はまだ、アメリカ企業をクラウド化する競争における主要プレーヤーでもある。

さらに、IBMの物語には前より見栄えのいい新たな主役がいる。それがワトソン（訳注：質問応答システム）だ。IBMはグローバルで、（議論の余地はあっても）垂直的統合されている。

しかしIBMは主要事業をコンサルティング・サービスに移行させたといっても安い資本にはありつけず、刺激的というより安定した職場とみなされている。IBMに勤める若者はグーグルで2次面接まで進んだが入社はできなかった人々だ。IBMはかつてのように、キャリアに箔をつけられる会社ではない。

ベライゾン／AT&T／コムキャスト／タイム・ワーナー

この本を読んでいるみなさんは、きっとネットに接続していることだろう。ではその回線を所有しているのは誰だろうか。ベライゾン、AT&T、コムキャスト、タイム・ワーナーの4社のどれかだ。ケーブル回線と電話回線は、20世紀の合法的独占事業の1つである。これら4

大企業は何十年もの間に合併を繰り返して、デジタル時代に不可欠な企業となっている。しかしどの企業もそれだけの地位をうまく活用できていない。特に、世間からは嫌われている。世界的な企業になるはっきりとした道筋が見えない。電話会社は国民のプライドの源であり、政府も他の国が電話やデータを盗聴することについてはうるさい。

とは言っても、鉄道や運河船、駅馬車の会社も嫌われていた。コメディアンのリリー・トムリン扮する電話交換手のアーネスティンはよくこう言っていた。「私どもには関係ありません。私たちがすることではないわ。私たちは電話会社なのよ」。

もし世界中のデータが通るパイプを持っていたら、どんな時代でも高い利益をあげる重要な大企業になれる。騎士の基準の多くを満たさなくても、それに近い存在にはなれるだろう。そのあとに必要なのは、見識のある経営者と、若者にとって箔がつく職場として認められることだ——考えにくいことだが、可能性はある。

†

これらの企業のどれかが第五の騎士になれるだろうか。そしていまの四騎士がそれを許すだろうか。アマゾンがこれまでに手にしたものすべてを、ウォルマートに取り返されるようなことは起こらないだろう。また自動走行車を推し進めているグーグルは、間違いなくウーバーとテスラを意識している。

しかしこの先どんなことが起こるか予測はつかない。1970年代のIBMは天下無敵に思えた。1990年代にはマイクロソフトが電子機器業界を震撼させた。会社は古くなる。成功は自己満足につながる。新しい挑戦や株式公開前のオプションを求めて優秀な人材が流出するのは避けられない。

そしてもちろん、まだ見ぬ企業が現れる可能性もある。いままさにどこかの研究所か大学の寮で、デジタル世界をひっくり返すテクノロジー開発に取り組んでいるかもしれない。1947年のトランジスタ、そして1958年の集積回路のように。

さらにどこかのキッチンのテーブルやスターバックスの席で、次世代のスティーブ・ジョブズ率いる新興企業のチームが新しい事業を企画しているかもしれない。彼らは猛スピードで四騎士を追い越し、初の1兆ドル企業になれるだろうか。可能性は低いかもしれないが、絶対に無理というわけではない。

100年に一度と言われる洪水が10年ごとに起こっているように思えるのと同じように、ありえないと思えることが実際に起こることもあるのだ。

第10章 GAFA「以後」の世界で生きるための武器

四騎士による支配は、市場勢力図と消費者の生活に計り知れないほどの影響を与えている。では、平均的な大学卒業者の就職と人生設計には、どのような影響があったのだろうか。

いまの若者はみんな四騎士がどのような会社なのか、そして世界をどのようにつくり直したかを知っておくべきだと私は思っている。この4社のおかげで、秀でたもののない会社が成功することや、消費者向けテクノロジー新興企業が競争に参加して生き残るのが以前より難しくなった。

私たちの大半は平均的な人間である。これについては統計も味方してくれる。それを前提に、本章ではどうすれば十人並みから優秀へ、さらにはすばらしいというレベルにまで上れるかを考えたい。このすばらしき新世界において成功するには、どのようなキャリア戦略が必要だろうか。

成功と不安定な経済

大まかに言ってしまうと、現在は超優秀な人間にとっては最高の時代だ。しかし平凡な人間にとっては最悪である。

これはデジタル技術によって生まれた勝者総取り経済の影響の1つである。あちこちに散らばっているビジネスの池とその周囲の土地が、グローバリゼーションという豪雨にさらされると、いくつかの池が合体して大きな湖になる。

悪いニュースは、捕食者が増えたことだ。よいニュースは、大きな湖に住む魚はすばらしい生活を送ることができるということだ。四騎士はそれを巨大な規模で実証している。

このような市場では必然的に、トップレベルの製品の価値は急騰し、それより劣った製品の価値は下落する。たとえば希少本。アマゾンのおかげで、かつてはあまり知られておらず見つけにくかった本が世界から注目されるようになった。その結果、需要が増加しても供給量は増えないため――名作で状態のよいものは――価格が高騰するようになった。

それと同時に、そこまで貴重でない本はあり余っているという事実も明らかになった。きわめて希少な本以外は買い手の選択肢が爆発的に増えた。そして予想どおり、あまり希少でない本の価値は下落していった。


同じことが労働市場でも起こっている。リンクトインのおかげで、誰もが常にグローバルな市場に加わることができる。あなたが超優秀なら、あなたのような人材をさがし、目を留める企業が何千もある。もし十人並みなら、世界中の何百万人もの〝十人並み〟の求職者たちがライバルとなる――そして賃金は上がらないどころか下がることさえある。

NYUスターン校でも、十数人の一流の教授は世界中から招かれ、ランチの席で話すだけで5万ドル以上の報酬を得る。年収はおそらく100万ドルから300万ドルと予想する。残りの〝良レベル〟の教授は、いまはカーン・アカデミーやアデレード大学（前者はオンラインで、どちらも〝質のよい〟教育を提供している）と競っている。その〝よい〟教授たちはそこそこの報酬で管理職教育の課程を教え、そうでなければ（自分よりちょっと）優秀な同僚とは比べものにならないくらい低い報酬について、学部長への不満を叫んでいる。

良と超優秀との違いは10パーセントくらいかもしれないが、〝よい〟教授の平均年収は12万ドルから13万ドルにすぎない。それでも払いすぎと思われれば簡単に他の人に取って代わられる。終身在職権のおかげで解雇はできないので、大学は彼らを気にかけているふりをしながら、（たいていは）無視する。そうなると彼らは学科長になったり、委員会に入ったりして、人並みの仕事しかできない口実を山ほど並べ立てる。

では生まれながらに優秀でなくても、行動によって10パーセントの差を埋めることができるだろうか。他より抜きんでている、気骨がある、他者に共感できるといった性質は、どんな時代のどんな分野においても成功する人に共通している。しかし仕事のペースや変化のスピードが速くなったせいで、成功する可能性はとても小さくなってしまった。成功する人はその他大勢とは遠く離れた存在となる。

本書のはじめに説明したように、私がつくった6つ目の会社はL2という、ビジネス・インテリジェンス企業（リサーチ会社の聞こえをよくした言い方）である。従業員数は7年で140人に増えた。社員の70パーセントは30歳未満で、平均28歳だ。

L2の社員はよく新進気鋭の会社からスカウトされる。彼らはまだ子どもだ。粗削りで、生まれつきの性格と学生時代のしつけや教育以上の、職業上のパーソナリティを形成する時間はほとんどない。これは人々を観察して、その人の核となる人格が成功や失敗にどう影響するかを見るには都合のいい環境だ。

そしてそれらの観察から、私はこの騎士たちが推し進め、進化し続ける経済の中で成功するのに必要なものについて、ある結論に達した。

個人が成功するために必要な内面的要素

一般的には、頭がよくて働き者で他人に親切な人のほうが、考えの筋が通らず怠け者で他人に不快感を与える人よりも出世しやすい。これはいままでも、そしてこれからも変わらないだろう。ときどきなぜこいつがと思うような例外はあるが。

しかし才能ある人が一生懸命働いても、食い込めるのは世界の上位10億人というレベルだ。デジタル時代の精鋭をふるい分ける要因はほかにある。

心理的成熟

何より重要なのは心理的成熟である。特に20代では、人によって大きなばらつきがある。

1人の上司のもとで決まった作業をする。そしてその形態が頻繁に、そして大幅に変化することはほとんどない。そういう前提で仕事をする分野はどんどん少なくなっている。デジタル時代の労働者は数多くの関係者に対応し、1日の間にさまざまな役割をこなさなければならないことが多い。そのような状況では、成熟した人間のほうが有利だ。

競争と製品のサイクルが短くなり、仕事上の失敗も成功もすぐに結果が出るようになった。そのような状況の中では、自分の熱意をどうコントロールするかが大切である。人とどう関わるかによって、その後どのようなプロジェクトに取り組めるか、どのような人とともに働くか、どんな会社に転職できるかが変わってくる。強い自意識を持ち、ストレス下でも落ち着いていて、学んだことを実地に応用できる若者は、すぐにあわて、細かいことにくよくよして、感情のままに反応してしまう人よりも、職場でうまくやっていける。他人の指示を受け入れ、また自分でも指示が出せ、集団内での自分の立場を理解している人は、命令系統がはっきりしなくなったり、組織構造が流動的になったりしても、同僚たちよりきっとうまくやっていける。

その影響を調べた研究がある。社交や感情面のスキルを教える学校プログラムを評価する668件の大規模メタ研究だ。この研究によると、これらのプログラムに参加した若者の50パーセントに学業成績の向上が見られた。一方で悪い行動が急激に減少したという。ダニエル・ゴールマンは〝心の知能指数（EQ）〟という言葉を普及させたベストセラー作家だ。彼は、自覚があって自己管理に優れ、モチベーション、共感力、社交スキルを備えたリーダーが率いるグローバル企業ほど、目に見える大きな業績をあげていると指摘している。

若者の間で心理的成熟の重要性が高まったことでわかったことがある。このスキルについては女性のほうが有利であるということだ。私はここでポリティカル・コレクトネスを意識しているわけではない。しかし男性のほうが高いという結果だったら、あえてここで披露することはなかったかもしれない。

いずれにしても調査アンケートでは、20代では女性のほうが男性よりも「年相応にふるまうことができる」と答えた。神経学的には女性の脳のほうが早く成人の脳にまで発達することが証明されている。

私がよく参加する会議では、1人か数人の若い男性が熱くなってとうとうと語り、対話のルールを無視して大勢の前で自慢話をすることが多い。すると、それまで何も言わず耳を傾けていた女性が関連する事実について冷静に説明し、重要な問題をまとめる。そして次の作業に取りかかるための提言を行う。

出世に関しては、男性はたとえ若くても女性より決断力があるという文化的バイアスの恩恵を受けている。心理的に成熟している数少ない男性については、それは今後も続くと思われる。しかしそのような男性は数が少なく貴重なタイプだ。高校の卒業生総代の70パーセントが女性であるという事実をもってしても、将来は女性の時代であると企業は考えている。

デジタル時代には、ヘラクレイトスもびっくりするくらい万物が流転する。変化は毎日絶え間なく起きる。どんな職場でも、私たちは10年前どころか昨年には存在もしていなかったツールを使うことを求められる。

よきにつけ悪しきにつけ（正直に言えば、悪しきことのほうが多い）、組織は基本的に無限の量のデータにアクセスできる。そのデータの分類法も活用法も無限に近い数だけある。だからかつてないほどのスピードで、アイデアを現実のものにできるようになっている。アマゾン、フェイスブック、ザラなどの熱い企業に共通しているのは俊敏であることだ。

好奇心

好奇心も成功には重要だ。昨日うまくいっていたことが今日には時代遅れとなり、明日には忘れられる。まだ聞いたこともない新しい道具やテクノロジーに取って代わられるのだ。

電話の使用者が５０００万人に達するまでに75年かかったが、テレビが５０００万世帯に広まるのにかかった時間は13年、インターネットは４年……そして『アングリー・バード』というモバイルゲームは35日だ。テクノロジーの時代、ペースはもっと上がっている。マイクロソフト・オフィスは22年でユーザー10億人を達成したが、Gmailはたったの12年、フェイスブックは９年で達成した。この流れにさからおうとすれば溺れてしまうだろう。

デジタル時代の成功者は、次の変化を恐れるのではなく、「こういうふうにしたらどうだろう」と問いかけることができる人物だ。作業過程やそれまでのやり方に執着することは大企業

ユーザー10億人達成までの時間

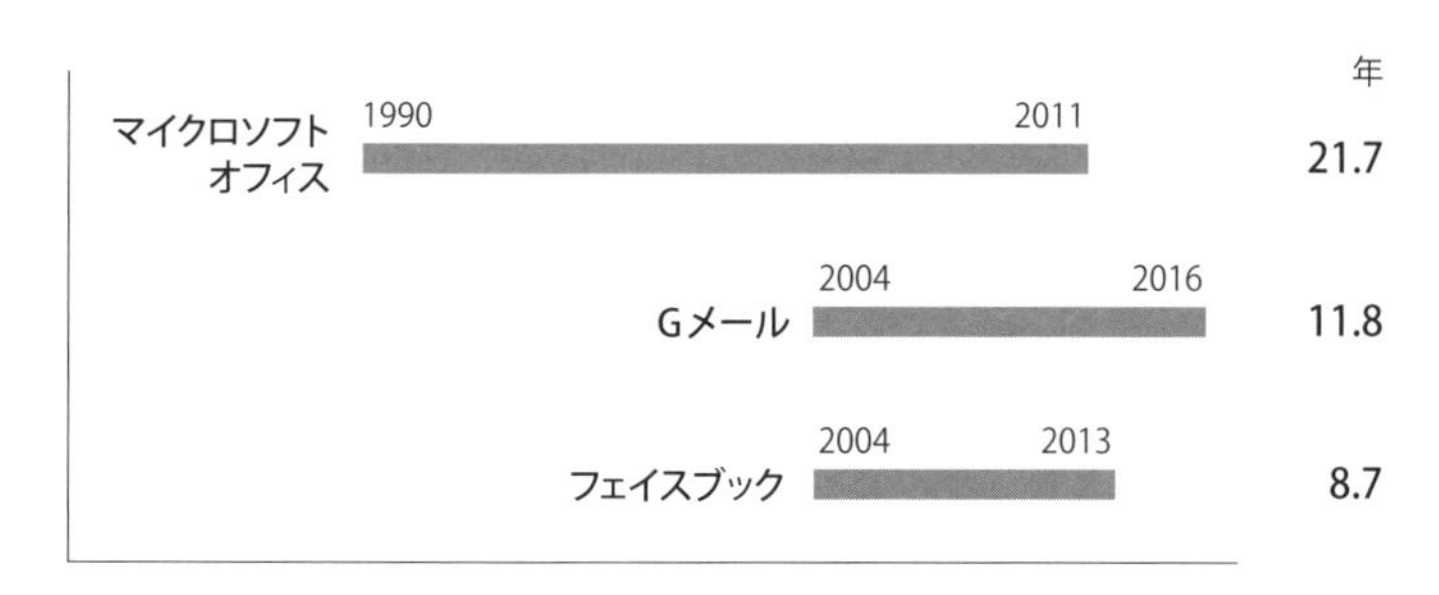

Desjardins, Jeff. "Timeline: The March to a Billion Users [Chart]." Visual Capitalist.

の弱みであり、キャリアにとっては致命傷だ。

話し合いの場で、試してみる価値のある、かつくだらないアイデアを出せる人間になること。攻め続けること――4つのことを頼まれたら、そのほかに1つ、頼まれていないアイデアを出してみることだ。

当事者意識

特筆すべきもう1つのスキルは当事者意識である。チームの誰よりも細部にこだわり、何をいつ、どのように終わらせる必要があるか検討する。自分が全員を、そしてすべてを掌握しなければ、何も起こらないと考える（おそらく本当に何も起こらないだろう）。

あらゆる意味において、仕事、プロジェクト、事業、それらすべてを自分のものだと考える。それはすべてあなたのものなのだ。

大学に行く

わかってるよ、そんなこと……当たり前じゃないか。そう思われるかもしれない。それでも何度でも繰り返す価値はある。デジタル時代にホワイトカラーの仕事で成功したいなら、名門大学に入るのがいちばん安全な道だ。行くと行かないとの違いは大きい。

ザッカーバーグ、ゲイツ、ジョブズはみんな大学を中退している。しかしあなたやあなたの息子はザッカーバーグではない。そして彼らも卒業はしていないが、大学での経験が成功の役に立っている。

フェイスブックはキャンパスの実際のニーズから生まれたために大学で急激に広まった。ゲイツはマイクロソフトを起業する前、ハーバード大学で数学とプログラミングを3年間みっちり学んだ。そこでスティーブ・バルマーに出会い、25年後には彼にマイクロソフトをゆだねた。そしてジョブズでさえリード大学に進んで青春を謳歌し、そこでデザインへの情熱に火がついたのはよく知られている。

子どもを4年制大学に進ませ卒業させるために、親はさまざまなことに耐え、費用を捻出しなければならない。しかしやはりそれだけの価値はあるのだ。大学卒業者の生涯賃金は、最終学歴が高校卒業である者の10倍である。

人生において大学とはぜいたくな場所である。そこでは熱意あふれる聡明な若者たちや優れた頭脳を持つ学者たちに囲まれ、世界が与えてくれるチャンスについてじっくり考えることができる。

ブランド

だから大学には行くことだ。何かを学べるかもしれない。たとえ学べなくても、ブランド大学の卒業生という肩書は、形のある財産を得るまでの大きな財産となる。大学に行ってその後の可能性が狭まることはない。

大学入試、就職試験、人生の伴侶の選択。人生には選別される場面が数多くある。私たちには選択のための目安が必要だ。そんなとき「イェール大学＝優秀、名もない大学＝優秀ではない」と判断されてしまいやすい。そして現代では頭のよさはセクシーさに通じるのだ。

誰も認めようとしないが、アメリカにはカースト制度がある。それは学歴と呼ばれる。大不況の真っただ中、大学卒業者の失業率は5パーセント未満だったが、高校しか出ていない者の失業率は15パーセントだった。

そしてあなたの成功のレベルは、卒業した大学によって決まる。上位20パーセントの大学に入学できた学生は問題ない。学生ローンに見合った成果を得られる。しかし他は同じくらいの学生ローンを背負っていても、同じだけの効果は得られない。

大学の授業料は近年急騰している。１９９６年から２０１６年の間のインフレ率が１・37パーセントだったのに対し、大学の授業料は１９７パーセントもアップした。(1)(2) 教育はいま創造的破壊（ディスラプション）が求められている。

テクノロジー企業、特にベンチャーキャピタルの支援を受けている教育関連のテクノロジー企業が教育を変革するという誤った考えが流布している。そんなばかなことはない。むしろ政府は、ハーバード、イェール、ＭＩＴ、スタンフォードに圧力をかけるべきだ。これらの大学は巨額の寄付金を合理的な理由なくため込んでいる。それを吐き出させたほうが、変革が起きる可能性ははるかに高い。

ハーバード大学は、教育の質を落とすことなく新入生の数を2倍にできる可能性があると主張している。それはいい。ぜひやってほしい。学生数の増加、授業料の無償化、それを一流大学が行えば大きな変化が起きる。平凡な大学の大規模公開オンライン講座（MOOC）ではそうはいかない（アップルの章を参照。アップルがそれをやってくれることを願う）。

友人

一流大学で教育以外に得られるものはブランドだけではない。キャンパスでできる友人も、同じくらい価値のあるものだ。その中には行方不明になる人も当然いるだろう。しかし財産やスキルやコネクションなど、あなたが将来自分の分野で成功するために必要なものを手に入れる人もいるかもしれない。

私が特に信頼している顧問やビジネス・パートナーにも、ＵＣＬＡやビジネススクールで知り合った人がいる。そこでの経験や友情がなければ、いまほど成功していなかったことは明らかだ。

フェアではない競争

大学進学についての問題は、競争がフェアではないということだ。それを指摘するのは私が最初だろう。

大学の費用は目玉が飛び出るほど高い。４年間の授業料、住居費に食費。トップ校に準じる程度の大学でも25万ドルくらいかかるかもしれない。

たしかに一流大学の多くが気前のいい学資支援プログラムを実施している。たとえばアイビーリーグの大学ではかなり手厚い支援を行っている。平均的な家庭の学生には授業料免除だけでなく部屋と食事が無料で提供される。しかし聡明だが貧しい若者の一流大学への入学を阻むのは、実は授業料以外のものである場合が多い。

大学の支援プログラムを活用するには、まず入学を許可されなければならない。家庭教師をつけ、ＳＡＴ準備講座に通い、あらゆる校外学習に参加できる生徒たちと競って、入学資格を勝ち取らなければならない。その大学の卒業生を親に持つ、いわゆる〝レガシー〟も競争相手だ。また親が何年も大学に寄付をしていたり、学部長とゴルフをしていたりする家庭の子どもも相手にしなければならないのである。

もしネームバリューのある大学に入学できないときは、どうすればいいのだろうか。編入という手がある。一流大学には、大勢を相手に戦って新入生として入るより、中退者の枠が空く2年次に入るほうがずっと楽なのだ。

トップクラスに次ぐレベル、あるいはその次のレベルの大学でもいいから入学して、とにかくがむしゃらに勉強や活動に取り組む。好成績、成績優秀者特別プログラム、奉仕クラブなど。これはまた金銭面ではるかに安くすむコースでもある。

資格・証明

言うまでもないことだが、人はさまざまな事情を抱えている。誰もが大学に行くべきだというわけではない。では大学に行かないなら、どうすればいいか。

資格を取得することを考えよ。公認財務アナリスト、公認会計士、正看護師、ヨガ・インストラクター……。資格はあなたがあなたであることを示す証明だ。大学は何より強力でわかりやすい証明だ。もし大学があなたの好みではないならば、平均時給1ドル30セントで働く世界中の70億人とは違っていることを証明するものを見つける必要がある。

何かをなしとげた経験

ある分野で目標を達成できた人は、すべての分野で目標を達成できる。フィールドホッケーの地区リーグで決勝に進む。小学校の綴りコンクールで優勝する。軍服に勲章を飾る。何かをなしとげることは、何度でも繰り返せる習慣だ。

そもそも競争に参加していなければ、勝者にはなれない。勝つためにはまずフィールドに出て、リスクを背負い（顔を殴られるかもしれない）、ときには失敗の屈辱に耐えなければならない。それでこそ何かをなしとげられる。競争には勇敢さと、行動する意志が必要だ。

スティーブ・ジョブズは2000年にアップルに戻り、自分はAランクの人間しか雇わないと発表して厳しく批判された。Aランクの人間はAランクの人間を雇い、Bランクの人間はCランクの人間を雇うと言ったのだ。しかし彼の言うことは正しかった。勝者は他の勝者を知っている。入賞レベルの人間を雇うだけではライバルに脅かされる。

競争に参加するには何事にもへこたれない根性がいる。持久力が必要なスポーツ（ボート、体操、水球、陸上）は、根性を育てる絶好の機会だ。ボートの訓練にたとえるなら、800

メートル地点で吐いて、１４００メートル地点で意識が遠のき始めてなお、２０００メートルを漕ぎきる経験を積むべきだ。そうすれば気難しい客にも対応できるし、意志の力で成果を「よい」から「すばらしい」のレベルに押し上げることができる。

都市に出よ

何年にもわたり、私たちはデジタル時代の到来で「どこでも働ける」ユートピアが現れると信じていた。静かな山あいの小屋に住み、情報のスーパーハイウェーとつないだラップトップで仕事ができるようになると。

ところが実際は逆のことが起こっている。富、情報、権力、そしてチャンスは都市に集中している。イノベーションは多くのアイデアが集まるところで起こり、進歩は人間の直接の交わりから生じる。狩猟・採集者である私たちは、他人と一緒にいて動いているときがいちばん幸福で、何かを生み出すことができるのだ。[3]

世界のＧＤＰの80パーセントは都市で生まれ、大都市の72パーセントは、成長率でその国全体を上回っている。毎年、大都市に移動するＧＤＰの割合は増加している。その傾向は今後も続くだろう。世界の大規模経済圏上位１００都市のうち、36はアメリカの大都市圏だ。

2012年には雇用の92パーセント、そしてGDP成長の89パーセントはそれらの都市で生み出されていた。

そしてすべての都市が同等というわけではない。世界的な経済中心地はスーパーシティとなる。ニューヨークとロンドンは、第1位でないにしても、常に上位にランクインしている。不動産業者ができるだけ豊かな都市に投資したいと思うのも仕方ない。その都市とともに発展できるのだから（マンハッタンの事業がブルックリンまで広がるのを考えてみてほしい）。勝者総取りの経済は不動産業界にまで当てはまっているようだ。

20代での成功は、どのような土地に移り住んでいるかで判断できる。その国の最大の都市にたどり着くのにどのくらいの時間がかかったか。世界的な経済中心地、スーパーシティにたどり着くことが成功の最大の証になるだろう。

自分のキャリアをよく見せる

あなたは心理的に成熟していて、好奇心も根性も持ち合わせている。しかしそれはあなただけではない。どうすれば他の聡明な若者たちから抜きんでることができるだろうか。第一に、自分の特技を強調して、自信を持ってできる仕事の限界を広げておく必要がある。

次の質問を考えてほしい。あなたを宣伝するメディアは何だろうか。ビールならテレビ、高級ブランドなら出版物だが、〝あなた〟を宣伝するのにいちばんよいメディアは何か。インスタグラム、YouTube、ツイッター、企業のスポーツチーム、スピーチ、本、青年社長会、アルコール（そう、うまく使えば酒もあなたの楽しさや魅力を伝えるメディアになる）、あるいは食事。

あなたには自分のすばらしさを広めるためのメディアが必要だ。よい仕事をしても、それを宣伝して自分のものだと主張しないと、正当な報酬は得られない。

自分を宣伝するなんてみっともない、質の高い仕事をしていれば見てくれる人がいるはずだと思いたくなる。しかし現実はそうはならない。あなたのすばらしさに触れる機会のない人のほうが圧倒的に多い。10人、1000人、1万人にあなたを伝える方法を考えてみてほしい。幸いなことに、いまはソーシャル・メディアという便利な手段がある。ただしそこで目立つためには、殴り合いくらい激しい競争を勝ち抜かなくてはならない。

私にはツイッターで5万8000人のフォロワーがいる。そこそこの数だが、すごいというレベルではない。それでもここまで増やすのに、1日15分かけた投稿を6年続けた。私たちの週刊〝ウィナーズ&ルーザーズ〟の動画は、週に40万回視聴されている。しかし138週前に公開した1本目の動画の視聴回数は785回だった。これは私と9歳の子どもがふざけて、家庭用ビデオで撮影したものではない。アニメーター、編集者、調査員、スタジオ、しっかりしたメディア（そこで配信と視聴回数を買っているのだ）に、2年半にわたり継続的に投資をしてきた結果なのだ。

文章がうまい人もいれば映像表現がうまい人もいる。あなたの得意なものに積極的に投資して、弱みが足を引っ張らないよう工夫をする。雇用主から同僚たち、将来の伴侶まで、みんながあなたのことを調べている。その人たちに自分のいちばんいい姿を見せていることを常に確かめる。自分のことをググってみよう。出てきた結果が自分のよさを十分に伝えていないと感じたら、修正してもっといいものにするのだ。

新しいものを受け入れる

あなたが25歳でもアイビーリーグの卒業生でもなければどうするか。絶望して引き下がるしかないのだろうか。

いや、まだ大丈夫。私は52歳で、平均すると25歳は年下の社員たちと仕事をしている。L2にも何人かは私のような年配社員がいる。その全員に共通していることが1つある。若い人たちを扱う方法を知っていて（明確な目標、指標、彼らに投資する、共感する）、四騎士とうまくつき合えること。つまりそれらを理解し、活用するよう努めていることだ。55歳でソーシャル・メディアを使えないと（得々と）語る人間は、あきらめてしまったか、ただ怖がっているだけだ。

ゲームに参加しろ。アプリをダウンロードして使うのだ。あらゆるソーシャル・メディアのプラットフォームを利用しよう（わかった、スナップチャットは除く。あれを使うには年をとりすぎている）。さらに大事なのは、それらを理解しようとすることだ。

いくつかのキーワードを設定し、動画をグーグルやYouTubeに投稿する。「私はビジネスは嫌いだ」と言う管理職はいない。四騎士は大きなビジネスを支配している。影響を受けないものはない。それらを使いこなせなければ、ビジネスを営むことは（しだいに）できなくなる。

私は生まれつきテクノロジーが好きなわけではない（大学のプロフィール欄にそんなことは書かないが）。しかし世間で評価される存在になって、自分と家族の経済的安定を手に入れたいという気持ちは強い。

だから私はフェイスブックにも参加して、なんとなく理解もしている。好みとしては自分のフェイスブックのホームページにバナーをつけて（本当にそういう言い方をするかわからないが）「連絡をとらないのには理由がある」と書いておきたいところだ。しかしそんなことはせずに〝ダークポスト〟とは何かを理解するよう努める。インスタグラムに移って広告をクリックする。そしてなぜブランドは（私が理解できる）テレビではなくインスタグラムに広告を出すのか、解明する努力を続ける。

四騎士を使うこと、そしてそれを理解することは、テーブルに賭け金を置くことだ。さあ、ゲームに参加しよう。

株と計画

報酬の一部に株を組み込むようにしよう（雇い主に関わる株に価値が出ると思わないなら新しい雇い主を見つける）。その比率を（理想的には）30代には10パーセント、40代には20パーセント強まで増やすべきだ。勤めている会社で株を買うチャンスがないなら、税金面で優遇されている口座（401kなど）を活用しよう。収入と支出に基づき、どうすれば100万ドル、300万ドル、500万ドルの資産を構築できるか計画を立てるのだ。

時間の経過は不思議なことに遅くもあり速くもある。経済的保障のないまま気づいたら50歳、これはあっというまに起こる可能性がある。大金を稼ぐとか、価格が100倍になる株を買う見込みがないとすれば、できるだけ早い時期から将来への備えを始めておく。

私はそれぞれ数百万ドルは回収できるはずの資産をいくつか持っていた。しかし想定外のことが起きたときの備えをしていなかったため、2008年9月のある朝、目が覚めたらほとんどの財産を失っていた。それはちょうど子どもができたばかりのときで、とても恐ろしかった。

そんな思いをしないために、計画を（1つがだめだったときのために、第二の計画まで）立てる。できるだけ早いうちに。学校にいるうちは別にして、稼ぐ以上の額を使わないこと。私が知る中でいちばん幸せな人は、収入以下の生活ができる人だ。そういう人は常に経済的な不安で頭を悩ませる必要がないからだ。ただし多くの、というかほとんどの中産階級の家庭にとって、これはできることではないかもしれない。

給料だけで大金持ちになることはできない。資産を増やして富を築くには株が必要だ。CEOとその会社の創業者の純資産を比べてみるといい。

現金の報酬はあなたのライフスタイルを向上させるが、それで財産は増えない。そして人は自然に貯金するようにはできていない。収入が増えると、同じくらいの収入を得ている人たちとつき合うようになり、そこで目にするものが欲しくなる。あっというまにビジネスクラスに乗るのが当然になり、そこから引き返せなくなる。

豊かさの定義は、不労所得が生活費を上回った状態である。私の父は社会保障の給付金と投資からのキャッシュフローで年間4万5000ドルを得ており、支出は年間4万ドルなので豊かだ。金融業界の友人の中には、7桁の稼ぎがありながら豊かでない人が何人かいる。そういう人は働くのをやめたときのことを考えていない。豊かな生活への計画には、収入以下の生活、そして収入を生む資産形成が必要である。豊かさとはいくら稼ぐかよりも、きちんと計画を立てることなのだ。

人間、特にアメリカ人は貯金が好きなほうではない。最悪なのは、いちばん稼ぎがよかった年をふつうだと思い、高収入が続くと信じていることだ。サービス業界のプロ、アスリート、エンターテイナーなど、ほんの数年で100万ドル稼ぎながら結局は破産してしまうケースは驚くほど多い。『スポーツ・イラストレーテッド』の推定では、NFLの全プレーヤーの78パーセントは、選手をやめて2年以内に経済的に困窮するか破産するという。

会社とは「連続的単婚」を心がける

会社に長くいると、正当な評価をしてもらえなくなる。能力が同じレベルのベテラン社員と新たに雇った社員では、新たに雇った社員の給料のほうが20パーセントも高い。のちに低い評価を受けたり、すぐに辞めてしまったりする可能性が高くてもそうなのだ。

だからといって、次々に会社をわたり歩いたほうがいいというわけでは、もちろんない。あなたが1日中リンクトインのプロフィールを更新し、しょっちゅうヘッドハンターとランチをとっていれば、浮気性とみなされて雇用主の不興をかうだろう。

ここで取るべき戦術は、離婚するのはかまわないが結婚している間は誠実に、ということだ。よい雇い主を見つけて新しいスキルを学ぶ。上層部の支援を取りつける（自分の味方をしてくれる人を見つける)。株を買ったり積み立て貯金をしたりする。そうして3年から5年はその会社の仕事に全力で打ち込む。状況が耐えがたくなるまでは、他の選択肢を考えて精神的エネルギーを無駄にしたりしない。転職活動をあからさまに行うのは避けるべきだが、誘いがあった場合、話を聞く姿勢は保っておく。

良識的に転機と思われるときが来たら(たとえば、いまの職場で新しい地位を願い出たばかりのときに転職活動をするべきではない)ヘッドハンターに電話を返し、面接を受けたり紹介をたのんだりする。何かトレーニングを受けたほうがいいかどうかも検討する。

心惹かれるオファーがあったら、いまの上司に正直に伝える。これまで会社に誠意を尽くしてきて、いまの仕事も気に入っているが、これこれこういう面でそれを上回るオファーを受けた。あなたを欲しがる会社があることが、市場からのフィードバックで証明されたのだ。はったりをかけてはいけない。本当のことを言うのがいちばんいいのだ。

外部からのオファーがあることを申し出たとき、いまの会社があなたを手放したくないと強く思う場合もある。そこで引きとめられなければ、それ以上の昇進は難しいということであり、そこを辞める時期なのだ。逆にもし辞めるという道がなくなったら、その後の3年から5年、いちばんいいと思われることを行い、もう一度同じ手順を踏む。

組織ではなく人に誠実に

ミット・ロムニーは間違っていた――企業は人ではない（訳注：2011年、共和党大統領候補補選を争っていたロムニーが、企業や金持ちを優遇して中間層に課税しようとしているのを野次られたとき、「企業は人である」と返した）。イギリスの大法官エドワード・サーローが200年以上前に述べていたとおりだ。「企業には罰すべき体もなく、責めるべき魂もない」。だから企業はあなたの好意や誠意を向ける相手ではない。もちろん向こうから同じものが返ってくることもない。教会、国家、ときには私企業までもが、何百年もの間、抽象的な組織への忠誠をしつこく求めてきた。多くの場合、組織は若者に勇敢だが意味のないことをさせる。たとえば戦争。それは年寄りが土地と財産を維持できるようにするためだ。そんなことはナンセンスである。

私のクラスで特によく勉強するのは、国に奉仕したことがある学生たちだ。私たちは彼らの国への忠誠心に（大いに）恩恵を受けている。しかし私たち（アメリカ合衆国）がそれを正当に評価しているとは思えない。彼らにとって得な取引ではない。

人に忠実であれ。人は企業を超える。人は企業と違ってその忠誠心を評価してくれる。よいリーダーは、自分がうまくやれるのはバックについているチームがうまくいっているときだけと知っている。そして誰かと信頼の絆を結んだら、その人を満足させ、チームにつなぎとめるためにどんなことでもする。もしあなたの上司があなたの味方をしてくれないなら、その上司が無能か、あなたが無能かのどちらかだ。

好きなことではなく得意なことでキャリアを築く

自分のキャリアに責任を持ち、うまく管理する。人は「自分のやりたいことをやれ」と言うが、これもナンセンスだ。私はニューヨーク・ジェッツ（ニュージャージー州のプロ・アメリカンフットボール・チーム）のクォーターバックになりたかった。背も高くて肩も強く、リーダーになるスキルもあり、膝を壊して引退したら車の販売店のオーナーにもなれただろう。しかしプロになるほどの才能はなかった。それはＵＣＬＡに入ってすぐにわかった。やりたいことをやれという人は、すでに金持ちになっている。

やりたいことをやるのではなく、才能を持っていることをやるのだ。自分は何が得意なのかを（早いうちに）見極め、その道のプロとなるよう力を尽くす。大好きになる必要はないが、嫌いであってはいけない。訓練でプロのレベルに達するなら、世間から認知されて報酬を受けることで、それを好きになれるだろう。

やがてキャリアと専門分野を築いて、最も楽しめる面に集中することができるようになる。もし好きになれなくても、ある程度の資産ができたらやりたいことをやればいい。税理士を夢見る子どもはいない。しかし一流の税理士は飛行機のファーストクラスに乗り、自分よりルックスのいい伴侶を見つけている。それを目標に努力していた可能性はある。

不満を口にしない

もしあなたが公正を求めているなら、それは企業の世界では見つからない。不公平な扱いを受け、自分は悪くないのにたいへんな状況に置かれることもあるだろう。自分ではどうにもできない失敗は必ず何度かある。それに耐えるべきか、他の仕事に就くか決めなければならなくなるかもしれない。

もし会社を辞めるなら、覚えておいてほしいことがある。まわりの人はあなたがそこで何をしたかより、どんな辞め方をしたかを覚えている。どんな状況であっても、穏やかにことを進める。

最高のリベンジは、あなたに嫌な思いをさせた相手よりもいい生活をすることだ。少なくとも、そういう相手を二度と思い浮かべるべきではない。10年後にはその人物があなたを助ける立場になるかもしれないし、もう邪魔はしないかもしれない。

他人への文句や、どれほどひどい目にあわされたかという不満を口にするのは、負け犬のすることだ。ただし、誰かに不道徳なふるまいをされたら（ハラスメントなど）勇気を出して弁護士やメンターに何ができるか相談してほしい（こればかりは、すべてに当てはまる正解はない）。

平均に回帰することを覚悟する

世の中には思っていたほどよいことも悪いこともない。すべての状況や感情は通り過ぎる。大勝利を収めても驕ることなく、しばらくはリスクを避けた安全策を取れ。平均値への回帰の力は強く、幸運（その多くは純粋な運）はどこかの時点でひっくり返る。1つのベンチャーで大金を手に入れた起業家はえてして、成功したのは自らの才能のおかげであり、そんな自分はさらに大きなことをするべきだと思い込む。彼らがその後多くを失うのはそのためだ。

一方で、打ちのめされたとしても、あなたはそのとき世間が思っているほどまぬけではないということも認識してほしい。打ちのめされたとき、大事なのは立ち上がってほこりを払い、もっと強くバットを振ることだ。

私も何度か打ちのめされたことはあるが、そのたび立ち上がってきた。また何度かプライベート・ジェットの購入を検討したことがあった（バブルの時期に）。しかし私はそこまで秀でた存在ではないと世間に思い知らされた。それでもジェットブルー航空（訳注：格安航空会社）で特典を受けられるくらいの、重要顧客になっている。

あなたのスキルを評価してくれるところへ行く

自分が所属する組織の中で、その企業の得意分野——中核事業——を理解しよう。出世したいと思ったら、それらの分野の1つに重点的に取り組む。グーグルならエンジニア。販売員はそこまで評価されない（それでも職場としてはすばらしい）。消費者向け製品のメーカーならブランド・マネジャー。エンジニアが経営幹部になることはめったにない。

もし企業の中核分野、つまり他社より優れている業務の部署にいるなら、最高の人材とともに有望なプロジェクトに取り組んでいるということだ。上層部の目に留まる可能性も高い。

しかしこれはコストセンターにいては出世できないとか、会社が売れるものを生み出さなければならないということではない。上級管理職の経歴を調べてみて、ほとんどが販売部門出身なら、その会社は販売を評価している。運営部門出身ならそれが会社の中心なのだ。宣伝で何を言っていようが関係ない。

セクシーな仕事は儲けが少ない

人気業種の最先端企業には過剰なほどの投資が集まる。しかし人的資本の利益率（この場合、労働への報酬）は減少する。

もし『ヴォーグ』で働く、映画を製作する、レストランを開くことが望みなら、その仕事で得られるのは、主に心理的満足であると覚悟しておくべきだ。労力に対する報酬は最低レベルである可能性が高い。競争は激烈だ。なんとか参入できたとしても、うしろから追いかけてくる実力のある若手にすぐ取って代わられる。

エクソンで働きたいという高卒の子はほとんどいない。しかし大企業の中核部門なら、急成長したホットな企業ではありえない定期的な昇進が望める。子どもがいるなら特に安定性は重要だ。45歳になったとき将来の心配をしたくはない。週末にはバンドで演奏。夜間の写真学校に通う。少しずつ続けて、ある程度の貯蓄ができたら全力でそれに取り組む。早くから大金を稼げるようになれば、複利のおかげで、将来はそれほど稼ぐ必要はなくなる。

誰もが憧れるホットな業界は、家賃を払うだけで精いっぱいになる可能性がある。キャリアも安定した将来もなく、天才と呼ばれることもない。

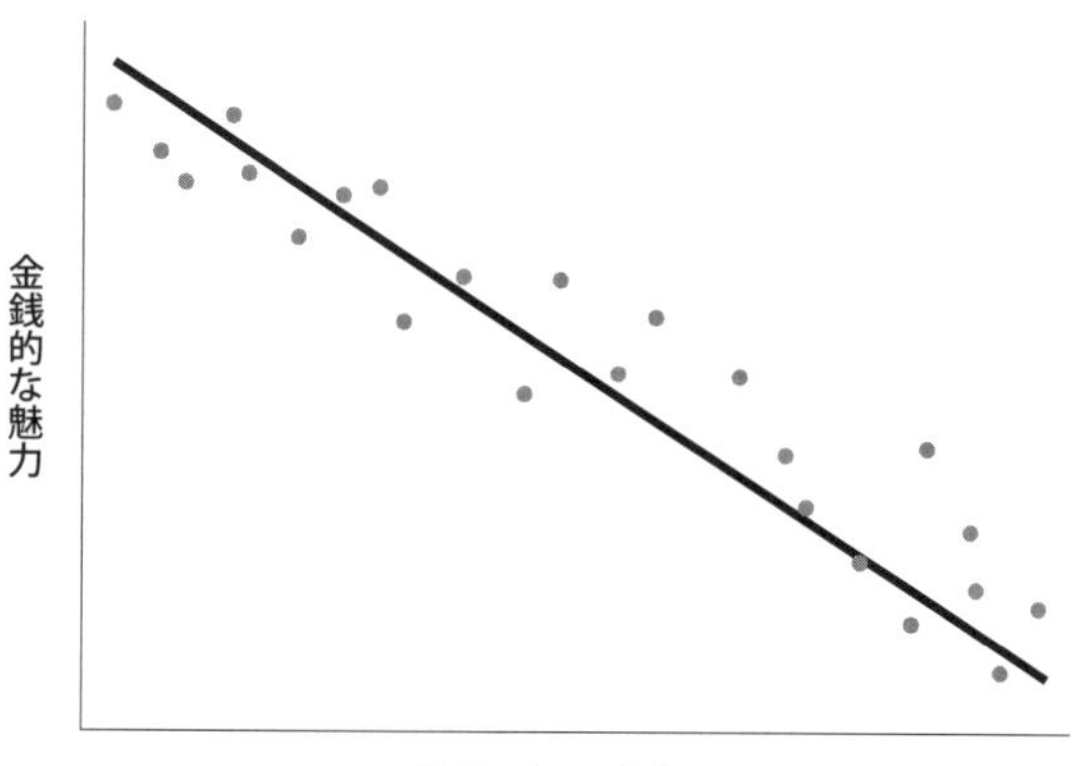

私はスムージーのバーや新しいファッション、あるいは音楽レーベルには投資しない。私が手を出したものの中で最も成功したのは調査会社だ。頭のいい人が、病院のスケジューリングを向上させるパッケージ・ソフトウェアについての恐ろしく退屈な話をしながら興奮していたら、そこに金の匂いを感じる。

頑強さ

テレビでスポーツを見る時間を減らし、代わりに自分が運動する時間を増やせば、成功する可能性は高くなる。やせたりたくましくなったりするということではなく、身体的にも精神的にも強くなるということだ。

ほとんどのCEOは定期的に運動をしている。会議室でろくでもないことが起こったとき、そこにいる全員を殺して食べるくらいの強さを身につけよう。そうすれば相手より優位に立てる(もちろん実際に相手を殺して食べてはならない)。

体を健康に保つことができれば、うつになる可能性も低く、思考が明確になり、よく眠れ、未来の伴侶の選択肢も多くなる。職場でも定期的に、体と精神の強さ——根性——を見せつける。週に80時間働き、ストレスがあっても冷静さを保ち、大きな問題にがむしゃらに精力的に取り組む。まわりの人は見ていてくれる。

モルガン・スタンレーのアナリストは毎週のように徹夜しているが、それで死ぬことはない。むしろもっと強くなる。しかしこうした仕事へのアプローチは、年をとってからやると本当に死んでしまう。やるなら若いうちにやることだ。

助けを求める

私が1990年代にサンフランシスコで就職する年齢になったとき、何人もの人が手を差し伸べてくれた。実業界でたいへんな成功を収めていた人たちだ。彼らが助けてくれたのは、私の親を知っているから、あるいは、私が超優秀だからではない。単に私がたのんだからだ。

大きな成功を収めている人は、重要な問いについて考える余裕がある。たとえば「なぜ自分はここにいて、どんな足跡を残したいのか」。その答えにはおおむね他人を助けることが入る。

成功を目指すなら他人の助けをあおぐ必要がある。さらに自分より若い人を助ける癖をつけるべきだ。年長者を助けるのはごますりである。助けても相手からそれほど感謝はされないと思っておけば、失望することもない。多くの人を助けて種をまいておけば、思いがけないところで報われることがある。それに純粋にいい気分になれる。

アルファベットのどの段階にいるか

企業のライフサイクルの段階によって、求められるリーダーシップの種類は違っている。起業時、成長中、成熟期、そして衰退期（無遠慮な表現だが）。それぞれに必要なのはアントレプレナー、ビジョナリー、オペレーター、プラグマティストである。

アントレプレナー

アントレプレナーはストーリーテラー兼セールスマンであり、実際に立ち上げる前から、その会社に加わったり投資したりするよう他の人たちを誘う。最初はどの会社にも存在意義などない。あればすでに存在していたはずだ。ビジョナリーはその会社の最初の、どうなるともわからない製品やサービスについて同じことをする——そのような製品をサポートできるほど、会社が長続きする証明はできなくても。

私はいくつか会社を興した。それで私は、シリコンバレー用語で言う連続起業家（シリアル・アントレプレナー）となった。シリアル・アントレプレナーには共通点が3つある。

・人よりリスク許容度が高い
・売り込みができる
・無分別で失敗を予測できない

同じことを何度も何度も繰り返せ。きわめて合理的で知性が高い人は、リスクがはっきり見えてしまうので、アントレプレナー、特にシリアル・アントレプレナーにはあまり向かない。

ビジョナリー

会社に勢いがついて資本を手に入れられるようになったら、その経営をビジョナリー・タイプのリーダーに任せるべきだ。会社がわかりやすくなり、数量化と反復が可能なプロセスが生まれ、どんどん安い資本にアクセスできるようなる。

ほとんどのアントレプレナーは自分たちの製品が大量生産できることよりも、貴重であることを誇りにしている。アントレプレナーと同じように、ビジョナリーもストーリーを売らなければならないが、この段階ではストーリーではなく、いくつかの章からなる物語を必要とする。

ビジョナリーはアントレプレナーが持つ天才的狂気は持ち合わせていないかもしれない。しかしそれを組織への愛情、特にアイデアを大規模化できる組織を構築するために力を尽くすことで埋め合わせる。社員が100人に達したら、私はいつも〝組織づくりに長けた人材〟を入れてきた。私にはそのスキルがないからだ。

オペレーター

オペレーターはビジネスを完成させるのが得意で、誠実さがにじみ出ている。彼／彼女は、リスクよりも安定を求め、株式より給与を好むようになる社員への対応に優れている。年間250日は世界中のあらゆる地域に出張し、腹を立てている株主に対処し、絶えず次の買収の相手をさがしているCEOがこのタイプだ。

高い報酬を手にするCEOたちをうらやむ人々は、彼らがどんなことをしているのか知らないのだ。CEOというのは会社生活の中で特に不快な仕事の1つだ。ある種の社会病質人格者がうまくやれるのもそのためだ。

プラグマティスト

老化して衰退し始めた会社の社員や従業員にとって、プラグマティストがやってきて社を率いることになれば、それは幸運なことだ。プラグマティストのＣＥＯは、会社の栄光の時代に対するロマンチックな考えを持ち合わせていない（主にその人が当時その会社にいなかったから）。そのため愛するあまりに目が曇ることが決してないのだ。

プラグマティストのＣＥＯは会社が傾いていることを正しく認識する。だからキャッシュフローを確保し、収益が落ちるより前にコストをカットする。まだ価値のある資産を成熟企業のＣＥＯに売却し（これから伸びる会社のＣＥＯは、そうした会社の死の匂いを嫌うので買わない）、他は投げ売りする。

あなたはどこが得意か

自分のキャリアを考える上で有用なエクササイズは、こう自問してみることだ。自分は次のアルファベットのどの段階でうまくやれるだろうか、と。

企業と製品にはＡからＺまでのライフサイクルがあると考えてみる。あなたがいちばん働きたいと思うのは、いくつもの肩書を持つことになる起業したばかりの段階（Ａ～Ｄ）だろうか。初期～ビジョンを考える段階（Ｅ～Ｈ）か。マネジメント、規模の拡大、再発明が得意（Ｉ～Ｐ）……あるいは衰退し始めた企業／製品を整理して、利益を出すことができる（Ｑ～Ｚ）。

いくつものレベルでうまくやれる人はほとんどいない。このエクササイズは自分が働いている、あるいは目指している企業やプロジェクトにどう関わるか考えるのに役立つはずだ。

どんなCEOでも、対処できるのはこれらの段階のうちせいぜい2つである。ほとんどのCEOは創業者、ビジョナリー、オペレーターとしてその地位についていて、プラグマティストではない。アメリカのビジネス史上、自分の会社を起業から始め、事実上アルファベットの最後の段階まで運営したCEOは、数えるほどしかいないだろう。なんといっても、何十年も前に自分たちが起こした偉大な会社を死に導くのはしのびないことだ。

先進国でいま生まれる子どもの平均余命は100年だ。いまアメリカを代表する企業に選ばれた100社のうち、創業100年を超えているのはたったの11社。死亡率は89パーセントに達する。ということは、私たちの子どもはいま知られている企業ほぼすべてより長生きするわけだ。過去60年について、10年ごとにそのときのシリコンバレーのトップ10企業のリストを見てみよう。2回リスト入りする会社はめったにない。

ありがちなのは、ヤフー！のようなパターンだ。一時期はスーパースター級の業績をあげるが、10年たつとピーク時の何分の一かの価格で売却される。ヤフー！は、ネット広告で金を稼ぐ時代で止まっていて、ほかに何かできるという証拠を示していない（いまとなっては社名のビックリマークも皮肉に思える）。

プラグマティストが経営を担っていたら、きちんと段階を踏み、社員数を減らし、中核事業以外は売却して、長年の投資家に多額の現金を残すことができたかもしれない。利益の大きな企業が成長のために再投資するのではなく、支出を減らし始めれば、莫大なキャッシュを生む可能性がある。オース（訳注：ヤフー！の中核事業を統合、ベライゾンが買収）はいまオールド・エコノミーの会社が所有している。

ボトックス

若いとき外見で注目されていた人ほど、年をとると美容医療にたよる傾向がある。これはビジネスでも同じだ。

一時期〝ホット〟であったという事実で信頼（評価）を築いてきた会社は、高価なボトックスや目尻のしわ取りのようなものにたよりがちだ。先行き不透明なスタートアップ企業を買収する（ヤフー！はブログサービス会社のタンブラーを11億ドルで買った）。モバイルコンピューティングに関する夢みたいな戦略を立てる。若い企業から高額で有能な社員を引き抜いたのはいいが、ジゴロのように金だけとられてあっさり他社へ移られる。このように、失われた若さを取り戻すというかなわぬ夢を追いかけてしまう。

その結果は、ボトックスやフィラー注射でハイになっている奇妙な形態のインターネット企業である。オールド・エコノミーの企業やニッチな部門は、加齢を正面から見つめるべきだ。金ばかりかかる妙な投資は、株主に多大な苦痛を与えるだけである。

こうしたアルファベットの最後の段階にある企業を経営するプラグマティストを見つけるのは難しいが、世の中には存在している。

彼らは物言う株主や、未公開株投資会社のパートナーかもしれない。会社の死を見てきて、この世には死よりも悪いことがあると知っている——特に緩慢な死では、愛すべきおばあちゃんをもう1日生かすために、株主は破産させられる。

プラグマティストは感情的ではない。ともすれば冷徹な決定を下し、おばあちゃんを家に連れ帰って、最期の日々を楽しく過ごす(つまり多額のキャッシュを投資家に還元する)。

アメリカのメディア・コングロマリットであるハースト社のCEO、デービッド・キャリー。彼はビジョナリーからオペレーターに、そしてプラグマティストへと変貌した数少ないCEOの1人だ。雑誌が構造的に衰退するのは驚くことではない。デービッドは希望を失わず、定期的に新しい雑誌を発行し(驚くほど成功した)、利益を生むデジタル・チャンネルを開発した。

しかし彼も知っていたとおり、これは岩を丘の上へと押し上げているようなものだ。デービッドがハーストにもたらしたイノベーションの多くは、コストカットを避けてキャッシュを母船に返すようなことだ。たとえば1人の編集者に何種類かの雑誌を担当させる。組織の規模を活用する。コンテンツをいくつかのチャンネルや雑誌で使う。むやみに社員を減らさない。

結末はどうなるか。ハーストの雑誌はデジタルの略奪者からシェアを奪い返し、デービッドは『コスモポリタン』(ハーストの看板雑誌)に乗って夕日に向かって去っていく……ならかっこいいが、そうはならないだろう。ハーストの雑誌はすでに存在感を失った影であり、10年後には影はさらに薄くなっているだろう。

しかしハーストはビジネスの寿命を理解しているマネジャーたちを手放していないので、うまくやれるはずだ。彼らは収穫法を知っていて、新しい木を植えることができる——そして育ちすぎる前に回収する。

すでに生みの苦しみを乗り越えた会社(A〜CではなくD〜F)でも、リスク調整のためにアントレプレナー型の発想を取り入れたほうがいい。それは新しいテック企業の75パーセント以上が、創業1年以内につぶれているからだ。

もちろんあなたが興した会社が軌道に乗って裕福になる可能性もあるが、おそらくそうはならない。しかしそうした失敗を考えないことが、現代の経済のカギである。常軌を逸したもののいくつかは、常軌を逸したほど成功し、経済を活気づかせるからだ。

ロングテール・ショートテール

テクノロジーの世界では、ロングテール・ビジネスの多くが衰退している。

たとえばデジタル広告。フェイスブックとグーグルで、２０１６年のアメリカのデジタル広告収入の伸びの90パーセントを占めている。（できれば）そのエコシステムの中の、勝者である企業（グーグル、フェイスブック、マイクロソフト）を選んだほうがうまくいく。新しい市場をこじ開ける破壊的改革者はわずかしか存在しない。宝くじの当たりのようなものだ。

しかし伝統的な消費財の業界の一部に、ロングテール・ビジネスで成長している企業が存在する。ニッチな検索会社よりはグーグルに勤めたほうがいいが、逆に大手ビール会社よりも、小規模な地ビール会社に勤めたほうがいい場合もあるのだ。

情報は主要なプラットフォーム（アマゾンレビュー、グーグル、トリップ・アドバイザー）に集中している。それによって見知らぬメーカーのローテク製品の思いがけない成功や、昔ながらのカテゴリーのニッチ化が簡単に識別できるようになった。小規模な事業者でもすぐに信用を得て世界中に広がることが可能になった。かつてこれは、大規模な広告予算と流通ネットワークを独占していた大企業の特権だった。

ロングテール・ビジネスは消費財の世界で新しい命を得た。裕福な人は、大きなものではな

デジタル広告の収益増加に占める割合（2016年）

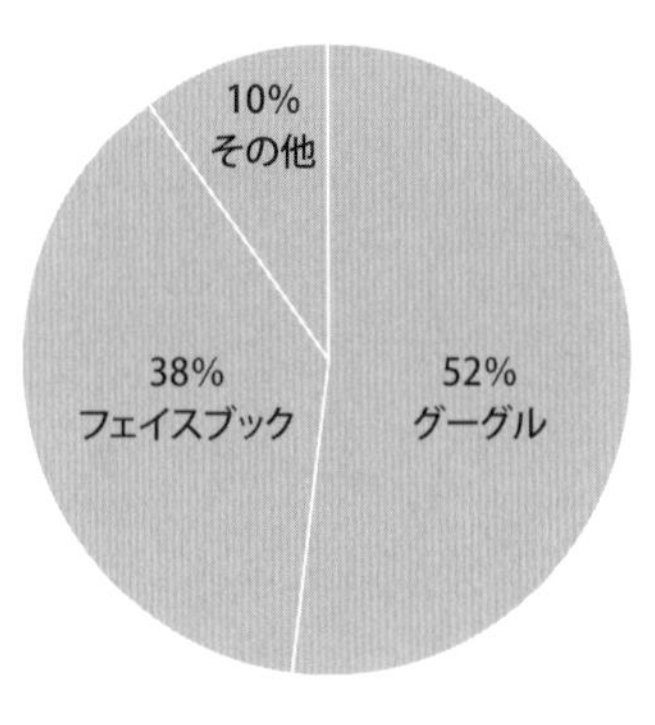

Kint, Jason. "Google and Facebook Devour the Ad and Data Pie. Scraps for Everyone Else." Digital Content Next.

く特別なものを求めるのだ。

これは分野を問わず見られる。たとえばコスメ業界のニックスやアナスタシア・ビバリーヒルズ。これらはインスタグラムをはじめとするソーシャル・ネットワークのインフルエンサーに直接訴えかけたり、流行を取り入れたり、グーグルに登録したりする。それによって昔ながらの企業に比べてはるかに短時間で製品を市場に送り込めるようになり、老舗の巨大企業に対抗している。

その結果、こうした企業のブランド露出の量は何倍にもなっている。老舗のライバル企業に比べ、広告費をわずかしかかけていないにもかかわらずだ。たとえばNYXのグーグルのキーワード購入はロレアルの1パーセントにも満たないのに、オーガニック検索結果で現れる量はロレアルの5倍である。スポーツ用品ではスキーやマウンテンバイク、ランニングシューズといった分野のニッチな会社が強い。これらは若いインフルエンサーとの契約、巧妙なオンライン・プロモーション、いち早い製品導入などで、利益率の高いマニア向け市場を掌握している。

バランス神話

仕事で成功しながらグルメブログを運営し、動物シェルターのボランティアに参加し、社交ダンスをマスターする人もいる。しかしあなたはそういうタイプではないと仮定する。キャリアを確立しようとしているとき、バランスが求められるという主張はほとんど根拠がない。卒業後の5年で（不公平なことだが）あなたのキャリアの方向性が決まる。もしできるだけ早く出世したいなら、せっせと燃料を燃やさなければならない。世界にはまだあなたが収穫できるものはない。できるのは努力することだ。とにかく熱心に、一生懸命働く。

私はいまバランスの取れた生活を送っている。それは20代から30代に、バランスなど無視して働いてきたからだ。ビジネススクールは別としても、22歳から34歳まで、私は仕事をしていたという以外のことをあまり思い出せない。

世界をつかむのは大物ではなく、すばやいものだ。ライバルたちより短い時間で進歩することを目指す。そのために最も必要なのは、才能ではなく忍耐力だ。私は若くしてキャリアを確立するために、髪の毛、最初の結婚、そしてほぼ間違いなく20代を犠牲にした。そしてそれだけの価値はあった。

あなたは起業家向きか

この章はデジタル時代に成功する人とはどのような人かを説明することから始めた。しかしさまざまな道筋のどれを選ぶにせよ、多くの人がどこかの時点で、起業を考えることになるだろう。それは自分でビジネスを始めることかもしれない。すでに事業が始まっている新興企業に参加することかもしれない。大きな組織と手を組んで新しい事業を開始することかもしれない。

これはいいことだ。新しいベンチャーは経済に新たなエネルギーとアイデアを注入するために重要だ。不利な条件を乗り越えて軌道に乗る企業に関われる幸運で頭のいい人々にとっては、財を築くチャンスがもたらされる。

自分で会社をつくって億万長者になったサム・ウォルトンやマーク・ザッカーバーグは、立身出世物語ではおなじみのキャラクターだ。そうした人々の成功によって、ひと晩で大金持ちの一団が生まれる。シアトル地区では〝マイクロソフト・ミリオネア〟が比較の基準となっている。ある経済学者の推定によれば、同社は2000年までに1万人のミリオネアを生み出している。

私たちの文化の中で、起業家はスポーツのヒーローや芸能界のスターと同じような、アイコン的な地位に持ち上げられている。起業家の象徴たるハンク・リアーデン（訳注：『肩をすくめるアトラス』に登場するたたき上げの鉄鋼王）から、死によって神格化されたスティーブ・ジョブズまで。起業家は先見の明を持って独力でことをなしとげ、巨額の富をつかんだ人物とみなされる。彼らはおそらくアメリカ人にとってのヒーローの純粋な形である。スーパーヒーローでさえあるかもしれない。スーパーマンは地球の自転の向きを変えられるが、収支報告はトニー・スターク（『アイアンマン』の主人公）のほうが得意だろう。彼はとても人間的なヒーロー、つまりテスラの創業者イーロン・マスクなのである。

ここまで論じてきたように、起業家は誰にでも向いているというものではない。年ごとに起業する負担は重くなっているように思える。事実、起業家として成功するために必要な性格とスキルを持っている人は、とても少ない。そしてこれは「性格がいい」とか「頭がいい」で決まることではない。起業家として成功するのに求められる性質の中には、人生のほかの面で大きな不利益になるものもある。

ではあなたが起業家タイプかどうか、どうすればわかるだろうか。

成功する起業家の条件はデジタル時代になってもそれほど変わらない。ブランドづくりより製品づくりができること。そして創業チーム内、あるいは近くに技術者を入れること。以下に3つの質問がある。

1　人前で失敗しても平気でいられるか
2　売り込みは好きか
3　大企業で働くスキルに欠けているか

大きな事業を築くスキルすべてを備えている人はたしかにいる。しかし彼らはほとんどの場合、それをしようとしない。

それは会社に金を支払って（受け取って、ではない）、週80時間働くことができないからだ。創業資金を調達することができなければ（たいていはできない。そして間違いなく高い）、資金を集めるために金を払って働く必要がある。ほとんどの人は、報酬なしで働くという考えが理解できない――そして99パーセント強の人々は、働く喜びのために自身の資本を賭けようとはしない。

人前で失敗しても平気でいられるか

ほとんどの失敗は広く知られることはない。自分はロースクールに向いていないと気づく（ロースクール共通入学試験で大失敗）。子どもたちともっと多くの時間を過ごす決心をする（仕事を解雇された）。あるいはたくさんの〝プロジェクト〟に関わっている（定職が見つからない）。

しかし自分自身で始めた事業の失敗を隠すことはできない。それはあなたの責任であり、もしあなたがすばらしければ、成功するはずだ……そうだろう？

いや、そうとは限らない。しかしうまくいかなかったときはものすごく恥ずかしい。まるで小学校のときおしっこをもらして、6年生（この比喩の6年生とは市場である）に笑われたときのような気分……の100倍くらいは恥ずかしいものだ。

売り込みができるか

〝起業家〟とは〝売り込み担当者〟と同義である。自分の会社に入るよう誰かに売り込む。会社にとどまるよう売り込む。投資家に売り込み、そして（忘れちゃいけない）顧客に売り込む。

町の小売店を営んでいようが人気のウェブサイトを運営していようが、何か事業を始めるなら、売り込みが得意にならなくてはいけない。売り込みとはあなたからの連絡を欲しがっていない人に電話をかけ、相手を好いているように装い、すげなくされては、また電話をかけることだ。私はもうエゴが大きくなりすぎていて（そして腸が弱っているので）、新しい事業を始めることはないかもしれない。

Ｌ２に優秀な社員が集まって全体としてうまくいっているということは、商品は質がよければ自然に売れるという証明だと、たとえ誤りであろうが私は信じている。そして本当に自然に売れることもある。人間が必死になって売ろうとする必要のない商品はどこかにあるはずだと思いたい。しかし現実に、そんなものはない。

グーグルはあなたの製品を買おうとしていることを率直に表明している人をさがしだし、その瞬間にその人たちに宣伝することのできるアルゴリズムを持っている。それでもグーグルは何千人という魅力的で平均的なＩＱときわめて高いＥＱを持つ人々を雇い、できる限り売り込まなければならない……グーグルを。

起業家がやることは販売業務であり、最初の3年から5年、あるいは廃業するまで――どちらか先に実現したほう――儲けがゼロどころか持ち出しになることが続く。

よいニュースは、あなたが売り込みが好きで、しかも得意ならば、労働時間に比して、ほかの同業者たちより多くの金を稼ぐことができる。ただしそれで憎まれる可能性はある。

大企業で働くスキルに欠けているか

大企業で成功するのはそう簡単なことではなく、ほかでは見られないユニークなスキルが求められる。他人とけんかをせず、不公平やばかげたことに耐え、駆け引きすることも必要だ。そうすることで実力者に注目され、幹部レベルからの支援を取りつける。

もし大企業でうまくいっているのなら、リスクを考えたとき、そのままその仕事を続けたほうが裕福でいられるだろう。そして小さい企業で働く苦しみを味わわなくてすむ。大企業はあなたのスキルを伸ばすのには最適なプラットフォームだ。

逆にあなたが他人と仲よくできず、他人を信頼する能力を持たず、新しい製品やサービスについての自分のビジョンに病的なまでに執着するなら、あなたは起業するのに向いているかもしれない。

私は自分がそのタイプだと知っている。過去の雇い主候補だった人々が私を無能とみなしたため、自分で事業を始めなければならなかった。私にとって起業することは生き残るための唯一の手段であり、アメリカの大企業という歴史上最も偉大なプラットフォームで成功するスキルがないゆえの選択だった。

起業は、成功すれば億万長者になれることもあるが、失敗すればどん底以下に落ちる。

私の最大の喜びと誇りは子どもたちだ。2番目はこれまでに設立した会社である（たとえ失敗に終わっていても）。あなたが設立した会社とあなたの間には、本能的、遺伝的なつながりがあるのだ。外見も匂いも感触もあなたに似ている。その会社がニューヨークのロンコンコマ地区で最も成長している企業リストに入ったときは、子どもがよい成績表を持って家に帰ってきたように感じる。

親心と違っているのは、ほとんどの人があなたと同じことはできないと、心の奥底でわかっているということだ。だからこそ起業家は賞賛される。それは雇用の増大と、アメリカ特有の楽観主義とリスクを負う精神を推し進めるものだからだ。

大学中退者が会社を興して億万長者になるという、広く喧伝された終わりのない物語があふれるこのデジタル時代に、私たちは起業家精神を理想化しているのだ。

自分自身、そしてあなたが信頼している人に、自分の性格とスキルについての前述の質問をしてみてほしい。最初の2つの答えがイエスで、大企業で働くスキルがないということなら、先行きの見えない世界へ足を踏み入れるのも悪くない。

第11章 少数の支配者と多数の農奴が生きる世界

民主的な社会に個人の力が集まる大きな中心点が存在することは、自由な人々の活力の継続にとって危険である。

——ルイス・ブランダイス

四騎士は神、愛情、セックス、消費の具現者であり、何十億人もの人々の毎日の生活の価値を高めている。とは言うものの、これらの企業が私たちの精神状態を心配してくれるわけではなく、老後の面倒を見てくれるわけでもなく、手を握ってくれるわけでもない。

四騎士は計り知れないほどの力を集めた組織である。力は腐敗する。特にローマ教皇が〝金銭への崇拝〟と呼んだものに感染している社会では、それが顕著だ。これらの企業が税金を逃れ、プライバシーを侵害し、利益を増やすために雇用を破壊するのは……それが可能だからだ。心配なのは四騎士がそうすることだけではなく、それが得意技になっていることだ。

フェイスブックは10年足らずでユーザー10億人を達成した。いまや世界最大の広告会社になろうとしている。従業員数は1万7000人で時価総額は4480億ドル。[1][2]富は運のいい少数の人間に流れていく。昔の基準で大成功しているメディア企業であるディズニーの時価総額はその半分に満たない（1810億ドル）が、18万5000人を雇用している。[3][4]

このきわめて高い生産性は成長にはつながるが、必ずしも繁栄につながるとは限らない。ゼネラル・モーターズやＩＢＭを含め、産業化時代の巨人は何十万人もの社員を雇っていた。戦利品は現在よりも公平に分けられていた。投資家と経営陣は金持ちになったがビリオネアではなかった。社員の多くは労働組合に加入していて、家やモーターボートを買えたし、子どもを大学にやれた。

それが、何百万人もの怒れる有権者が取り戻したがっているアメリカだ。彼らは世界貿易や移民を責めることが多いが、四騎士とその狂信的崇拝も責められてしかるべきだ。四騎士は巨額の富を、投資家と才能に満ちあふれたごく少数の労働者にもたらした。一方、その他の労働者の多くは取り残された（大衆はストリーミングビデオのコンテンツと強力なスマホでおとなしくさせておけると信じているのだ）。

四騎士は合計41万8000人の社員を雇用している。これはミネアポリスの人口と同じだ。[5]四騎士の公開株式の価値は合計で2兆3000億ドルである。[6]つまりこの第二のミネアポリスは、人口6700万人の先進国であるフランスの国内総生産に匹敵する富を所有しているということだ。[7]この裕福な〝都市〟が栄える一方で、ミネソタ州の他の都市の住人は、投資やチャンスや仕事をさがして歩き回るのだ。

この計算どおりのことが実際に起こっている。これはデジタル技術の着実な進歩と四騎士の優勢、〝イノベーター〟階層は桁違いの生活をするに値するという思い込みから生まれたゆがみだ。

これは社会にとって危険なことだが、それが衰える徴候はまったくない。これが続けば中産階級は空洞化し、それが街の破綻へとつながる。損をさせられていると感じる人々は政治的な怒りを表明し、デマゴーグが生じやすい環境をつくる。

私は政策のプロではないので、この本でどうすればいいかを語る気はない。その資格もない。しかしこうしたゆがみが目につくのが気がかりだ。

四騎士の目的

私たちは脳の力をどのように、何のために使っているのだろうか。20世紀半ばのことを思い出してみよう。コンピューティング能力についていえば、お寒い状況だった。真空管が少しずつトランジスタに取って代わられようとしてはいたものの、コンピュータはまだ大きくて原始的な図表作成機にすぎなかった。人工知能もなく、検索はかたつむりの歩みで、図書館でカード目録と呼ばれるものを使って行われた。

そのようなハンデを抱えていても、人間は人類のための大きなプロジェクトに取り組んだ。まず世界を救うために原爆を開発する競争があった。ヒトラーがスタートダッシュでリードしたが、もしナチスが最初にそれを実現したらゲームオーバーだったはずだ。1939年、アメリカ政府はマンハッタン計画に着手し、6年で13万人が動員された。これはアマゾン社員の約3分の1にあたる。

その6年間でアメリカは原爆開発の競争に勝利を収めた。それを立派な目標とは思えないという人もいるかもしれない。しかし当時、その技術競争で勝つことが戦略上の優先事項であり、そのために人が集められたのだ。月に人を送るときにも同じことが行われた。そのプロジェクトの最盛期にはアメリカ、カナダ、イギリスからの労働者40万人が関わっていた。

四騎士のどの1社と比べても、情報力と技術力についてマンハッタン計画もアポロ計画も小さなものに思える。4社の計算能力は限界がないに等しく、笑えるほど安い。それらは統計分析、最適化、人工知能についての3世代にわたる研究を受け継いでいる。騎士たちはどれも、私たちが絶えずたれ流している情報の中を泳いでいる。その情報は史上トップレベルの高い知性と創造性と決断力を備えた人々によって分析される。

このかつてないほどの規模の人材と金融資本の集中は、どこに行き着くのだろうか。四騎士のミッションは何なのか。がんの撲滅か。貧困の根絶か。宇宙探検か。どれも違う。彼らの目指すもの、それはつまるところ金儲けなのだ。

昔のヒーローやイノベーターは何百万人分もの仕事を生み出した。そしていまも生み出している。[8]ユニリーバの時価総額は1560億ドルで、17万1000世帯の中流家庭を支えている。[9]インテルは時価総額1650億ドル、従業員数は10万7000人だ。[10][11]それに比べフェイスブックは時価総額4480億ドル、従業員数は1万7000人にすぎない。[12][13]

私たちはあれだけの大企業ならたくさんの雇用を生み出していると思ってしまうが、実は違う。そこにあるのは報酬が高い仕事が少しだけで、それにあぶれた人が残り物をめぐって争っている。この調子だとアメリカは３００万人の領主と3億人の農奴の国となる。もう一度繰り返すが、いまほど億万長者(ビリオネア)になるのは簡単だが、百万長者(ミリオネア)になるのが難しい時代はかってなかった。

四騎士と戦ったり四騎士に〝悪〟というレッテルを貼ったりするのはむなしいかもしれない。あるいは本当に間違っているかもしれない。私にはわからない。

しかしこれら四騎士を理解することは絶対に必要だ。それはいまのデジタル時代の先行きを予測し、あなたとあなたの家族のための経済的安定を築くための、より大きな力となる。この本がその両方の助けになることを願っている。

謝辞

この最初の本にまつわる作業がすべて終わって、私は（本当に）うれしいと感じているが、チームはこのまま解散したくない。エージェントのジム・レヴィンは本当に仕事ができる人物だ（それは前から知っていた）。思いがけない喜びは、彼がロールモデルになっていたことだ。50代、既婚、頭がよくて強い。これは私の本であると同時に彼の本でもある。編集者のニキ・パパドプロスは、執筆にあたって私に公正さと締め切りを守らせてくれた。

Ｌ２のパートナーたち、モーリーン・マレン、キャサリン・ディロンは、アイデアと友情を絶え間なく与えてくれた。彼女たちにはこの仕事を自慢に思ってほしい。彼女たちが形にしてくれたものなのだから。Ｌ２のＣＥＯ、ケン・アラードはとても協力的で寛大だった。Ｌ２の特に優秀なプロたちが、この本の考え方について情報を提供してくれた。

――ダニエル・ベイリー

――トッド・ベンソン（取締役）

——コリン・ギルバート
——クロード・ド・ジョカス
——メイベル・マクリーン

L2の書籍チーム、エリザベス・エルダー、アリエル・メラヌス、マリア・ペトロバ、カイル・スカロンは、レモネードを注文してもっといいもの（レモネードの……ウォッカ割りみたいなもの）をつくってくれた。

NYUスターン大学のアダム・ブランデンバーガー、アナスタシア・クロスホワイト、サント・ダール、ピーター・ヘンリー、エリザベス・モリソン、リカ・ナゼム、ルーク・ウィリアムはずっと協力的で広い心で見守ってくれた。

アメリカ行きの蒸気船に乗り込む勇気を持っていた両親、カリフォルニア州に税金を払っている人々、そして平凡な学生にすばらしい機会を与えてくれたカリフォルニア大学理事にも感謝したい。

ベアタ、ありがとう、そして愛してるよ。

図表出所

小売企業の時価総額

Yahoo! Finance. https://finance.yahoo.com/

1人当たり時価総額の比較

Forbes, May, 2016. https://www.forbes.com/companies/general-motors/
Facebook, Inc. https://newsroom.fb.com/company-info/
Yahoo! Finance. https://finance.yahoo.com/

時価総額ランキング（1～5位）

Taplin, Jonathan. "Is It Time to Break Up Google?" *The New York Times*.

商品について最初に調べるのは？

Soper, Spencer. "More Than 50% of Shoppers Turn First to Amazon in Product Search." *Bloomberg*.

アメリカの世帯で占める割合

"Sizeable Gender Differences in Support of Bans on Assault Weapons, Large Clips." Pew Research Center.
ACTA, "The Vote Is In—78 Percent of U.S. Households Will Display Christmas Trees This Season: No Recount Necessary Says American Christmas Tree Association." ACTA.
"2016 November General Election Turnout Rates." United States Elections Project.
Stoffel, Brian. "The Average American Household's Income: Where Do You Stand?" *The Motley Fool*.
Green, Emma. "It's Hard to Go to Church." *The Atlantic*.
"Twenty Percent of U.S. Households View Landline Telephones as an Important Communication Choice." The Rand Corporation.
Tuttle, Brad. "Amazon Has Upper-Income Americans Wrapped Around Its Finger." *Time*.

フラッシュセール・サイト業界の収益増加率

Lindsey, Kelsey. "Why the Flash Sale Boom May Be Over—And What's Next." RetailDIVE.

2006年から2016年の株価上昇率

Choudhury, Mawdud. "Brick & Mortar U.S. Retailer Market Value—2006 Vs Present Day." ExecTech.

2017年1月5日の株価の変動

Yahoo! Finance. https://finance.yahoo.com/

アパレル&アクセサリーの売上シェア

Peterson, Hayley. "Amazon Is About to Become the Biggest Clothing Retailer in the US." *Business Insider.*

アマゾンでの1カ月の買物額

Shi, Audrey. "Amazon Prime Members Now Outnumber Non-Prime Customers." *Fortune.*

「お気に入りのブランド」がある人の割合

Findings from the 10th Annual Time Inc./YouGov Survey of Affluence and Wealth, April 2015.

アメリカにおける市場規模

Farfan, Barbara. "2016 US Retail Industry Overview." The Balance.

"Value of the Entertainment and Media Market in the United States from 2011 to 2020 (in Billion U.S. Dollars) ." Statista.

"Telecommunications Business Statistics Analysis, Business and Industry Statistics." Plunkett Research.

アメリカの小売業の従業員数

"Retail Trade." DATAUSA.

世界のスマホ市場のマーケットシェアと利益シェア

Sumra, Husain. “Apple Captured 79% of Global Smartphone Profits in 2016.” MacRumors.

GAPとリーバイスの収益

Gap Inc., Form 10-K for the Period Ending January 31, 1998 (filed March 13, 1998), from Gap, Inc. website.

Gap Inc., Form 10-K for the Period Ending January 31, 1998 (filed March 28, 2006), from Gap, Inc. website.

“Levi Strauss & Company Corporate Profile and Case Material.” Clean Clothes Campaign.

Levi Strauss & Co., Form 10-K for the Period Ending November 27, 2005 (filed February 14, 2006), p. 26, from Levi Strauss & Co. website.

大学の授業料と物価水準

“Do you hear that? It might be the growing sounds of pocketbooks snapping shut and the chickens coming home . . .” AEIdeas, August 2016. http://bit.ly/2nHvdfir.

Irrational Exuberance, Robert Shiller. http://amzn.to/2o98DZE.

1日にフェイスブック、インスタグラム、ワッツアップを見る時間

“How Much Time Do People Spend on Social Media?” MediaKix.

恋人ができる前後の投稿数の変化

Meyer, Robinson. “When You Fall in Love This Is What Facebook Sees.” *The Atlantic*.

WPPとフェイスブック&グーグル間での人の移動

L2 Analysis of LinkedIn Data.

全世界での投稿率と交流率

L2 Analysis of Unmetric Data.

L2 Intelligence Report: Social Platforms 2017. L2, Inc.

アメリカでのデジタル広告費の増減

Kafka, Peter. "Google and Facebook are booming. Is the rest of the digital ad business sinking?" *Recode.*

メディア企業の時価総額

Yahoo! Finance. Accessed in February 2016. https://finance.yahoo.com/

消費財のトップブランドの業績

"A Tough Road to Growth: The 2015 Mid-Year Review: How the Top 100 CPG Brands Performed." Catalina Marketing.

アメリカ以外の国で上げた収益の割合

"Facebook Users in the World." Internet World Stats.

"Facebook's Average Revenue Per User as of 4th Quarter 2016, by Region (in U.S. Dollars)." Statista.

Millward, Steven. "Asia Is Now Facebook's Biggest Region." Tech in Asia.

Thomas, Daniel. "Amazon Steps Up European Expansion Plans." *The Financial Times.*

アリババの対前年比成長率

Alibaba Group, FY16-Q3 for the Period Ending December 31, 2016 (filed January 24, 2017), p. 2, from Alibaba Group website.

自動車メーカーの株価売上高倍率

Yahoo! Finance. https://finance.yahoo.com/

リンクトインの収入源

LinkedIn Corporate Communications Team. "LinkedIn Announces Fourth Quarter and Full Year 2015 Results." LinkedIn.

ユーザー10億人達成までの時間

Desjardins, Jeff. "Timeline: The March to a Billion Users [Chart]." Visual Capitalist.

デジタル広告の収益増加に占める割合

Kint, Jason. “Google and Facebook Devour the Ad and Data Pie. Scraps for Everyone Else.” Digital Content Next.

第1章　GAFA――世界を創り変えた四騎士

1. Zaroban, Stefany. "US e-commerce sales grow 15.6% in 2016." Digital Commerce 360. February 17, 2017. https://www.digitalcommerce360.com/2017/02/17/us-e-commerce-sales-grow-156-2016/.
2. "2017 Top 250 Global Powers of Retailing." National Retail Federation. January 16, 2017. https://nrf.com/news/2017-top-250-global-powers-of-retailing.
3. Yahoo! Finance. https://finance.yahoo.com/.
4. "The World's Billionaires." *Forbes*. March 20, 2017. https://www.forbes.com/billionaires/list/.
5. Amazon.com, Inc., FY16-Q4 for the Period Ending December 31, 2016 (filed February 2, 2017), p.13, from Amazon.com, Inc. website. http://phx.corporate-ir.net/phoenix.zhtml?c=97664&p=irol-reportsother.
6. "Here Are the 10 Most Profitable Companies." *Forbes*. June 8, 2016. http://fortune.com/2016/06/08/fortune-500-most-profitable-companies-2016/.
7. Miglani, Jitender. "Amazon vs Walmart Revenues and Profits 1995-2014." Revenues and Profits. July 25, 2015. https://revenuesandprofits.com/amazon-vs-walmart-revenues-and-profits-1995-2014/.
8. FY16-Q4 for the Period Ending December 31, 2016.
9. "Apple Reports Fourth Quarter Results." Apple Inc. October 25, 2016. http://www.apple.com/newsroom/2016/10/apple-reports-fourth-quarter-results.html.
10. Wang, Christine. "Apple's cash hoard swells to record $246.09 billion." CNBC. January 31, 2017. http://www.cnbc.com/2017/01/31/apples-cash-hoard-swells-to-record-24609-billion.html.
11. "Denmark GDP 1960–2017." Trading Economics. 2017. http://www.tradingeconomics.com/denmark/gdp.
12. "Current World Population." Worldometers. April 25, 2017.
13. Facebook, Inc. https://newsroom.fb.com/company-info/.
14. Ng, Alfred. "Facebook, Google top out most popular apps in 2016." CNET. December 28, 2016. https://www.cnet.com/news/facebook-google-top-out-uss-

most-popular-apps-in-2016/.
15. Stewart, James B. "Facebook Has 50 Minutes of Your Time Each Day. It Wants More." *New York Times*. May 5, 2016. https://www.nytimes.com/2016/05/06/business/facebook-bends-the-rules-of-audience-engagement-to-its-advantage.html?_r=0.
16. Lella, Adam, and Andrew Lipsman. "2016 U.S. Cross-Platform Future in Focus." comScore. March 30, 2016. https://www.comscore.com/Insights/Presentations-and-Whitepapers/2016/2016-US-Cross-Platform-Future-in-Focus.
17. Ghoshal, Abhimanyu. "How Google handles search queries it's never seen before." The *Next Web*. October 26, 2015. https://thenextweb.com/google/2015/10/26/how-google-handles-search-queries-its-never-seen-before/#.tnw_Ma3rOqjl.
18. "Alphabet Announces Third Quarter 2016 Results." Alphabet Inc. October 27, 2016. https://abc.xyz/investor/news/earnings/2016/Q3_alphabet_earnings/.
19. Lardinois, Frederic. "Google says there are now 2 billion active Chrome installs." *TechCrunch*. November 10, 2016. https://techcrunch.com/2016/11/10/google-says-there-are-now-2-billion-active-chrome-installs/.
20. Forbes. May, 2016. https://www.forbes.com/companies/general-motors/.
21. Facebook, Inc. https://newsroom.fb.com/company-info/.
22. Yahoo! Finance. https://finance.yahoo.com/.
23. Ibid.
24. "Report for Selected Countries and Subjects." International Monetary Fund. October, 2016. http://bit.ly/2eLOnMI.
25. Soper, Spencer. "More Than 50% of Shoppers Turn First to Amazon in Product Search." Bloomberg. September 27, 2016. https://www.bloomberg.com/news/articles/2016-09-27/more-than-50-of-shoppers-turn-first-to-amazon-in-product-search.

第2章　アマゾン——1兆ドルに最も近い巨人

1. "Sizeable gender differences in support of bans on assault weapons, large clips." Pew Research Center. August 9–16, 2016. http://www.people-press.org/2016/08/26/opinions-on-gun-policy-and-the-2016-campaign/august guns_6/.
2. Ibid.

3. Gajanan, Mahita. "More Than Half of the Internet's Sales Growth Now Comes From Amazon." *Fortune*. February 1, 2017. http://fortune.com/2017/02/01/amazon-online-sales-growth-2016/.
4. Amazon. 2016 Annual Report. February 10, 2017. http://phx.corporate-ir.net/phoenix.zhtml?c=97664&p=irol-sec&control_selectgroup=Annual%20Filings#14806946.
5. "US Retail Sales, Q1 2016-Q4 2017 (trillions and % change vs. same quarter of prior year)." eMarketer. February 2017. http://dashboard-na1.emarketer.com/numbers/dist/index.html#/584b26021403070290f93a2d/5851918a0626310a2c186ac2.
6. Weise, Elizabeth. "That review you wrote on Amazon? Priceless." *USA Today*. March 20, 2017. https://www.usatoday.com/story/tech/news/2017/03/20/review-you-wrote-amazon-priceless/99332602/.
7. Kim, Eugene. "This Chart Shows How Amazon Could Become the First $1 Trillion Company." *Business Insider*. December 7, 2016. http://www.businessinsider.com/how-amazon-could-become-the-first-1-trillion-business-2016-12.
8. *The Cambridge Encyclopedia of Hunters and Gatherers*. Edited by Richard B. Lee and Richard Daly. (Cambridge University Press: 2004). "Introduction: Foreigners and Others."
9. Taylor, Steve. "Why Men Don't Like Shopping and (Most) Women Do: The Origins of Our Attitudes Toward Shopping." *Psychology Today*. February 14, 2014. https://www.psychologytoday.com/blog/out-the-darkness/201402/why-men-dont-shopping-and-most-women-do.
10. "Hunter gatherer brains make men and women see things differently." *Telegraph*. July 30, 2009. http://www.telegraph.co.uk/news/uknews/5934226/Hunter-gatherer-brains-make-men-and-women-see-things-differently.html.
11. Van Aswegen, Anneke. "Women vs. Men—Gender Differences in Purchase Decision Making." Guided Selling. October 29, 2015. http://www.guided-selling.org/women-vs-men-gender-differences-in-purchase-decision-making.
12. Duenwald, Mary. "The Psychology of . . . Hoarding." *Discover*. October 1, 2004. http://discovermagazine.com/2004/oct/psychology-of-hoarding.
13. "Number of Americans with Diabetes Projected to Double or Triple by 2050."

Centers for Disease Control and Prevention. October 22, 2010. https://www.cdc.gov/media/pressrel/2010/r101022.html.

14. "Paul Pressler Discusses the Impact of Terrorist Attacks on Theme Park Industry." CNN.com/Transcripts. October 6, 2001. http://transcripts.cnn.com/TRANSCRIPTS/0110/06/smn.26.html.
15. "Euro rich list: The 48 richest people in Europe." *New European.* February 26, 2017. http://www.theneweuropean.co.uk/culture/euro-rich-list-the-48-richest-people-in-europe-1-4906517.
16. "LVMH: Luxury's Global Talent Academy." *The Business of Fashion.* April 25, 2017. https://www.businessoffashion.com/community/companies/lvmh.
17. Fernando, Jason. "Home Depot Vs. Lowes: The Home Improvement Battle." Investopedia. July 7, 2015.
18. Bleakly, Fred R. "The 10 Super Stocks of 1982." *New York Times.* January 2, 1983. http://www.nytimes.com/1983/01/02/business/the-10-super-stocks-of-1982.html?pagewanted=all.
19. Friedman, Josh. "Decade's Hottest Stocks Reflect Hunger for Anything Tech." *Los Angeles Times.* December 28, 1999. http://articles.latimes.com/1999/dec/28/business/fi-48388.
20. Recht, Milton. "Changes in the Top Ten US Retailers from 1990 to 2012: Six of the Top Ten Have Been Replaced." *Misunderstood Finance.* October 21, 2013. http://misunderstoodfinance.blogspot.com.co/2013/10/changes-in-top-ten-us-retailers-from.html.
21. Farfan, Barbara. "Largest US Retail Companies on 2016 World's Biggest Retail Chains List." The Balance. February 13, 2017. https://www.thebalance.com/largest-us-retailers-4045123.
22. Kim, Eugene. "Amazon Sinks on Revenue Miss." *Business Insider.* February 2, 2017. http://www.businessinsider.com/amazon-earnings-q4-2016-2017-2.
23. Miglani, Jitender. "Amazon vs Walmart Revenues and Profits 1995–2014." July 25, 2015. Revenues and Profits. http://revenuesandprofits.com/amazon-vs-walmart-revenues-and-profits-1995-2014/.
24. Baird, Nikki. "Are Retailers Over-Promoting for Holiday 2016?" *Forbes.* December 16, 2016. https://www.forbes.com/sites/nikkibaird/2016/12/16/are-

retailers-over-promoting-for-holiday-2016/#53bb6fbb3b8e.
25. Leibowitz, Josh. "How Did We Get Here? A Short History of Retail." LinkedIn. June 7, 2013. https://www.linkedin.com/pulse/20130607115409-12921524-how-did-we-get-here-a-short-history-of-retail.
26. Skorupa, Joe. "10 Oldest U.S. Retailers." *RIS*. August 19, 2008. https://risnews.com/10-oldest-us-retailers.
27. Feinberg, Richard A., and Jennifer Meoli. "A Brief History of the Mall." *Advances in Consumer Research* 18 (1991): 426–27. Acessed April 4, 2017. http://www.acrwebsite.org/volumes/7196/volumes/v18/NA-18.
28. Ho, Ky Trang. "How to Profit from the Death of Malls in America." *Forbes*. December 4, 2016. https://www.forbes.com/sites/trangho/2016/12/04/how-to-profit-from-the-death-of-malls-in-america/#7732f3cc61cf.
29. "A Timeline of the Internet and E-Retailing: Milestones of Influence and Concurrent Events." Kelley School of Business: Center for Education and Research in Retailing. https://kelley.iu.edu/CERR/timeline/print/page14868.html.
30. Nazaryan, Alexander. "How Jeff Bezos Is Hurtling Toward World Domination." *Newsweek*. July 12, 2016. http://www.newsweek.com/2016/07/22/jeff-bezos-amazon-ceo-world-domination-479508.html.
31. "Start Selling Online—Fast." Amazon.com,Inc. https://services.amazon.com/selling/benefits.htm.
32. "US Retail Sales, Q1 2016-Q4 2017." eMarketer. January 2017. http://totalaccess.emarketer.com/Chart.aspx?R=204545&dsNav=Ntk:basic%7cdepartment+of+commerce%7c1%7c,Ro:-1,N:1326,Nr:NOT (Type%3aComparative+Estimate) &kwredirect=n.
33. Del Rey, Jason. "Amazon has at least 66 million Prime members but subscriber growth may be slowing." *Recode*. February 3, 2017. https://www.recode.net/2017/2/3/14496740/amazon-prime-membership-numbers-66-million-growth-slowing.
34. Gajanan, Mahita. "More Than Half of the Internet's Sales Growth Now Comes From Amazon." *Fortune*. February 1, 2017. http://fortune.com/2017/02/01/amazon-online-sales-growth-2016/.
35. Cassar, Ken. "Two extra shopping days make 2016 the biggest holiday yet."

Slice Intelligence. January 5, 2017. https://intelligence.slice.com/two-extra-shopping-days-make-2016-biggest-holiday-yet/.

36. Cone, Allen. "Amazon ranked most reputable company in U.S. in Harris Poll." *UPI*. February 20, 2017. http://www.upi.com/Top_News/US/2017/02/20/Amazon-ranked-most-reputable-company-in-US-in-Harris-Poll/6791487617347/.
37. "Amazon's Robot Workforce Has Increased by 50 Percent." CEB Inc. December 29, 2016. https://www.cebglobal.com/talentdaily/amazons-robot-workforce-has-increased-by-50-percent/.
38. Takala, Rudy. "Top 2 U.S. Jobs by Number Employed: Salespersons and Cashiers." CNS News. March 25, 2015. http://www.cnsnews.com/news/article/rudy-takala/top-2-us-jobs-number-employed-salespersons-and-cashiers.
39. "Teach Trends." National Center for Education Statistics. https://nces.ed.gov/fastfacts/display.asp?id=28.
40. Full transcript: Internet Archive founder Brewster Kahle on Recode Decode. *Recode*. March 8, 2017. https://www.recode.net/2017/3/8/14843408/transcript-internet-archive-founder-brewster-kahle-wayback-machine-recode-decode.
41. Amazon Dash is a button you place anywhere in your home that connects to the Amazon app through Wi-Fi for one-click ordering. https://www.amazon.com/Dash-Buttons/b?ie=UTF8&node=10667898011.
42. http://www.businessinsider.com/amazon-prime-wardrobe-2017-6.
43. Daly, Patricia A. "Agricultural employment: Has the decline ended?" Bureau of Labor Statistics. November 1981. https://stats.bls.gov/opub/mlr/1981/11/art2full.pdf.
44. Hansell, Saul. "Listen Up! It's Time for a Profit; A Front-Row Seat as Amazon Gets Serious." *New York Times*. May 20, 2001. http://www.nytimes.com/2001/05/20/business/listen-up-it-s-time-for-a-profit-a-front-row-seat-as-amazon-gets-serious.html.
45. Yahoo!Finance. https://finance.yahoo.com/.
46. Damodaran, Aswath. "Enterprise Value Multiples by Sector (US)." NYU Stern. January 2017. http://pages.stern.nyu.edu/~adamodar/New_Home_Page/datafile/vebitda.html.

47. Nelson, Brian. "Amazon Is Simply an Amazing Company." Seeking Alpha. December 6, 2016. https://seekingalpha.com/article/4028547-amazon-simply-amazing-company.
48. "Wal-Mart Stores' (WMT) CEO Doug McMillon on Q1 2016 Results—Earnings Call Transcript." Seeking Alpha. May 19, 2015. https://seekingalpha.com/article/3195726-wal-mart-stores-wmt-ceo-doug-mcmillon-on-q1-2016-results-earnings-call-transcript?part=single.
49. Rego, Matt. "Why Walmart's Stock Price Keeps Falling (WMT)." Seeking Alpha. November 11, 2015. http://www.investopedia.com/articles/markets/111115/why-walmarts-stock-price-keeps-falling.asp.
50. Rosoff, Matt. "Jeff Bezos: There are 2 types of decisions to make, and don't confuse them." *Business Insider*. April 5, 2016. http://www.business insider.com/jeff-bezos-on-type-1-and-type-2-decisions-2016-4.
51. Amazon.com. 2016 Letter to Shareholders. Accessed April 25, 2017. http://phx.corporate-ir.net/phoenix.zhtml?c=97664&p=irol-reportsannual.
52. Bishop, Todd. "The cost of convenience: Amazon's shipping losses top $7B for first time." GeekWire. February 9, 2017. http://www.geekwire.com/2017/true-cost-convenience-amazons-annual-shipping-losses-top-7b-first-time/.
53. Letter to Shareholders.
54. Stanger, Melissa, Emmie Martin, and Tanza Loudenback. "The 50 richest people on earth." *Business Insider*. January 26, 2016. http://www.business insider.com/50-richest-people-on-earth-2016-1.
55. "The Global Unicorn Club." *CB Insights*. https://www.cbinsights.com/research-unicorn-companies.
56. Amazon.com. FY16-Q4 for the Period Ending December 31, 2016 (filed February 2, 2017), p. 13, from Amazon.com, Inc. website. http://phx.corporate-ir.net/phoenix.zhtml?c=97664&p=irol-reportsother.
57. Goodkind, Nicole. "Amazon Beats Apple as Most Trusted Company in U.S.: Harris Poll." Yahoo! Finance. February 12, 2013. http://finance.yahoo.com/blogs/daily-ticker/amazon-beats-apple-most-trusted-company-u-harris- 133107001.html.
58. Adams, Susan. "America's Most Reputable Companies, 2015." *Forbes*. May 13, 2015. https://www.forbes.com/sites/susanadams/2015/05/13/americas-most-

reputable-companies-2015/#4b231fd21bb6.
59. Dignan, Larry. “Amazon posts its first net profit.” CNET. February 22, 2002. https://www.cnet.com/news/amazon-posts-its-first-net-profit/.
60. Amazon.com. 2015 Q1-Q3 Quarterly Reports. Accessed April 7, 2017. http://phx.corporate-ir.net/phoenix.zhtml?c=97664&p=irol-sec&control_selectgroup=Quarterly%20Filings#10368189.
61. King, Hope. “Amazon’s $160 billion business you’ve never heard of.” CNN Tech. November 4, 2015. http://money.cnn.com/2015/11/04/technology/amazon-aws-160-billion-dollars/.
62. http://www.marketwatch.com/investing/stock/twtr/financials.
63. L2 Inc. “Scott Galloway: This Is the Top of the Market.” L2 Inc. February 16, 2017. https://www.youtube.com/watch?v=uIXJNt-7aY4&t=1m8s.
64. https://www.nytimes.com/2017/06/16/business/dealbook/amazon-whole-foods.html?_r=0.
65. Rao, Leena. “Amazon Prime Now Has 80 Million Members.” *Fortune*. April 25, 2017. http://fortune.com/2017/04/25/amazon-prime-growing-fast/.
66. Griffin, Justin. “Have a look inside the 1-million-square-foot Amazon fulfillment center in Ruskin.” *Tampa Bay Times*. March 30, 2016. http://www.tampabay.com/news/business/retail/have-a-look-inside-the-1-million-square-foot-amazon-fulfillment-center-in/2271254.
67. Tarantola, Andrew. “Amazon is getting into the oceanic freight shipping game.” *Engadget*. January 14, 2016. https://www.engadget.com/2016/01/14/amazon-is-getting-into-the-oceanic-freight-shipping-game/.
68. Ibid.
69. Yahoo! Finance. https://finance.yahoo.com/.
70. Kapner, Suzanne. “Upscale Shopping Centers Nudge Out Down-Market Malls.” *Wall Street Journal*. April 20, 2016. https://www.wsj.com/articles/upscale-shopping-centers-nudge-out-down-market-malls-1461193411?ru=yahoo?mod=yahoo_itp.
71. https://www.nytimes.com/2017/06/16/business/dealbook/amazon-whole-foods.html?_r=0.
72. https://www.nytimes.com/2017/06/16/business/dealbook/amazon-whole-foods.

html?_r=0.

73. https://www.recode.net/2017/3/8/14850324/amazon-books-store-bellevue-mall-expansion.
74. Addady, Michal. "Here's How Many Pop-Up Stores Amazon Plans to Open." *Fortune*. September 9, 2016. http://fortune.com/2016/09/09/amazon-pop-up-stores/.
75. Carrig, David. "Sears, J.C. Penney, Kmart, Macy's: These retailers are closing stores in 2017." *USA Today*. May 9, 2017. https://www.usatoday.com/story/money/2017/03/22/retailers-closing-stores-sears-kmart-jcpenney-macys-mcsports-gandermountian/99492180/.
76. http://clark.com/shopping-retail/confirmed-jcpenney-stores-closing/.
77. WhatIs.com. "Bom File Format." http://whatis.techtarget.com/fileformat/BOM-Bill-of-materials-file.
78. Coster, Helen. "Diapers.com Rocks Online Retailing." *Forbes*. April 8, 2010. https://www.forbes.com/forbes/2010/0426/entrepreneurs-baby-diapers-e-commerce-retail-mother-lode.html.
79. Wauters, Robin. "Confirmed: Amazon Spends $545 Million on Diapers.com Parent Quidsi." *TechCrunch*. November 8, 2010. https://techcrunch.com/2010/11/08/confirmed-amazon-spends-545-million-on-diapers-com-parent-quidsi/.
80. L2 Inc. "Jet.com: The $3B Hair Plugs." L2 Inc. August 9, 2016. https://www.youtube.com/watch?v=6rPEhFTFE9c.
81. Jhonsa, Eric. "Jeff Bezos' Letter Shines a Light on How Amazon Sees Itself." Seeking Alpha. April 6, 2016. https://seekingalpha.com/article/3963671-jeff-bezos-letter-shines-light-amazon-sees#alt2.
82. Boucher, Sally. "Survey of Affluence and Wealth." *WealthEngine*. May 2, 2014. https://www.wealthengine.com/resources/blogs/one-one-blog/survey-affluence-and-wealth.
83. Shi, Audrey. "Amazon Prime Members Now Outnumber Non-Prime Customers." *Fortune*. July 11, 2016. http://fortune.com/2016/07/11/amazon-prime-customers/.
84. L2 Inc. "Scott Galloway: Innovation is a Snap." L2 Inc. October 13, 2016. https://www.youtube.com/watch?v=PhB8n-ExMck.

85. Tuttle, Brad. "Amazon Has Upper-Income Americans Wrapped Around Its Finger." *Time.* April 14, 2016. http://time.com/money/4294131/amazon-prime-rich-american-members/.
86. Holum, Travis. "Amazon's Fulfillment Costs Are Taking More of the Pie." *The Motley Fool.* December 22, 2016. https://www.fool.com/investing/2016/12/22/amazons-fulfillment-costs-are-taking-more-of-the-p.aspx.
87. L2 Inc. "Scott Galloway: Amazon Flexes." *L2 Inc.* March 3, 2016. https://www.youtube.com/watch?v=Nm7gIEKYWnc.
88. L2 Inc. "Amazon IQ: Personal Care," February 2017.
89. Kantor, Jodi, and David Streitfeld. "Inside Amazon: Wrestling Big Ideas in a Bruising Workplace." *New York Times.* August 15, 2015. https://www.nytimes.com/2015/08/16/technology/inside-amazon-wrestling-big-ideas-in-a-bruising-workplace.html?_r=1.
90. Rao, Leena. "Amazon Acquires Robot-Coordinated Order Fulfillment Company Kiva Systems for $775 Million in Cash." *TechCrunch.* March 19, 2012. https://techcrunch.com/2012/03/19/amazon-acquires-online-fulfillment-company-kiva-systems-for-775-million-in-cash/.
91. Kim, Eugene. "Amazon sinks on revenue miss." *Business Insider.* February 2, 2017. http://www.businessinsider.com/amazon-earnings-q4-2016-2017-2.
92. "Scott Galloway: Amazon Flexes."
93. Yahoo! Finance. https://finance.yahoo.com/.
94. Centre for Retail Research. "The Retail Forecast for 2017-18." Centre for Retail Research. January 24, 2017. http://www.retailresearch.org/retailfore cast.php.
95. "2016 Europe 500 Report." *Digital Commerce 360.* https://www.digitalcommerce360.com/product/europe-500/#!/.
96. http://www.cnbc.com/2016/05/17/amazon-planning-second-grocery-store-report.html.
97. Amazon.com Inc. 2016 Letter to Shareholders. Accessed April 25, 2017. http://phx.corporate-ir.net/phoenix.zhtml?c=97664&p=irol-reportsannual.
98. Farfan, Barbara. "2016 US Retail Industry Overview." The Balance. August 13, 2016. https://www.thebalance.com/us-retail-industry-overview-2892699.
99. "Value of the entertainment and media market in the United States from 2011

to 2020 (in billion U.S. dollars).” Statista. https://www.statista.com/statistics/237769/value-of-the-us-entertainment-and-media-market/.

100. “Telecommunications Business Statistics Analysis, Business and Industry Statistics.” Plunkett Research. https://www.plunkettresearch.com/statistics/telecommunications-market-research/.
101. https://www.nytimes.com/2017/06/16/business/dealbook/amazon-whole-foods.html?_r=0
102. “IBISWorld Industry Report 44511: Supermarkets & Grocery Stores in the US.” IBISWorld. 2017. https://www.ibisworld.com/industry-trends/market-research-reports/retail-trade/food-beverage-stores/supermarkets-grocery-stores.html.
103. Rao, Leena. “Amazon Go Debuts as a New Grocery Store Without Checkout Lines.” *Fortune*. December 5, 2016. http://fortune.com/2016/12/05/amazon-go-store/.
104. https://www.nytimes.com/2017/06/16/business/dealbook/amazon-whole-foods.html?_r=0.
105. https://techcrunch.com/2017/06/17/in-wake-of-amazonwhole-foods-deal-instacart-has-a-challenging-opportunity/.
106. https://www.nytimes.com/2017/06/16/business/walmart-bonobos-merger.html?_r=0.
107. https://www.nytimes.com/2017/06/16/business/dealbook/amazon-whole-foods.html?_r=0.
108. Soper, Spencer. “More Than 50% of Shoppers Turn First to Amazon in Product Search.” Bloomberg. September 27, 2016. https://www.bloomberg.com/news/articles/2016-09-27/more-than-50-of-shoppers-turn-first-to-amazon-in-product-search.

第3章　アップル――ジョブズという教祖を崇める宗教

1. Schmidt, Michael S., and Richard Pérez-Peña. “F.B.I. Treating San Bernardino Attack as Terrorism Case.” *New York Times*. December 4, 2015. https://www.nytimes.com/2015/12/05/us/tashfeen-malik-islamic-state.html.
2. Perez, Evan, and Tim Hume. “Apple opposes judge’s order to hack San

Bernardino shooter's iPhone." CNN. http://www.cnn.com/2016/02/16/us/san-bernardino-shooter-phone-apple/.

3. "Views of Government's Handling of Terrorism Fall to Post-9/11 Low." Pew Research Center. December 15, 2015. http://www.people-press.org/2015/12/15/views-of-governments-handling-of-terrorism-fall-to-post-911-low/#views-of-how-the-government-is-handling-the-terrorist-threat.
4. "Millennials: A Portrait of Generation Next." Pew Research Center. February, 2010. http://www.pewsocialtrends.org/files/2010/10/millennials-confident-connected-open-to-change.pdf.
5. "Apple: FBI seeks 'dangerous power' in fight over iPhone." *The Associated Press*. February 26, 2016. http://www.cbsnews.com/news/apple-fbi-seeks-dangerous-power-in-fight-over-iphone/.
6. Cook, Tim. "A Message to Our Customers." Apple Inc. February 16, 2016. https://www.apple.com/customer-letter/.
7. "Government's Ex Parte Application for Order Compelling Apple, Inc. to Assist Agents in Search; Memorandum of Points and Authorities; Declaration of Christopher Pluhar." United States District Court for the Central District of California. February 16, 2016. https://www.wired.com/wp-content/uploads/2016/02/SB-shooter-MOTION-seeking-asst-iPhone1.pdf.
8. Tobak, Steve. "How Jobs dodged the stock option backdating bullet." CNET. August 23, 2008. https://www.cnet.com/news/how-jobs-dodged-the-stock-option-backdating-bullet/.
9. Apple Inc., Form 10-K for the Period Ending September 26, 2015 (filed November 10, 2015), p. 24, from Apple, Inc. website. http://investor.apple.com/financials.cfm.
10. Gardner, Matthew, Robert S. McIntyre, and Richard Phillips. "The 35 Percent Corporate Tax Myth." Institute on Taxation and Economic Policy. March 9, 2017. http://itep.org/itep_reports/2017/03/the-35-percent-corporate-tax-myth.php#.WP5ViVPyvVp.
11. Sumra, Husain. "Apple Captured 79% of Global Smartphone Profits in 2016." *MacRumors*. March 7, 2017. https://www.macrumors.com/2017/03/07/apple-global-smartphone-profit-2016-79/.

12. "The World's Billionaires." *Forbes*. March 20, 2017. https://www.forbes.com/billionaires/list/.
13. Yarow, Jay. "How Apple Really Lost Its Lead in the '80s." *Business Insider*. December 9, 2012. http://www.businessinsider.com/how-apple-really-lost-its-lead-in-the-80s-2012-12.
14. Bunnell, David. "The Macintosh Speaks For Itself (Literally) . . ." *Cult of Mac*. May 1, 2010. http://www.cultofmac.com/40440/the-macintosh-speaks-for-itself-literally/.
15. "History of desktop publishing and digital design." Design Talkboard. http://www.designtalkboard.com/design-articles/desktoppublishing.php.
16. Burnham, David. "The Computer, the Consumer and Privacy." *New York Times*. March 4, 1984. http://www.nytimes.com/1984/03/04/weekinreview/the-computer-the-consumer-and-privacy.html.
17. Ricker, Thomas. "Apple drops 'Computer' from name." *Engadget*. January 1, 2007. https://www.engadget.com/2007/01/09/apple-drops-computer-from-name/.
18. Edwards, Jim. "Apple's iPhone 6 Faces a Big Pricing Problem Around the World." *Business Insider*. July 28, 2014. http://www.businessinsider.com/android-and-iphone-market-share-and-the-iphone-6-2014-7.
19. Price, Rob. "Apple is taking 92% of profits in the entire smartphone industry." *Business Insider*. July 13, 2015. http://www.businessinsider.com/apple-92-percent-profits-entire-smartphone-industry-q1-samsung-2015-7.
20. "Louis Vuitton Biography." *Biography*. http://www.biography.com/people/louis-vuitton-17112264.
21. Apple Newsroom. "'Designed by Apple in California' chroicles 20 years of Apple design." https://www.apple.com/newsroom/2016/11/designed-by-apple-in-california-chronicles-20-years-of-apple-design/.
22. Ibid.
23. Norman, Don. *Emotional Design: Why We Love (or Hate) Everyday Things* (New York: Basic Books, 2005).
24. Turner, Daniel. "The Secret of Apple Design." *MIT Technology Review*, May 1, 2007. https://www.technologyreview.com/s/407782/the-secret-of-apple-design/.

25. Munk, Nina. “Gap Gets It: Mickey Drexler Is Turning His Apparel Chain into a Global Brand. He wants buying a Gap T-shirt to be like buying a quart of milk. But is this business a slave to fashion?” *Fortune*. August 3, 1998. http://archive.fortune.com/magazines/fortune/fortune_archive/1998/08/03/246286/index.htm.
26. Gap Inc., Form 10-K for the Period Ending January 31, 1998 (filed March 3, 1998), from Gap, Inc. website. http://investors.gapinc.com/phoenix.zhtml?c=111302&p=IROL-secToc&TOC=aHR0cDovL2FwaS50ZW5rd2l6YXJkLmNvbS9vdXRsaW5lLnhtbD9yZXBvPXRlbmsmaXBhZ2U9Njk0NjY5JnN1YnNpZD01Nw%3d%3d&ListAll=1.
27. Gap Inc., Form 10-K for the Period Ending January 31, 1998 (filed March 28, 2006), from Gap, Inc. website. http://investors.gapinc.com/phoenix.zhtml?c=111302&p=IROL-secToc&TOC=aHR0cDovL2FwaS50ZW5rd2l6YXJkLmNvbS9vdXRsaW5lLnhtbD9yZXBvPXRlbmsmaXBhZ2U9NDA1NjM2OSZzdWJzaWQ9NTc%3d&ListAll=1.
28. “Levi Strauss & Company Corporate Profile and Case Material.” Clean Clothes Campaign. May 1, 1998. https://archive.cleanclothes.org/news/4-companies/946-case-file-levi-strauss-a-co.html.
29. Levi Strauss & Co., Form 10-K for the Period Ending November 27, 2005 (filed February 14, 2006), p. 26, from Levi Strauss & Co. website. http://levistrauss.com/investors/sec-filings/.
30. Warkov, Rita. “Steve Jobs and Mickey Drexler: A Tale of Two Retailers.” CNBC. May 22, 2012. http://www.cnbc.com/id/47520270.
31. Edwards, Cliff. “Commentary: Sorry, Steve: Here’s Why Apple Stores Won’t Work.” *Bloomberg*. May 21, 2001. https://www.bloomberg.com/news/articles/2001-05-20/commentary-sorry-steve-heres-why-apple-stores-wont-work.
32. Valdez, Ed. “Why (Small) Size Matters in Retail: What Big-Box Retailers Can Learn From Small-Box Store Leaders.” Seeking Alpha. April 11, 2017. https://seekingalpha.com/article/4061817-small-size-matters-retail.
33. Farfan, Barbara. “Apple Computer Retail Stores Global Locations.” The Balance. October 12, 2016. https://www.thebalance.com/apple-retail-stores-global-locations-2892925.

34. Niles, Robert. "Magic Kingdom tops 20 million in 2015 theme park attendance report." *Theme Park Insider*. May 25, 2016. http://www.themeparkinsider.com/flume/201605/5084.
35. Apple Inc. https://www.apple.com/shop/buy-iphone/iphone-7/4.7-inch-display-128gb-gold?afid=p238|sHVGkp8Oe-dc_mtid_1870765e38482_pcrid_138112045124_&cid=aos-us-kwgo-pla-iphone—slid—product-MN8N2LL/A.
36. http://www.techradar.com/news/phone-and-communications/mobile-phones/best-cheap-smartphones-payg-mobiles-compared-1314718.
37. Dolcourt, Jessica. "BlackBerry KeyOne keyboard phone kicks off a new BlackBerry era (hands-on)." CNET. February 25, 2017. https://www.cnet.com/prodlocationsucts/blackberry-keyone/preview/.
38. Nike, Inc., Form 10-K for the Period Ending May 31, 2016 (filed July 21, 2016), p. 72, from Nike, Inc. website. http://s1.q4cdn.com/806093406/files/doc_financials/2016/ar/docs/nike-2016-form-10K.pdf.
39. Apple Inc., Form 10-K for the Period Ending September 24, 2016 (filed October 26, 2016), p. 43, from Apple, Inc. website. http://files.shareholder.com/downloads/AAPL/4635343320x0x913905/66363059-7FB6-4710-B4A5-7ABFA14CF5E6/10-K_2016_9.24.2016_-_as_filed.pdf.
40. Damodaran, Aswath. "Aging in Dog Years? The Short, Glorious Life of a Successful Tech Company!" *Musings on Markets*. December 9, 2015. http://aswathdamodaran.blogspot.com/2015/12/aging-in-dog-years-short-glorious-life.html.
41. Smuts, G. L. *Lion* (Johannesburg: Macmillan South Africa: 1982), 231.
42. Dunn, Jeff. "Here's how Apple's retail business spreads across the world." *Business Insider*. February 7, 2017. http://www.businessinsider.com/apple-stores-how-many-around-world-chart-2017-2.
43. Kaplan, David. "For Retail, 'Bricks' Still Overwhelm 'Clicks' As More Than 90 Percent of Sales Happened in Stores." GeoMarketing. December 22, 2015. http://www.geomarketing.com/for-retail-bricks-still-overwhelm-clicks-as-more-than-90-percent-of-sales-happened-in-stores.
44. Fleming, Sam, and Shawn Donnan. "America's Middle-class Meltdown: Core shrinks to half of US homes." *Financial Times*. December 9, 2015. https://

www.ft.com/content/98ce14ee-99a6-11e5-95c7-d47aa298f769#axzz43kCxoYVk.

45. Gates, Dominic. "Amazon lines up fleet of Boeing jets to build its own air-cargo network." *Seattle Times*. March 9, 2016. http://www.seattletimes.com/business/boeing-aerospace/amazon-to-lease-20-boeing-767s-for-its-own-air-cargo-network/.
46. Rao, Leena. "Amazon to Roll Out a Fleet of Branded Trailer Trucks." *Fortune*. December 4, 2015. http://fortune.com/2015/12/04/amazon-trucks/.
47. Stibbe, Matthew. "Google's Next Cloud Product: Google Blimps to Bring Wireless Internet to Africa." *Fortune*. June 5, 2013. https://www.forbes.com/sites/matthewstibbe/2013/06/05/googles-next-cloud-product-google-blimps-to-bring-wireless-internet-to-africa/#4439e478449b.
48. Weise, Elizabeth. "Microsoft, Facebook to lay massive undersea cable." *USA Today*. May 26, 2016. https://www.usatoday.com/story/experience/2016/05/26/microsoft-facebook-undersea-cable-google-marea-amazon/84984882/.
49. "The Nokia effect." *Economist*. August 25, 2012. http://www.economist.com/node/21560867.
50. Downie, Ryan. "Behind Nokia's 70% Drop in 10 Years (NOK)." Investopedia. September 8, 2016. http://www.investopedia.com/articles/credit-loans-mortgages/090816/behind-nokias-70-drop-10-years-nok.asp.

第4章　フェイスブック——人類の1/4をつなげた怪物

1. "Population of China (2017)." Population of the World. http://www.livepopulation.com/country/china.html.
2. "World's Catholic Population Grows to 1.3 Billion." *Believers Portal*. April 8, 2017. http://www.believersportal.com/worlds-catholic-population-grows-1-3-billion/.
3. Frías, Carlos. "40 fun facts for Disney World's 40th anniversary." *Statesman*. December 17, 2011. http://www.statesman.com/travel/fun-facts-for-disney-world-40th-anniversary/7ckezhCnZnB6pyiT5olyEOF/.
4. Facebook, Inc. https://newsroom.fb.com/company-info/.
5. McGowan, Tom. "Google: Getting in the face of football's 3.5 billion fans."

CNN. February 27, 2015. http://edition.cnn.com/2015/02/27/football/roma-juventus-google-football/.

6. "How Much Time Do People Spend on Social Media?" Mediakik. December 15, 2016. http://mediakix.com/2016/12/how-much-time-is-spent-on-social-media-lifetime/#gs.GM2awic.
7. Stewart, James B. "Facebook Has 50 Minutes of Your Time Each Day. It Wants More." *New York Times*. May 5, 2016. https://www.nytimes.com/2016/05/06/business/facebook-bends-the-rules-of-audience-engagement-to-its-advantage.html.
8. Pallotta, Frank. "More than 111 million people watched Super Bowl LI." CNN. February 7, 2017. http://money.cnn.com/2017/02/06/media/super-bowl-ratings-patriots-falcons/.
9. Facebook, Inc. https://newsroom.fb.com/company-info/.
10. Shenk, Joshua Wolf. "What Makes Us Happy?" *Atlantic*. June 2009. https://www.theatlantic.com/magazine/archive/2009/06/what-makes-us-happy/307439/.
11. Swanson, Ana. "The science of cute: Why photos of baby animals make us happy." *Daily Herald*. September 4, 2016. http://www.dailyherald.com/article/20160904/entlife/160909974/.
12. "World Crime Trends and Emerging Issues and Responses in the Field of Crime Prevention and Social Justice." UN Economic and Social Council. February 12, 2014; and UNODC, Global Study on Homicide 2013: Trends, Contexts, Data (Vienna: UNODC https://www.unodc.org/documents/data-and-analysis/statistics/crime/ECN.1520145_EN.pdf.2013). https://www.unodc.org/unodc/en/data-and-analysis/statistics/reports-on-world-crime-trends.html.
13. Meyer, Robinson. "When You Fall in Love, This Is What Facebook Sees." *Atlantic*. February 15, 2014. http://www.theatlantic.com/technology/archive/2014/02/when-you-fall-in-love-this-is-what-facebook-sees/283865/.
14. "Number of daily active Facebook users worldwide as of 1st quarter 2017 (in millions)." Statista. https://www.statista.com/statistics/346167/facebook-global-dau/.
15. Jones, Brandon. "What Information Does Facebook Collect About Its Users?"

PSafe Blog. November 29, 2016. http://www.psafe.com/en/blog/information-facebook-collect-users/.

16. Mike Murphy, "Here's how to stop Facebook from listening to you on your phone." *Quartz*. June 2, 2016. https://qz.com/697923/heres-how-to-stop-facebook-from-listening-to-you-on-your-phone.
17. Krantz, Matt. "13 big companies keep growing like crazy." *USA Today*. March 10, 2016. https://www.usatoday.com/story/money/markets/2016/03/10/13-big-companies-keep-growing-like-crazy/81544188/.
18. Grassegger, Hannes, and Mikael Krogerus. "The Data That Turned the World Upside Down" *Motherboard*. January 28, 2017. https://motherboard.vice.com/en_us/article/how-our-likes-helped-trump-win.
19. Cadwalladr, Carole. "Robert Mercer: the big data billionaire waging war on mainstream media." *Guardian*. February 26, 2017. https://www.theguardian.com/politics/2017/feb/26/robert-mercer-breitbart-war-on-media-steve-bannon-donald-trump-nigel-farage.
20. "As many as 48 million Twitter accounts aren't people, says study." CNBC. April 12, 2017. http://www.cnbcafrica.com/news/technology/2017/04/10/many-48-million-twitter-accounts-arent-people-says-study/.
21. L2 Analysis of LinkedIn Data.
22. Novet, Jordan. "Snapchat by the numbers: 161 million daily users in Q4 2016, users visit 18 times a day." *VentureBeat*. February 2, 2017. https://venturebeat.com/2017/02/02/snapchat-by-the-numbers-161-million-daily-users-in-q4-2016-users-visit-18-times-a-day/.
23. Balakrishnan, Anita. "Snap closes up 44% after rollicking IPO." CNBC. March 2, 2017. http://www.cnbc.com/2017/03/02/snapchat-snap-open-trading-price-stock-ipo-first-day.html.
24. Pant, Ritu. "Visual Marketing: A Picture's Worth 60,000 Words." *Business 2 Community*. January 16, 2015. http://www.business2community.com/digital-marketing/visual-marketing-pictures-worth-60000-words-01126256#uaLlH2bk76Uj1zYA.99.
25. Khomami, Nadia, and Jamiles Lartey. "United Airlines CEO calls dragged passenger 'disruptive and belligerent.'" *Guardian*. April 11, 2017. https://www.

theguardian.com/world/2017/apr/11/united-airlines-boss-oliver-munoz-says-passenger-belligerent.

26. Castillo, Michelle. "Netflix plans to spend $6 billion on new shows, blowing away all but one of its rivals." CNBC. October 17, 2016. http://www.cnbc.com/2016/10/17/netflixs-6-billion-content-budget-in-2017-makes-it-one-of-the-top-spenders.html.
27. Kafka, Peter. "Google and Facebook are booming. Is the rest of the digital ad business sinking?" *Recode*. November 2, 2016. https://www.recode.net/2016/11/2/13497376/google-facebook-advertising-shrinking-iab-dcn.
28. Ungerleider, Neal. "Facebook Acquires Oculus VR for $2 Billion." *Fast Company*. March 25, 2014. https://www.fastcompany.com/3028244/tech-forecast/facebook-acquires-oculus-vr-for-2-billion.
29. "News companies and Facebook: Friends with benefits?" *Economist*. May 16, 2015. http://www.economist.com/news/business/21651264-facebook-and-several-news-firms-have-entered-uneasy-partnership-friends-benefits.
30. Smith, Gerry. "Facebook, Snapchat Deals Produce Meager Results for News Outlets." *Bloomberg*. January 24, 2017. https://www.bloomberg.com/news/articles/2017-01-24/facebook-snapchat-deals-produce-meager-results-for-news-outlets.
31. Constine, Josh. "How Facebook News Feed Works." *TechCrunch*. September 06, 2016. https://techcrunch.com/2016/09/06/ultimate-guide-to-the-news-feed/.
32. Ali, Tanveer. "How Every New York City Neighborhood Voted in the 2016 Presidential Election." *DNAinfo*. November 9, 2016. https://www.dnainfo.com/new-york/numbers/clinton-trump-president-vice-president-every-neighborhood-map-election-results-voting-general-primary-nyc.
33. Gottfried, Jeffrey, and Elisa Shearer. "News Use Across Social Media Platforms 2016." Pew Research Center. May 26, 2016. http://www.journalism.org/2016/05/26/news-use-across-social-media-platforms-2016/.
34. Briener, Andrew. "Pizzagate, explained: Everything you want to know about the Comet Ping Pong pizzeria conspiracy theory but are too afraid to search for on Reddit." *Salon*. December 10, 2016. http://www.salon.com/2016/12/10/pizzagate-explained-everything-you-want-to-know-about-the-comet-ping-pong-

pizzeria-conspiracy-theory-but-are-too-afraid-to-search-for-on-reddit/.

35. Williams, Rhiannon. "Facebook: 'We cannot become arbiters of truth—it's not our role.'" *iNews*. April 6, 2017. https://inews.co.uk/essentials/news/technology/facebook-looks-choke-fake-news-cutting-off-financial-lifeline/.
36. "News Use Across Social Media Platforms 2016."
37. Pogue, David. "What Facebook Is Doing to Combat Fake News." *Scientific American*. February 1, 2017. https://www.scientificamerican.com/article/pogue-what-facebook-is-doing-to-combat-fake-news/.
38. Harris, Sam. *Free Will* (New York: Free Press, 2012), 8.
39. Bosker, Bianca. "The Binge Breaker." *Atlantic*, November 2016. https://www.theatlantic.com/magazine/archive/2016/11/the-binge-breaker/501122/.

第5章　グーグル——全知全能で無慈悲な神

1. Dorfman, Jeffrey. "Religion Is Good for All of Us, Even Those Who Don't Follow One." *Forbes*. December 22, 2013. https://www.forbes.com/sites/jeffrey-dorfman/2013/12/22/religion-is-good-for-all-of-us-even-those-who-dont-follow-one/#797407a64d79.
2. Barber, Nigel. "Do Religious People Really Live Longer?" *Psychology Today*. February 27, 2013. https://www.psychologytoday.com/blog/the-human-beast/201302/do-religious-people-really-live-longer.
3. Downey, Allen B. "Religious affiliation, education, and Internet use." arXiv. March 21, 2014. https://arxiv.org/pdf/1403.5534v1.pdf.
4. Alleyne, Richard. "Humans 'evolved' to believe in God." *Telegraph*. September 7, 2009. http://www.telegraph.co.uk/journalists/richard-alleyne/6146411/Humans-evolved-to-believe-in-God.html.
5. Winseman, Albert L. "Does More Educated Really = Less Religious?" Gallup. February 4, 2003. http://www.gallup.com/poll/7729/does-more-educated-really-less-religious.aspx.
6. Rathi, Akshat. "New meta-analysis checks the correlation between intelligence and faith." *Ars Technica*. August 11, 2013. https://arstechnica.com/science/2013/08/new-meta-analysis-checks-the-correlation-between-intelligence-and-faith/.

7. Carey, Benedict. "Can Prayers Heal? Critics Say Studies Go Past Science's Reach." *New York Times*. October 10, 2004. http://www.nytimes.com/2004/10/10/health/can-prayers-heal-critics-say-studies-go-past-sciences-reach.html.
8. Poushter, Jacob. "2. Smartphone ownership rates skyrocket in many emerging economies, but digital divide remains." Pew Research Center. February 22, 2016. http://www.pewglobal.org/2016/02/22/smartphone-ownership-rates-skyrocket-in-many-emerging-economies-but-digital-divide-remains/.
9. "Internet Users." Internet Live Stats. http://www.internetlivestats.com/internet-users/.
10. Sharma, Rakesh. "Apple Is Most Innovative Company: PricewaterhouseCooper (AAPL)." Investopedia. November 14, 2016. http://www.investopedia.com/news/apple-most-innovative-company-pricewaterhousecooper-aapl/.
11. Strauss, Karsten. "America's Most Reputable Companies, 2016: Amazon Tops the List." *Forbes*. March 29, 2016. https://www.forbes.com/sites/karstenstrauss/2016/03/29/americas-most-reputable-companies-2016-amazon-tops-the-list/#7967310a3712.
12. Elkins, Kathleen. "Why Facebook is the best company to work for in America." *Business Insider*. April 27, 2015. http://www.businessinsider.com/facebook-is-the-best-company-to-work-for-2015-4.
13. Clark, Jack. "Google Turning Its Lucrative Web Search Over to AI Machines." *Bloomberg*. October 26, 2015. https://www.bloomberg.com/news/articles/2015-10-26/google-turning-its-lucrative-web-search-over-to-ai-machines.
14. Schuster, Dana. "Marissa Mayer spends money like Marie Antoinette." *New York Post*. January 2, 2016. http://nypost.com/2016/01/02/marissa-mayer-is-throwing-around-money-like-marie-antoinette/.
15. "Alphabet Announces Third Quarter 2016 Results." Alphabet Inc. October 27, 2016. https://abc.xyz/investor/news/earnings/2016/Q3_alphabet_earnings/.
16. Alphabet Inc., Form 10-K for the Period Ending December 31, 2016 (filed January 27, 2017), p.23, from Alphabet Inc. website. https://abc.xyz/investor/pdf/20161231_alphabet_10K.pdf.
17. Yahoo! Finance. Accessed in February 2016. https://finance.yahoo.com/.
18. Godman, David. "What is Alphabet . . . in 2 minutes." CNN Money. August

11, 2015. http://money.cnn.com/2015/08/11/technology/alphabet-in-two-minutes/.
19. Basu, Tanya. "New Google Parent Company Drops 'Don't Be Evil' Motto." *Time*. October 4, 2015. http://time.com/4060575/alphabet-google-dont-be-evil/.
20. http://www.internetlivestats.com/google-search-statistics/
21. Sullivan, Danny. "Google now handles at least 2 trillion searches per year." *Search Engine Land*. May 24, 2016. http://searchengineland.com/google-now-handles-2-999-trillion-searches-per-year-250247.
22. Segal, David. "The Dirty Little Secrets of Search." *New York Times*. February 12, 2011. http://www.nytimes.com/2011/02/13/business/13search.html.
23. Yahoo! Finance. https://finance.yahoo.com/.
24. Pope, Kyle. "Revolution at *The Washington Post.*" *Columbia Journalism Review*. Fall/Winter 2016. http://www.cjr.org/q_and_a/washington_post_bezos_amazon_revolution.php.
25. Seeyle, Katharine Q. "The Times Company Acquires About.com for $410 Million." *New York Times*. February 18, 2005. http://www.nytimes.com/2005/02/18/business/media/the-times-company-acquires-aboutcom-for-410-million.html.
26. Iyer, Bala, and U. Srinivasa Rangan. "Google vs. the EU Explains the Digital Economy." *Harvard Business Review*. December 12, 2016. https://hbr.org/2016/12/google-vs-the-eu-explains-the-digital-economy.
27. Drozdiak, Natalia, and Sam Schechner. "EU Files Additional Formal Charges Against Google." *Wall Street Journal*. July 14, 2016. https://www.wsj.com/articles/google-set-to-face-more-eu-antitrust-charges-1468479516

第6章　四騎士は「ペテン師」から成り上がった

1. Hamilton, Alexander. *The Papers of Alexander Hamilton, vol. X, December 1791–January 1792*. Edited by Harold C. Syrett and Jacob E. Cooke (New York: Columbia University Press, 1966), p. 272.
2. Morris, Charles R. "We Were Pirates, Too." *Foreign Policy*. December 6, 2012. http://foreignpolicy.com/2012/12/06/we-were-pirates-too.
3. Gladwell, Malcolm. "Creation Myth." *New Yorker*. May 16, 2011. http://www.

newyorker.com/magazine/2011/05/16/creation-myth.
4. Apple Inc. "The Computer for the Rest of Us." Commercial, 35 seconds. 2007. https://www.youtube.com/watch?v=C8jSzLAJn6k.
5. "Testimony of Marissa Mayer. Senate Committee on Commerce, Science, and Transportation. Subcommittee on Communications, Technology, and the Internet Hearing on 'The Future of Journalism.'" The Future of Journalism. May 6, 2009. https://www.gpo.gov/fdsys/pkg/CHRG-111shrg52162/pdf/CHRG-111shrg52162.pdf.
6. Ibid.
7. Ibid.
8. Ibid.
9. Ibid.
10. Warner, Charles. "Information Wants to Be Free." *Huffington Post*. February 20, 2008. http://www.huffingtonpost.com/charles-warner/information-wants-to-be-f_b_87649.html.
11. Manson, Marshall. "Facebook Zero: Considering Life After the Demise of Organic Reach." *Social@ Ogilvy, EAME*. March 6, 2014. https://social.ogilvy.com/facebook-zero-considering-life-after-the-demise-of-organic-reach.
12. Gladwell, Malcolm. "Creation Myth." *New Yorker*. May 16, 2011. http://www.newyorker.com/magazine/2011/05/16/creation-myth.
13. Alderman, Liz. "Uber's French Resistance." *New York Times*. June 3, 2015. https://www.nytimes.com/2015/06/07/magazine/ubers-french-resistance.html?_r=0.
14. Diamandis, Peter. "Uber vs. the Law (My Money's on Uber)." *Forbes*. September 8, 2014. http://www.forbes.com/sites/peterdiamandis/2014/09/08/uber-vs-the-law-my-moneys-on-uber/#50a69d201fd8.

第7章　脳・心・性器を標的にする四騎士

1. Satell, Greg. "Peter Thiel's 4 Rules for Creating a Great Business." *Forbes*. October 3, 2014. https://www.forbes.com/sites/gregsatell/2014/10/03/peter-thiels-4-rules-for-creating-a-great-business/#52f096f754df.
2. Wohl, Jessica. " Wal-mart U.S. sales start to perk up, as do shares." Reuters.

August 16, 2011. http://www.reuters.com/article/us-walmart-idUSTRE77F0KT20110816.

3. Wilson, Emily. "Want to live to be 100?" *Guardian*. June 7, 2001. https://www.theguardian.com/education/2001/jun/07/medicalscience.healthand wellbeing.
4. Ibid.
5. Ibid.
6. Huggins, C. E. "Family caregivers live longer than their peers." Reuters. October 18, 2013. http://www.reuters.com/article/us-family-caregivers-idUSBRE99H12I20131018.
7. Fisher, Maryanne L., Kerry Worth, Justin R. Garcia, and Tami Meredith. (2012). Feelings of regret following uncommitted sexual encounters in Canadian university students. *Culture, Health & Sexuality*, 14: 45–57. doi: 10.1080/13691058.2011.619579.
8. " 'Girls & Sex' and the Importance of Talking to Young Women About Pleasure." NPR. March 29, 2016. http://www.npr.org/sections/health-shots/2016/03/29/472211301/girls-sex-and-the-importance-of-talking-to-young-women-about-pleasure.
9. "The World's Biggest Public Companies: 2016 Ranking." *Forbes*. https://www.forbes.com/companies/estee-lauder.
10. "The World's Biggest Public Companies: 2016 Ranking." *Forbes*. https://www.forbes.com/companies/richemont.
11. "LVMH: 2016 record results." Nasdaq. January 26, 2017. https://globenewswire.com/news-release/2017/01/26/911296/0/en/LVMH-2016-record-results.html.
12. https://www.sec.gov/Archives/edgar/data/1018724/000119312517120198/d373368dex991.htm.

第8章　四騎士が共有する「覇権の８遺伝子」

1. Yahoo! Finance. https://finance.yahoo.com.
2. "L2 Insight Report: Big Box Black Friday 2016." L2 Inc. December 2, 2016. https://www.l2inc.com/research/big-box-black-friday-2016.
3. Sterling, Greg. "Survey: Amazon beats Google as starting point for product

search." *Search Engine Land*. June 28, 2016. http://searchengineland.com/survey-amazon-beats-google-starting-point-product-search-252980.

4. "Facebook Users in the World." Internet World Stats. June 30, 2016. http://www.internetworldstats.com/facebook.htm.
5. "Facebook's average revenue per user as of 4th quarter 2016, by region (in U.S dollars) ." Statista. https://www.statista.com/statistics/251328/facebooks-average-revenue-per-user-by-region.
6. Millward, Steven. "Asia is now Facebook's biggest region." Tech in Asia. February 1, 2017. https://www.techinasia.com/facebook-asia-biggest-region-daily-active-users.
7. Thomas, Daniel. "Amazon steps up European expansion plans." *Financial Times*. January 21, 2016. https://www.ft.com/content/97acb886-c039-11e5-846f-79b0e3d20eaf.
8. "Future of Journalism and Newspapers." C-SPAN. Video, 5:38:37. May 6, 2009. https://www.c-span.org/video/?285745-1/future-journalism-newspapers&start=4290.
9. Wiblin, Robert. "What are your chances of getting elected to Congress, if you try?" *80,000 Hours*. July 2, 2015. https://80000hours.org/2015/07/what-are-your-odds-of-getting-into-congress-if-you-try.
10. Dennin, James. "Apple, Google, Microsoft, Cisco, IBM and other big tech companies top list of tax-avoiders." *Mic*. October 4, 2016. https://mic.com/articles/155791/apple-google-microsoft-cisco-ibm-and-other-big-tech-companies-top-list-of-tax-avoiders#.Hx5lomyBl.
11. Bologna, Michael J. "Amazon Close to Breaking Wal-Mart Record for Subsidies." Bloomberg BNA. March 20, 2017. https://www.bna.com/amazon-close-breaking-n57982085432.
12. https://www.usnews.com/best-graduate-schools/top-engineering-schools/eng-rankings/page+2

第9章　NEXT GAFA ――第五の騎士は誰なのか

1. "Alibaba passes Walmart as world's largest retailer," RT. April 6, 2016. https://www.rt.com/business/338621-alibaba-overtakes-walmart-volume/.

2. Lim, Jason. "Alibaba Group FY2016 Revenue Jumps 33%, EBITDA Up 28%." *Forbes*. May 5, 2016. https://www.forbes.com/sites/jlim/2016/05/05/alibaba-fy2016-revenue-jumps-33-ebitda-up-28/#2b6a6d2d53b2.
3. Picker, Leslie, and Lulu Yilun Chen. "Alibaba's Banks Boost IPO Size to Record of $25 Billion." *Bloomberg*. September 22, 2014. https://www.bloomberg.com/news/articles/2014-09-22/alibaba-s-banks-said-to-increase-ipo-size-to-record-25-billion.
4. Alibaba Group, FY16-Q3 for the Period Ending December 31, 2016 (filed January 24, 2017), p. 10, from Alibaba Group website. http://www.alibaba group.com/en/ir/presentations/presentation170124.pdf.
5. Alibaba Group, FY16-Q3 for the Period Ending December 31, 2016 (filed January 24, 2017), p. 2, from Alibaba Group website. http://www.alibaba group.com/en/news/press_pdf/p170124.pdf.
6. "Alibaba's Banks Boost IPO Size to Record of $25 Billion."
7. "Alibaba Group Holding Ltd: NYSE:BABA:AMZN." Google Finance. Accessed April 12, 2017. https://www.google.com/finance?chdnp=1&chdd=1&chds=1&chdv=1&chvs=Logarithmic&chdeh=0&chfdeh=0&chdet=1467748800000&chddm=177905&chls=IntervalBasedLine&cmpto=INDEXSP%3A.INX%3BNASDAQ%3AAMZN&cmptdms=0%3B0&q=NYSE%3ABABA&ntsp=0&fct=big&ei=7vl7V7G5O4iPjAL-pKiYDA.
8. Wells, Nick. "A Tale of Two Companies: Matching up Alibaba vs. Amazon." CNBC. May 5, 2016. http://www.cnbc.com/2016/05/05/a-tale-of-two-companies-matching-up-alibaba-vs-amazon.html.
9. "The World's Most Valuable Brands." *Forbes*. May 11, 2016. https://www.forbes.com/powerful-brands/list/#tab:rank.
10. Einhorn, Bruce. "How China's Government Set Up Alibaba's Success." Bloomberg. May 7, 2014. https://www.bloomberg.com/news/articles/2014-05-07/how-chinas-government-set-up-alibabas-success.
11. "Alibaba's Political Risk," *Wall Street Journal*. September 19, 2014. https://www.wsj.com/articles/alibabas-political-risk-1411059836.
12. Cendrowski, Scott. "Investors Shrug as China's State Press Slams Alibaba for Fraud." *Fortune*. May 17, 2016. http://fortune.com/2016/03/17/investors-shrug-

as-chinas-state-press-slams-alibaba-for-fraud/.

13. Gough, Neil, and, Paul Mozur. "Chinese Government Takes Aim at E-Commerce Giant Alibaba Over Fake Goods." *New York Times*. January 28, 2015. https://bits.blogs.nytimes.com/2015/01/28/chinese-government-takes-aim-at-e-commerce-giant-alibaba/.
14. "JACK MA: It's hard for the US to understand Alibaba." Reuters. June 3, 2016. http://www.businessinsider.com/r-amid-sec-probe-jack-ma-says-hard-for-us-to-understand-alibaba-media-2016-6.
15. DeMorro, Christopher. "How Many Awards Has Tesla Won? This Infographic Tells Us." Clean Technica. February 18, 2015. https://cleantechnica.com/2015/02/18/many-awards-tesla-won-infographic-tells-us/.
16. Cobb, Jeff. "Tesla Model S Is World's Best-Selling Plug-in Car For Second Year In A Row." GM-Volt. January 20, 2017. http://gm-volt.com/2017/01/27/tesla-model-s-is-worlds-best-selling-plug-in-car-for-second-year-in-a-row/.
17. Hull, Dana. "Tesla Says It Received More Than 325,000 Model 3 Reservations." Bloomberg. April 7, 2016. https://www.bloomberg.com/news/articles/2016-04-07/tesla-says-model-3-pre-orders-surge-to-325-000-in-first-week.
18. "Tesla raises $1.46B in stock sale, at a lower price than its August 2015 sale: IFR." Reuters. May 20, 2016. http://www.cnbc.com/2016/05/20/tesla-raises-146b-in-stock-sale-at-a-lower-price-than-its-august-2015-sale-ifr.html.
19. "Tesla isn't just a car, or brand. It's actually the ultimate mission–the mother of all missions . . ." Tesla. December 9, 2013. https://forums.tesla.com/de_AT/forum/forums/tesla-isnt-just-car-or-brand-its-actually-ultimate-mission-mother-all-missions.
20. L2 Inc. "Scott Galloway: Switch to Nintendo." YouTube. March 30, 2017. https://www.youtube.com/watch?v=UwMhGsKeYo4&t=3s.
21. Shontell, Alyson. "Uber is the world's largest job creator, adding about 50,000 drivers per month, says board member." *Business Insider*. March 15, 2015. http://www.businessinsider.com/uber-offering-50000-jobs-per-month-to-drivers-2015-3.
22. Uber Estimate. http://uberestimator.com/cities.
23. Nelson, Laura J. "Uber and Lyft have devastated L.A.'s taxi industry, city

records show." *Los Angeles Times*. April 14, 2016. http://www.latimes.com/local/lanow/la-me-ln-uber-lyft-taxis-la-20160413-story.html.

24. Schneider, Todd W. "Taxi, Uber, and Lyft Usage in New York City." *Todd W. Schneider*. February 2017. http://toddwschneider.com/posts/taxi-uber-lyft-usage-new-york-city/.
25. "Scott Galloway: Switch to Nintendo."
26. Deamicis, Carmel. "Uber Expands Its Same-Day Delivery Service: 'It's No Longer an Experiment.'" *Recode*. October 14, 2015. https://www.recode.net/2015/10/14/11619548/uber-gets-serious-about-delivery-its-no-longer-an-experiment.
27. Smith, Ben. "Uber Executive Suggests Digging Up Dirt on Journalists." BuzzFeed. November 17, 2014. https://www.buzzfeed.com/bensmith/uber-executive-suggests-digging-up-dirt-on-journalists?utm_term=.rcBNNLypG#.bhlEEWy0N.
28. Warzel, Charlie. "Sexist French Uber Promotion Pairs Riders With 'Hot Chick' Drivers." BuzzFeed. October 21, 2014. https://www.buzzfeed.com/charliewarzel/french-uber-bird-hunting-promotion-pairs-lyon-riders-with-a?utm_term=.oeNgLXer7#.boMKaOG9q.
29. Welch, Chris. "Uber will pay $20,000 fine in settlement over 'God View' tracking." *The Verge*. January 6, 2016. https://www.theverge.com/2016/1/6/10726004/uber-god-mode-settlement-fine.
30. Fowler, Susan J. "Reflecting On One Very, Very Strange Year At Uber." *Susan J. Fowler*. February 19, 2017. https://www.susanjfowler.com/blog/2017/2/19/reflecting-on-one-very-strange-year-at-uber.
31. Empson, Rip. "Black Car Competitor Accuses Uber Of DDoS-Style Attack; Uber Admits Tactics Are 'Too Aggressive.'" *TechCrunch*. January 24, 2014. https://techcrunch.com/2014/01/24/black-car-competitor-accuses-uber-of-shady-conduct-ddos-style-attack-uber-expresses-regret/.
32. "Drive with Uber." Uber. https://www.uber.com/a/drive-pp/?exp=nyc.
33. Isaac, Mike. "What You Need to Know About #DeleteUber." *New York Times*. January 31, 2017. https://www.nytimes.com/2017/01/31/business/delete-uber.html?_r=0.

34. "Our Locations." Walmart. http://corporate.walmart.com/our-story/our-locations.
35. Peters, Adele. "The Hidden Ecosystem of The Walmart Parking Lot." *Fast Company*. January 3, 2014. https://www.fastcompany.com/3021967/the-hidden-ecosystem-of-the-walmart-parking-lot.
36. http://www.andnowuknow.com/buyside-news/walmarts-strategy-under-marc-lore-unfolding-prices-and-costs-cut-online/jessica-donnel/53272#.WUdVw4nyvMU.
37. "Desktop Operating System Marketshare." Net Marketshare. https://www.netmarketshare.com/operating-system-market-share.aspx?qprid=10&qpcustomd=0.
38. "About Us." LinkedIn. https://press.linkedin.com/about-linkedin.
39. Bose, Apurva. "Numbers Don't Lie: Impressive Statistics and Figures of LinkedIn." BeBusinessed.com. February 26, 2017. http://bebusinessed.com/linkedin/linkedin-statistics-figures/.
40. International Business Machines Corporation. Annual Report for the Period Ending December 31, 2016 (filed February 28, 2017), p. 42, from International Business Machines Corporation website. https://www.ibm.com/investor/financials/financial-reporting.html.

第10章　GAFA「以後」の世界で生きるための武器

1. "Do you hear that? It might be the growing sounds of pocketbooks snapping shut and the chickens coming home . . ." AEIdeas, August 2016. http://bit.ly/2nHvdfr.
2. *Irrational Exuberance*, Robert Shiller. http://amzn.to/2o98DZE.
3. https://www.nytimes.com/2017/03/14/books/henry-lodge-dead-co-author-younger-next-year.html?_r=1.

第11章　少数の支配者と多数の農奴が生きる世界

1. Yahoo! Finance. https://finance.yahoo.com/.
2. Facebook, Inc. https://newsroom.fb.com/company-info/.
3. Yahoo! Finance. https://finance.yahoo.com/.

4. “The World’s Biggest Public Companies.” *Forbes*. May 2016. https://www.forbes.com/global2000/list/.
5. Ibid.
6. Yahoo! Finance. https://finance.yahoo.com/.
7. “France GDP.” Trading Economics. 2015. http://www.tradingeconomics.com/france/gdp.
8. Yahoo! Finance. https://finance.yahoo.com/.
9. “The World’s Biggest Public Companies.” *Forbes*. May 2016. https://www.forbes.com/global2000/list/.
10. Yahoo! Finance. https://finance.yahoo.com/.
11. “The World’s Biggest Public Companies.”
12. Facebook, Inc. https://newsroom.fb.com/company-info/.
13. “The World’s Biggest Public Companies.”

著者・訳者紹介

スコット・ギャロウェイ (Scott Galloway)

ニューヨーク大学スターン経営大学院教授。MBAコースでブランド戦略とデジタルマーケティングを教える。

連続起業家（シリアル・アントレプレナー）としてL2、Red Envelope、Prophetなど9つの会社を起業。ニューヨーク・タイムズ、ゲートウェイ・コンピュータなどの役員も歴任。

2012年、クレイトン・クリステンセン（『イノベーションのジレンマ』著者）、リンダ・グラットン（『ライフ・シフト』著者）らとともに「世界最高のビジネススクール教授50人」に選出。

YouTubeで毎週公開している動画「Winners & Losers」は数百万回再生を誇るほか、TED「How Amazon, Apple, Facebook and Google manipulate our emotions（アマゾン、アップル、フェイスブック、グーグルはいかに人間の感情を操るのか）」は200万回以上閲覧された。

渡会圭子（わたらい けいこ）

翻訳家。上智大学文学部卒業。主な訳書に、ロバート・キンセル／マーニー・ペイヴァン『YouTube革命　メディアを変える挑戦者たち』、マイケル・ルイス『かくて行動経済学は生まれり』（以上、文藝春秋）、エーリック・フロム『悪について』（ちくま学芸文庫）などがある。

the four GAFA 四騎士が創り変えた世界

2018年8月9日 第1刷発行
2018年8月15日 第2刷発行

著　者——スコット・ギャロウェイ
訳　者——渡会圭子
発行者——駒橋憲一
発行所——東洋経済新報社
〒103-8345　東京都中央区日本橋本石町 1-2-1
電話＝東洋経済コールセンター　03(5605)7021
https://toyokeizai.net/

DTP……………アイランドコレクション
本文イラスト…………カイル・スカロン
ブックデザイン………橋爪朋世
プロモーション担当……笠間勝久
編集協力……………川島睦保
印　刷………………ベクトル印刷
製　本………………ナショナル製本
編集担当……………桑原哲也
Printed in Japan　ISBN 978-4-492-50302-7